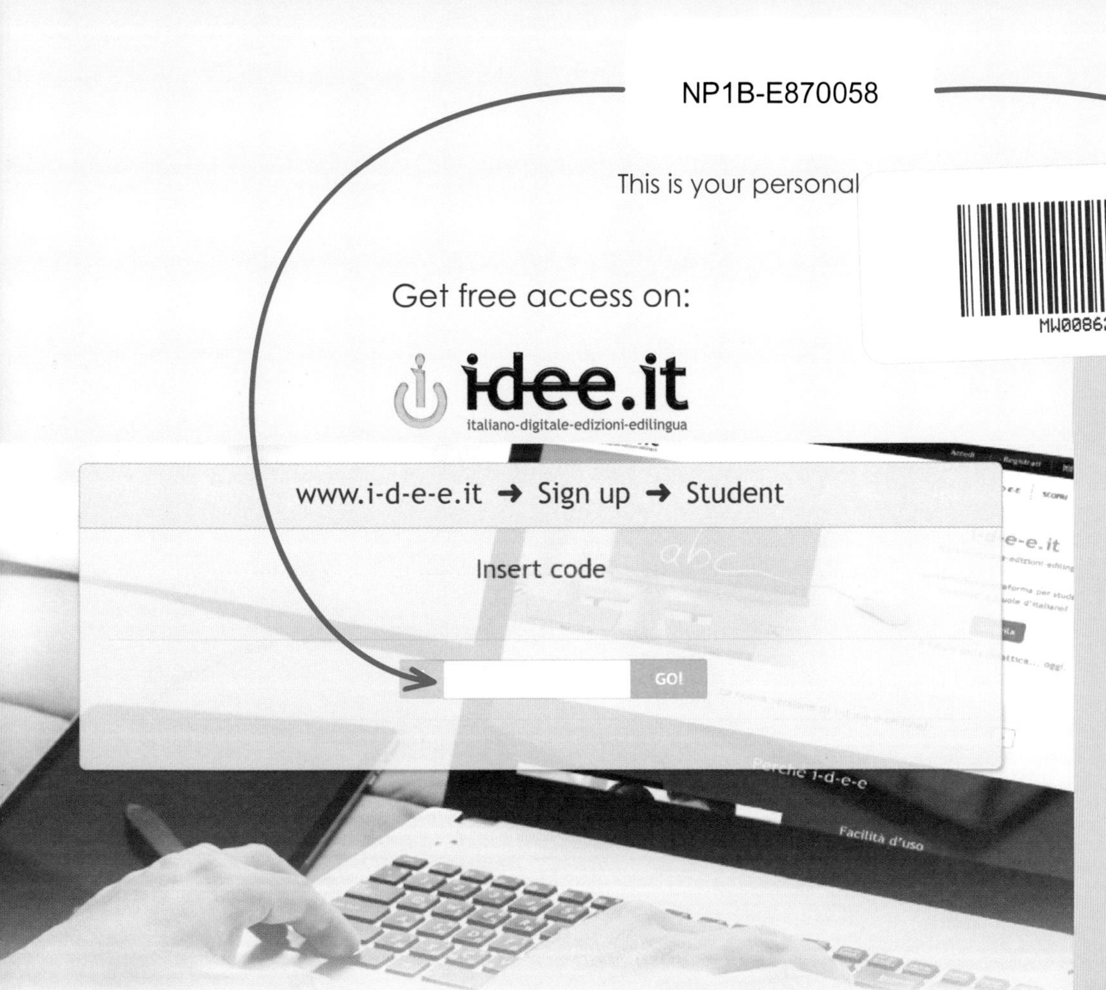

t when
ooks
for your level on:

www.edilingua.it

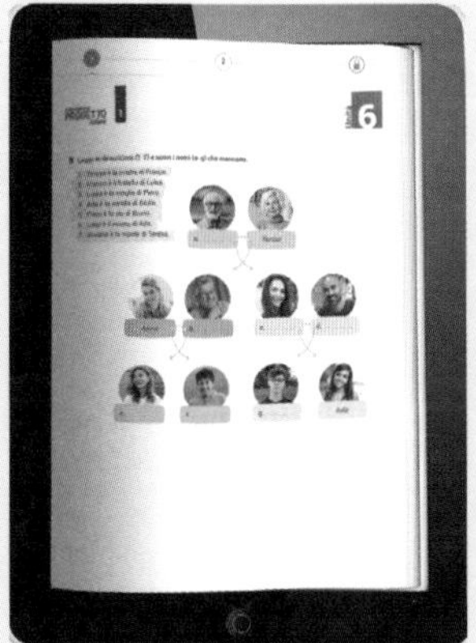

Your interactive workbook with auto correction

Engaging games for extra practice!

Videos and audios

Libri di classe

Once you create an account on the 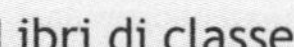 i-d-e-e platform, you will be also able to buy the ***Libro interattivo*** (the fully interactive Italian version of the Student's book with videos and audios) at an 80% discount.

Also
- exam preparation
- Italian culture etc.

Telis Marin Lorenza Ruggieri Sandro Magnelli

The new Italian project

1b

Elementary

An Italian Language and Culture Course for English Speakers

A2

Student's Book and Workbook

DVD

AUDIO CD

EDILINGUA

1st edition: July 2020

ISBN: 978-88-99358-92-1

Contributor:
Fulvia Oddo

Editors:
Antonio Bidetti, Daniele Ciolfi, Anna Gallo, Sonia Manfrecola, Laura Piccolo, Elisa Sartor, Natia Sità

Translator:
Aria Cabot

Photographs: Shutterstock, Telis Marin
Cover photo: Telis Marin

Layout and graphics:
Edilingua

Illustrations:
Alfredo Belli, Massimo Valenti

Audio recordings and video production:
Autori Multimediali, Milano

Headquarters
Via Giuseppe Lazzati, 185
00166 Rome, Italy
Phone +39 06 96727307
Fax +39 06 94443138
info@edilingua.it
www.edilingua.it

Depot and Distribution Center
Via Moroianni, 65 12133
Athens, Greece
Tel. +30 210 5733900
Fax +30 210 5758903

Telis Marin, after receiving an undergraduate degree in Italian language studies, completed a Master ITALS (Italian teaching certification) at the Università Ca' Foscari in Venice and has experience teaching in various Italian language schools. He is the director of Edilingua and has authored various Italian textbooks: *Nuovo* and *Nuovissimo Progetto italiano 1, 2,* and *3* (textbook), *Via del Corso A1, A2, B1,* and *B2* (textbook), *Progetto italiano Junior 1, 2* and *3* (classroom manual), *La nuova Prova orale 1, Primo Ascolto, Ascolto Medio, Ascolto Avanzato, Nuovo Vocabolario Visuale*, and *Via del Corso Video*; he is the co-author of *Nuovo* and *Nuovissimo Progetto italiano Video, Progetto italiano Junior Video* and *La nuova Prova orale 2*. He has held numerous teaching workshops all over the world.

L. Ruggieri is an instructor of Italian as a Second Language. She holds a degree in Foreign Languages and Literatures from the Università degli Studi di Milano. She completed a Ph.D. at the University of Granada, where she works as a researcher in comparative literature and linguistics with the *Grupo de investigaciones filológicas* y *de cultura hispánica*.

S. Magnelli teaches Italian language and literature in the Italian department of the Aristotle University of Thessaloniki. She has taught Italian as a Second Language since 1979 and has collaborated with the Italian Cultural Institute of Thessaloniki, where she taught until 1986. Since then, she has been in charge of curriculum development for linguistic institutions that offer Italian as a Second Language.

The authors and editor would like to thank the many colleagues whose valuable feedback contributed to the improvements in the revised edition of this book.

Additionally, they extend their sincere gratitude to the fellow teachers who, by reviewing and testing the material in their classrooms, contributed to the final product.

Finally, a special thanks to the publisher's editors and graphic designers for their extreme diligence.

To my daughter
Telis Marin

The authors would appreciate any suggestions, remarks, or comments about this volume (to be sent to redazione@edilingua.it)

Thanks to the adoption of this book, Edilingua sponsors children who live in Asia, Africa, and South America. Together we can do so much! More information can be found in the "About Us" ("Chi siamo") section of our website

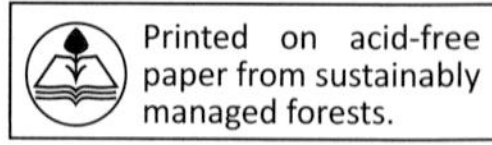

Preface

The new Italian Project is a fully updated edition of a modern Italian language course for non-native speakers. It is intended for adult and young adult learners and covers all levels of the Common European Framework of Reference (CEFR).

The fact that the previous edition of this textbook is an international best seller allowed us to collect comments from hundreds of teachers who work in diverse learning environments. Their valuable feedback and our direct experience in the classroom enabled us to evaluate and determine which changes to implement in order to update the book's content and methodology. At the same time, we have respected the philosophy of the previous edition, appreciated by the many teachers who "grew up" professionally using the book in their classrooms.

In *The new Italian Project 1b*:

- all of the dialogues have been revised: they are shorter, more spontaneous, and closer to spoken Italian;
- some activities were changed to become more inductive and engaging;
- the pace remains fast;
- there is greater continuity between the chapters thanks to the presence of recurring characters in different situations, who also appear in the video episodes;
- the video episodes and the "Lo so io" quizzes have been completely redone, with new actors and locations and updated scripts;
- the video episodes are better integrated with the structure of the course, in that they complete or introduce the opening dialogue;
- all audio files have been revised and recorded by professional actors;
- the "Per cominciare" section presents a greater variety of pedagogical techniques;
- some of the grammar tables have been simplified or moved to the new *Approfondimento grammaticale* section;
- some grammatical structures are presented in a more inductive and simple manner;
- the culture sections have been updated and the texts are shorter;
- a careful review of the vocabulary was conducted following a spiral approach between the units, and between the textbook and workbook;
- in addition to the games that were already present, a short, fun activity was added to each unit;
- the board game and new digital games on the i-d-e-e platform make it more fun for students to review course material;
- the layout has been updated with new photos and illustrations, and the pages are less dense;
- the Instructor's Edition (with answer keys) and Manual (also available in digital format) facilitate and diversify the instructor's role;
- in the workbook, printed entirely in color, various exercises have been diversified with matching, re-ordering, and multiple-choice options instead of open-ended questions.

As in the textbook, the audio recordings in the workbook were recorded by professional actors and are more natural and spontaneous. *The new Italian Project 1* comes with two audio CDs: one "original" version that comes with the workbook, and one "slow" version, available on Edilingua's website and the online learning platform, i-d-e-e.it. This version is intended mainly for students whose native language is distant from Italian, but also for those listening to the dialogue for the first time, in order to facilitate comprehension and lower the affective filter.

The workbook, in addition to exercises designed with various Italian language exams in mind (CELI, CILS, PLIDA), includes unit exams at the end of each chapter (to be administered after the culture sections), two summary tests (one exam for every three units), and a learning game, like the "gioco dell'oca," that covers the most important topics of all the entire book.

The i-d-e-e.it platform

In the inside cover of the book, students will find an access code for the i-d-e-e.it learning platform. The code provides free access for 12 months (from the time of activation) to the following learning materials and tools:

- fully interactive versions of the workbook activities, with automatic correction and scoring. Students can complete them independently and repeat them at any time for additional practice;
- video and quiz episodes;
- "original" and "slow" versions of the audio files;
- new online games, exclusively for Edilingua, that provide a fun and extremely effective means of reviewing material;
- interactive grammar, tests and games prepared by the teacher, virtual classroom space, etc.

Moreover, on i-d-e-e, students can purchase various books in e-book format (the student edition of the textbook, simplified readings, the *Nuovo Vocabolario Visuale*, *I Verbi italiani per tutti*, and more) and many other materials (video, audio).

On their end, instructors on i-d-e-e:

- see the results of the exercises completed by their students, and the mistakes each has made. This allows them to dedicate less class time to correcting exercises;
- find all of the videos for the course;
- can assign to their specific sections various tests and games that are already available, personalize them, or create new ones;
- find the software for the interactive whiteboard for *The new Italian Project 1* (also available offline on a DVD);
- can consult other teaching materials published by Edilingua.

This symbol, which students find in the middle and at the end of every unit of the workbook, indicates the availability of our new online games (*Cartagio*, *Luna Park*, *Il giardino di notte*, *Orlando*, and *Sogni d'oro*) that allow students to review the contents of the unit.

Extra Materials

The new Italian Project 1b is complemented by a series of innovative supplementary resources.

- **i-d-e-e**: an innovative platform that includes all workbook exercises in an interactive format and a series of extra resources and tools for students and teachers.
- **Interactive Book:** available on i-d-e-e.it, both for students and teachers, with automatic correction for the Student's Book activities, audios and videos. The teacher version (also available in DVD) offers extra tools and can also be used as an easy-to-use, functional and complete IWB.
- **E-book**: a digital version of the student edition of the textbook for Android, iOS, and Windows devices (on blinklearning.com).
- **DVD** with video episodes of an educational sitcom and "Lo so io" quizzes, also available on i-d-e-e.it. The video episodes and corresponding activities offer a fun review of the communicative, lexical, and grammatical content of each unit. In the DVD menu that accompanies *The new Italian Project 1b*, units 1-5 are not active.
- **Audio CD** included with the book and available on i-d-e-e.it.
- **Dieci Racconti** (also available as an e-book): short, graduated readings based on situations from the textbook.
- **Online games**: different types of games to review the content from each unit, available for free on i-d-e-e.it.
- **Party Game:** includes four different types of games to review and reinforce the material while having fun.
- **Interactive glossary**: free application for Android and iOS devices to learn and review vocabulary in an effective, fun way.

Many other materials are available for free on Edilingua's website: the *Guida digitale*, with valuable suggestions and many materials that can be photocopied; *Test di progresso*; *Glossari in varie lingue*; *Attività extra e ludiche*; collaborative and task-based *Progetti*, one for each unit; and the *Attività online*, which are signaled by the specific symbol at the end of each unit and offer motivating activities, on secure and periodically reviewed websites, and guide the student toward the discovery of a more lively and dynamic image of Italian culture and society.

Good luck as you get started!
Telis Marin

Legend of symbols

Listen to Track 34 of the CD

Free speaking activity

Pair work

Communicative role play

Writing activity (40-50 words)

Gamified activity

Complete the video activities on page 97

Mini projects (*tasks*)

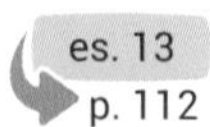

Complete Exercise 13 on page 112 of the *Workbook*

Online games on i-d-e-e.it

Go to www.edilingua.it and complete the online activities

English Glossary

Per cominciare...

1 Study the photos and mark which places you would choose for:

a. una festa in famiglia b. una cena romantica c. la pausa pranzo d. un pranzo di lavoro

Justify your answers.

1 ☐

2 ☐

3 ☐

4 ☐

5 ☐

6 ☐

2 Listen to the dialogue: with whom and about what is Lorenzo speaking?

3 Listen again and mark the correct statements.

1. Lorenzo dopo l'università andrà
   - ☐ a. a Firenze
   - ☐ b. a cena con Gianna
   - ☐ c. a cena con la madre
2. Gianna festeggia il suo compleanno con
   - ☐ a. la famiglia
   - ☐ b. gli amici
   - ☐ c. il suo ragazzo

In this unit, we will learn:

- *to express possession*
- *to give advice*
- *family vocabulary*
- *daily meals and some Italian dishes*
- *how to order in a restaurant*
- *to express preferences*
- *some cooking vocabulary*

- *the possessives*
- *the possessives with names of family members*
- quello *and* bello
- volerci *and* metterci

- *a little history of Italian food*
- *the names of some types of pasta*
- *where Italians eat*

A È il suo compleanno.

1 Read the dialogue to check your answers to the previous activity.

madre: ...Allora? Oggi vieni a cena da noi?
Lorenzo: No, oggi no, dopo l'università andrò a cena con Gianna.
madre: Ah, come mai?
Lorenzo: Domani è il suo compleanno.
madre: E non festeggiate con i vostri amici?
Lorenzo: Oh, quante domande, mamma! Paolo e Maria oggi non possono e domani Gianna festeggia con la sua famiglia perché è venuto suo fratello da Palermo.
madre: Ho capito... Ma... tu e Gianna siete sempre amici, vero?
Lorenzo: Certo, che domanda è?! Gianna è solo un'amica! E poi ha il ragazzo...
madre: Certo... E lui non viene a cena con voi?
Lorenzo: No, perché studia a Firenze. Come sei discreta, mamma...
madre: Sono sempre discreta io... E dove andate a mangiare?
Lorenzo: Da "*I due fratelli*".
madre: Oh, che bello, è uno dei miei posti preferiti. Allora, prendi il risotto alla milanese, è una delle loro specialità!
Lorenzo: Va bene, mamma, vedrò...
madre: Come secondo puoi prendere la cotoletta alla milanese, è ottima! E come antipasto, magari le bruschette della nonna...
Lorenzo: Scusa, per caso vuoi andare tu al mio posto?!

2 Answer the questions.

1. Perché Lorenzo non cena con i genitori?
2. Chi è arrivato da Palermo?
3. Cosa consiglia la madre a Lorenzo?

3 Observe the sentence "Domani è il suo compleanno." *Suo* is a possessive adjective. Underline all of the possessives in the dialogue.

4 Read Gianna and Lorenzo's messages. Insert the possessives that you underlined in the dialogue in the blank spaces.

40-50 **5** Write how Gianna is celebrating her birthday.

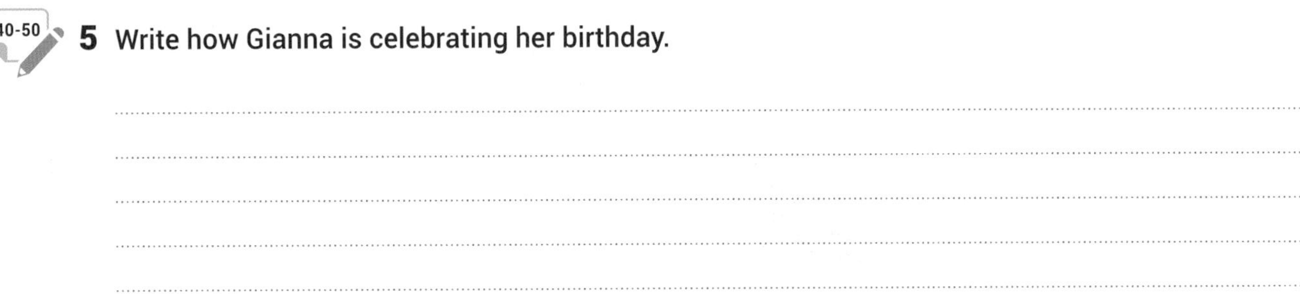

6 In pairs, complete the table.

I possessivi (2)

io	Sabato prossimo è il mio compleanno. Naturalmente ci saranno anche .... genitori.	il mio/la mia i miei/le mie
tu	Bella la tua casa! Che festa è senza .... amici?	il tuo/la tua i tuoi/le tue
Sergio/Marina	Il suo lavoro è molto interessante. Verranno .... cugine da Milano.	il suo/la sua i suoi/le sue
signor / signora Vialli	Signor Vialli, ha dimenticato la Sua sciarpa! Signora Vialli, quanti anni hanno .... figli?	il Suo/la Sua i Suoi/le Sue
noi	Il nostro volo parte da Napoli a mezzogiorno. Stasera usciamo con .... amiche.	il nostro/la nostra i nostri/le nostre
voi	Andate con .... macchina? Avete già programmato le vostre vacanze?	il vostro/la vostra i vostri/le vostre
Renato e Nadia	Il loro gatto è ancora un cucciolo. Hanno già conosciuto .... nuovi colleghi.	il loro/la loro i loro/le loro

Possessive adjectives and pronouns are covered in the Approfondimento grammaticale *on page 182.*

7 Complete the sentences, as in the example.

I miei genitori hanno un bar. → Il ...*loro*... bar è sempre pieno il sabato sera.

1. So che hai dei bambini piccoli. I .... bambini sono molto vivaci.
2. Quando cucino, metto sempre molto sale, per questo i .... piatti sono sempre salati.
3. So che avete molti progetti. I .... progetti sono molto interessanti.
4. Abbiamo una macchina. La .... macchina è italiana.
5. Ho sentito che Anna ha due cugine. Le .... cugine vivono a Siena.

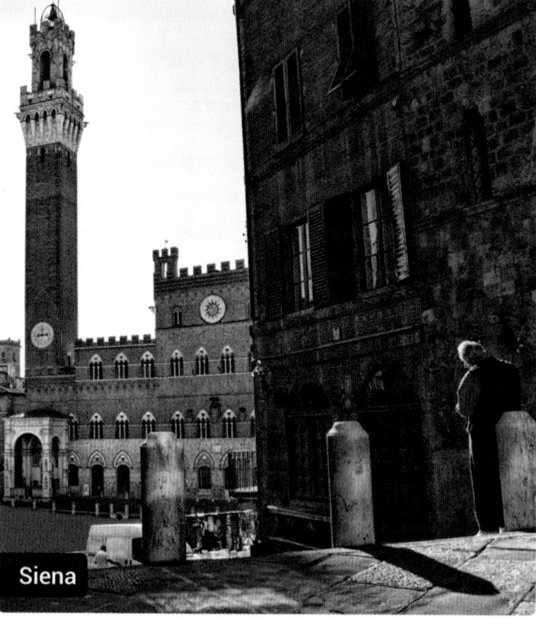
Siena

es. 1-7
p. 107

B La famiglia di Gianna

1 a Gianna shows Lorenzo the photos of her birthday party. Read the dialogue and complete the family tree.

Lorenzo: Che bella coppia! Sono i tuoi nonni?

Gianna: Sì, questa è mia nonna Anna Rita e questo è mio nonno Giuseppe. E qui accanto, ci sono mia madre e mio zio Giovanni.

Lorenzo: Ah sì, ho conosciuto tuo zio l'anno scorso alla festa di Natale a casa tua. Ha due figlie che vanno all'università, se ricordo bene...

Gianna: Solo Susanna. Laura, invece, lavora in banca. Guarda questa foto: è bellissima! Le mie cugine sempre con il cellulare in mano e mia zia Alessandra arrabbiatissima...

Lorenzo: Ahaha! E Carlo?

Gianna: Eccolo qua, mio fratello! Tutta la serata a discutere di politica con nostro padre.

Lorenzo: Povera te! E chi è questa bambina con i capelli biondi?

Gianna: È mia nipote Cristina, in braccio alla sua mamma.

Lorenzo: Silvia, la moglie di Carlo?

Gianna: Sì, bravo! Carine, no?

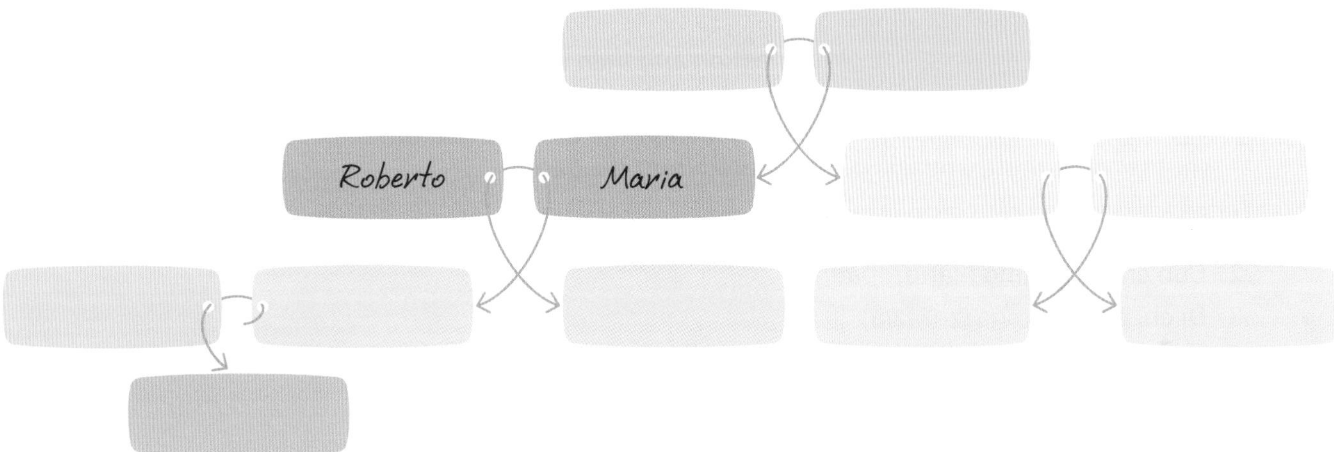

b What are the names of Giuseppe and Anna Rita's grandchildren?

> **Note!**
> The word ***nipote*** can mean either niece/nephew or grandson/granddaughter.

2 Re-read the dialogue and insert the names of the family members below.

1. I coniugi:	marito / moglie	5. Gli zii:	.... / ....
2. I genitori:	.... / madre	6. I cugini:	cugino / ....
3. I fratelli:	fratello / sorella	7. I nipoti:	(il) nipote / ....
4. I nonni:	.... /	8. I figli:	figlio / figlia

3 Complete the table with the possessives used in dialogue B1.

Nomi di parentela e possessivi

mio *marito* .... *madre* tuo *nipote* sua *moglie* .... *padre* vostro *nonno*	singolare: *senza articolo*	ma	i miei *genitori* .... *cugine* i tuoi *fratelli* le sue *sorelle* le nostre *nipoti* i vostri *zii*	plurale: *con articolo*

Note: Loro is an exception, as it takes the definite article in the singular form: il loro padre, la loro zia, il loro fratello, la loro madre, etc.

4 In groups: read the rules of the game and answer the questions.

- *Crumple a sheet of paper to form a small ball. One of you will toss the ball to a classmate and ask him/her a question, as in the example.*
- *Your classmate must answer the question and then throw the ball to another classmate and ask another question, and so on.*
- *Anyone who is not able to answer the question will toss the ball to another classmate, and will be eliminated from the game.*

Chi viene con te? (cugina)

Viene mia cugina.

1. Con chi sei andato al cinema? (*sorella*)
2. Con chi ha litigato Mario? (*padre*)
3. Di chi parlate, ragazze? (*zia*)
4. Da chi siete andati ieri? (*cugini*)
5. A chi ha telefonato Sara? (*nonno*)
6. Di chi è questa bici, Marco? (*fratello*)

es. 8-10 p. 110

5 Draw your family tree and present your family to a classmate. Provide information about age, physical appearance, and personality. Your classmate will report the information about your family to the rest of the class.

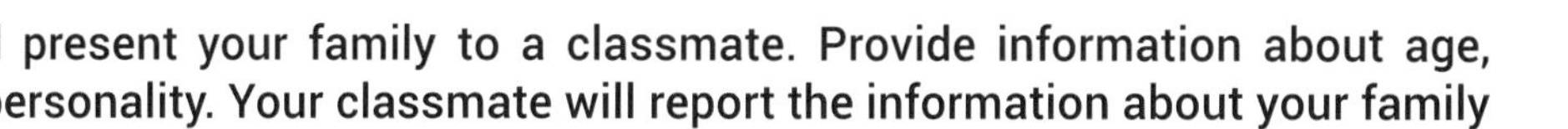

C Da *I due fratelli*

35 **1** Listen to the dialogue and mark the dishes that Lucia and Claudio order.

I DUE FRATELLI

RISTORANTE - PIZZERIA

Antipasti
- [ ] Prosciutto di Parma
- [ ] Antipasto misto
- [ ] Insalata di pesce
- [ ] Bruschette della nonna

Dolci
- [ ] Torta di mele
- [ ] Frutta fresca di stagione
- [ ] Panna cotta

Primi
- [ ] Linguine al pesto
- [ ] Spaghetti alla carbonara
- [ ] Penne all'arrabbiata
- [ ] Lasagne alla bolognese
- [ ] Risotto alla milanese

Secondi
- [ ] Pollo all'aglio
- [ ] Bistecca ai ferri
- [ ] Cotoletta alla milanese
- [ ] Vitello alle verdure
- [ ] Involtini alla romana

Vini
- [ ] Chianti
- [ ] Barolo
- [ ] Orvieto
- [ ] Lambrusco

Contorni
- [ ] Insalata verde
- [ ] Verdure grigliate
- [ ] Patate al forno

Pizze
- [ ] Margherita
- [ ] Funghi
- [ ] Marinara
- [ ] Napoletana
- [ ] 4 stagioni

Bevande
- [ ] Coca Cola
- [ ] Acqua minerale
- [ ] Birra Nastro Azzurro
- [ ] Birra Peroni

2 Listen to the dialogue again and indicate whether the following sentences are present in the dialogue or not.

	sì	no
1. È il ristorante più bello della città.		
2. Ben cotta, per favore.		
3. È molto saporito.		
4. Vorrei il vitello alle verdure.		
5. Sembra buono.		
6. È la specialità dello chef.		
7. A me piace l'insalata.		
8. Lei cosa consiglia?		

3 Look at the menu again and, in pairs, create short dialogues, as in the example.

Ti piace / Ti piacciono... ?

Sì, ... / No, ... e a te?

Observe:

(Non) mi piace il pesce.
(Non) mi piace mangiare fuori.
(Non) mi piacciono i dolci.
(Non) mi piacciono le lasagne.

35 **4** Listen to Lucia and Claudio's orders again and insert the expressions used to place an order in the spaces below.

Scusi, possiamo ordinare?

Prego!

.... prosciutto di Parma e .... le lasagne alla bolognese.

.... spaghetti alla carbonara.

Per secondo?

.... il vitello alle verdure.

Mhm .... la bistecca ai ferri.

Da bere?

.... del vino? E una bottiglia d'acqua minerale frizzante.

5 **a** Complete the table with the words provided.

a me ⌘ *cucinare* ⌘ *una bistecca* ⌘ *le linguine al pesto*

vorrei	.... *provare* la specialità del ristorante
(non) mi piace	la pasta al dente ....
(non) mi piacciono	....
• *Mi piace molto il pesce.*	• *.............. non piace affatto!*
• *Ti piace la carne?*	• *Sì, perché, a te non piace?*

b Divide yourselves into groups. One of you will be the waiter and the others will be the clients in a restaurant. Place your orders.

es. 11-12 p. 111

D Facciamo uno spuntino?

1 Read the dialogue and answer the questions.

Sara: Ho un po' di fame, facciamo uno spuntino? Hai ancora quei biscotti al cioccolato?
Mia: No, sono finiti. Comunque, fra un'ora c'è la pausa pranzo. Ma non hai fatto colazione?
Sara: Io non mangio mai niente la mattina. Siccome ho sempre fretta, al massimo bevo un caffè.
Mia: Fai molto male! Ci vogliono pochi minuti per fare colazione ed è il pasto più importante della giornata. Io bevo sempre un caffellatte e mangio delle fette biscottate con burro e miele, così a pranzo non ho molta fame.
Sara: Veramente?! Ieri, però, hai preso primo, secondo, contorno e dolce...
Mia: ...È vero, però dopo, a cena non ho mangiato. Comunque, di solito preferisco una cena leggera: un'insalata, della frutta... cose che ci metto poco a preparare.
Sara: Io, in genere, se mangio molto a pranzo, salto sempre la cena. Faccio merenda verso le sei del pomeriggio e sono a posto.
Mia: Io, in ogni caso, cerco di cenare presto, non dopo le otto. E tu?
Sara: Anch'io, più o meno a quell'ora lì.

1. Perché Sara ha fame? Cosa beve a colazione e perché?
2. Cosa mangia Mia la mattina?
3. Che cosa mangiano a cena le due ragazze? A che ora cenano?

2 a Do you have breakfast every day? What do you eat/drink? Study the images and discuss with a classmate.

A colazione mangio... / mi piace... / preferisco... e tu?

b Complete the chart and then compare your answers with your classmates.

Cosa mangi?

Colazione	....
Spuntino	....
Pranzo	....
Merenda	....
Cena	....

How many of you have a mid-morning snack? What is the most popular afternoon snack?

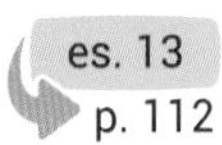
es. 13 p. 112

3 In the dialogue on page 13, find and study the phrases "ci vogliono pochi minuti per..." and "ci metto poco a preparare." Then, complete the dialogues below. Refer also to the *Approfondimento grammaticale* on page 183.

Quanto ci vuole per cuocere gli spaghetti al dente?

.... circa 8 minuti di cottura.

Ci metti molto per preparare da mangiare?

Mah, ... un quarto d'ora!

4 Complete the sentences with *ci vuole, non ci vuole, ci vogliono, ci mettiamo*.

Per andare in centro con la bici .... 11 minuti.

Per fare il caffè corretto .... il latte!

Per andare all'estero .... il passaporto.

quei biscotti al cioccolato
a quell'ora lì
See the entry on ***quello*** and ***bello*** in the *Approfondimento grammaticale* on page 183.

In auto, noi .... circa 6 ore da Roma a Milano.

es. 14-17
p. 112

E Vocabolario e abilità

1 What is found on a table that has been set for a meal? Write the words in the correct spaces.

piatto | *bicchiere* | *tavolo* | *bottiglia*

2 Match the words provided (a-e) with the verbs (1-5), as in the example in black.

a. il sugo b. la pasta c. il pesce d. il formaggio e. il salame

1 ___ cuocere

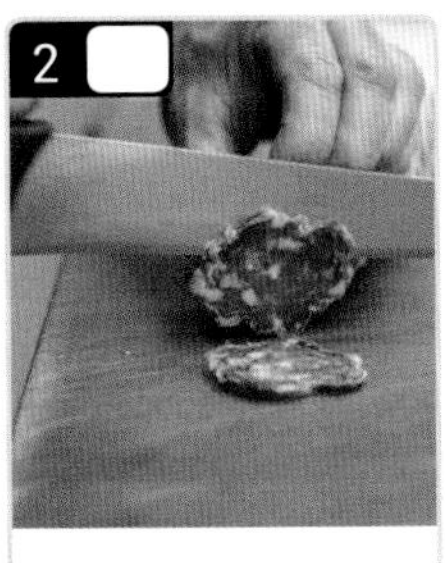
2 ___ tagliare

3 c friggere

4 ___ mescolare

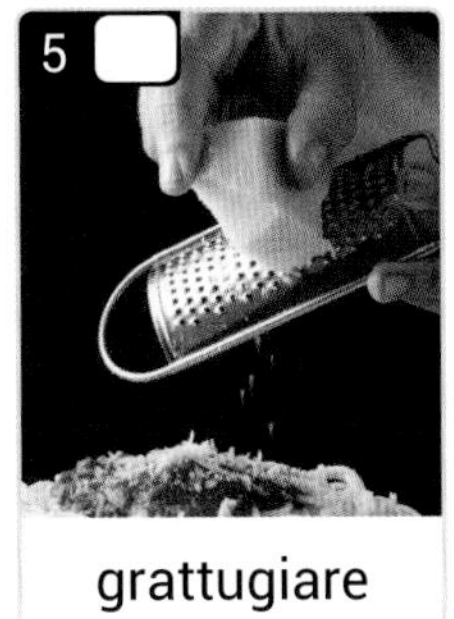
5 ___ grattugiare

3 Look at the illustrations below and use the words from Activity E2: ask questions to your classmate, who will respond, following the example.

Dove cuoci la pasta?

Cuocio la pasta nella pentola.

Cosa usi per grattugiare il formaggio?

Per grattugiare il formaggio uso la grattugia.

la pentola

la grattugia

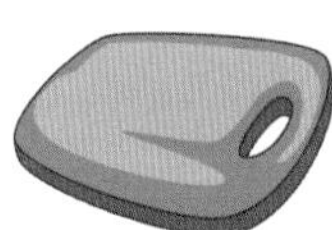
il tagliere

la padella

il mestolo

il colapasta

es. 18 p. 113

4 Parliamo

1. Secondo voi, quali differenze e quali somiglianze ci sono fra la cucina italiana e la cucina del vostro Paese?
2. Quali piatti o cibi tipici del vostro Paese sono famosi anche all'estero?
3. Esistono ristoranti italiani nella vostra città? Parlatene.
4. Quali sono i vostri piatti preferiti della cucina italiana? Sapete cucinare qualcuno di questi?
5. Raccontate l'ultima volta che avete mangiato in un ristorante: in quale occasione, cosa avete ordinato ecc.

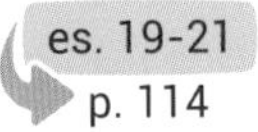
es. 19-21 p. 114

60-80

5 Scriviamo

Respond to your friend and provide the information requested.

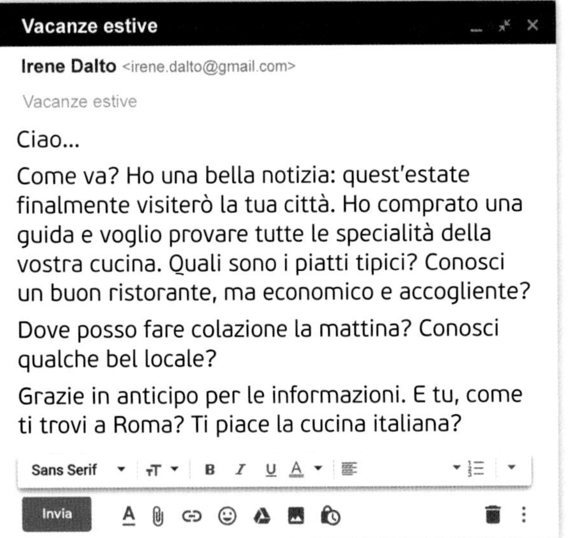
Vacanze estive

Irene Dalto <irene.dalto@gmail.com>

Vacanze estive

Ciao...

Come va? Ho una bella notizia: quest'estate finalmente visiterò la tua città. Ho comprato una guida e voglio provare tutte le specialità della vostra cucina. Quali sono i piatti tipici? Conosci un buon ristorante, ma economico e accogliente?

Dove posso fare colazione la mattina? Conosci qualche bel locale?

Grazie in anticipo per le informazioni. E tu, come ti trovi a Roma? Ti piace la cucina italiana?

Sans Serif B I U A

Invia

p. 97 Test finale

La cucina italiana: un po' di storia

1 **Which famous products of Italian culinary history do you think are tied to these two historical figures? Read the text and fill in the blanks with the words found in the photos.**

Marco Polo

regina Margherita

Tutti i popoli che sono passati dall'Italia (francesi, spagnoli, arabi, austriaci ecc.) hanno lasciato le loro ricette* e i loro sapori. Anche per questo ogni regione ha i suoi piatti tipici e la cucina italiana è così varia e famosa in tutto il mondo: la pizza e la pasta sono gli esempi migliori.

LA STORIA DELLA PASTA

Secondo una leggenda*, ... (1) porta gli spaghetti dalla Cina, nel lontano 1292... In realtà, molti secoli prima, i Greci e gli Etruschi mangiano già un tipo di pasta: le .... (2), una specie di lasagna, preparate ancora oggi nel Sud Italia.

Sono poi gli arabi nel 1100 a introdurre i primi "spaghetti" nella cucina siciliana. Da qui, grazie ai commerci marittimi* la pasta arriva piano piano in tutta Italia.

LA STORIA DELLA PIZZA

L'origine* di questo piatto è antichissima: già gli Etruschi infatti cucinano sulle pietre un tipo di focaccia (sottili fette di pane); è nel Settecento che, grazie all'aggiunta del pomodoro (dall'America) e di altri ingredienti*, nel Sud Italia la pizza diventa uno dei piatti preferiti dal popolo e non solo.

Ma quando la pizza diventa il "simbolo" del nostro Paese?

Nel 1889, quando il re d'Italia Umberto I e la .... (3) invitano a corte* Don Raffaele Esposito, famoso pizzaiolo di Napoli, per assaggiare la sua pizza. Esposito prepara una pizza tricolore come la bandiera italiana: il verde del basilico, il bianco della mozzarella e il rosso del pomodoro, che chiama appunto "Pizza .... (4)", in onore della regina. Da allora, questo piatto conquista tutto il mondo.

2 **Re-read the text and mark the statements that are present.**

- [ ] 1. Ci sono piatti diversi in ogni regione d'Italia.
- [ ] 2. Ci sono molti ristoranti italiani in Cina.
- [ ] 3. Le lagane sono simili alle lasagne.
- [ ] 4. Il pomodoro ha cambiato la storia della pizza.
- [ ] 5. La pizza margherita ha i colori della bandiera italiana.
- [ ] 6. La regina Margherita vuole provare la pizza Umberto.

Glossario. ***ricetta***: le istruzioni per preparare un piatto; ***leggenda***: racconto fantastico; ***marittimo***: (commercio) sul mare; ***origine***: l'inizio, dove qualcosa o qualcuno è nato; ***ingredienti***: i singoli prodotti per preparare un piatto; ***corte***: abitazione del re.

La pasta

1 Match the types of pasta with the correct dishes. Do you know other types of pasta?

lasagne ⁎ *farfalle* ⁎ *tortellini* ⁎ *spaghetti* ⁎ *gnocchi* ⁎ *fusilli* ⁎ *tagliatelle* ⁎ *penne*

Gli italiani mangiano la pasta al dente, cioè: a. ☐ molto cotta b. ☐ non molto cotta

2 Culinary project. In pairs or groups of three, prepare a typical Italian dish to bring to your next class. Write down information about the dish that you will present to the class (ingredients, recipe, interesting facts...). After trying all of the dishes, vote for your favorite.

Dove mangiano gli italiani?

1 Complete the text with the words provided.

bar ⁎ *pizzeria* ⁎ *trattoria* ⁎ *ristorante*
paninoteca ⁎ *osteria*

Agli italiani piace mangiare a casa e, spesso, a casa di amici. Nel fine settimana però, molti preferiscono cenare o pranzare fuori.

Ma dove mangiano gli italiani? Le alternative sono parecchie. Chi preferisce un pasto veloce ed economico va in .... (1), il tipico fast-food italiano per consumare un toast o un panino. Un'altra alternativa non troppo costosa è l'.................. (2), frequentata da chi ama mangiare cose semplici e bere qualcosa. Anche la .... (3) offre un menù semplice con una varietà di piatti regionali e un ambiente informale.

Chi, invece, vuole mangiare e gustare* piatti più raffinati* può andare al .... (4). Chi, invece, preferisce la pizza, va in .... (5). Durante la settimana, nella pausa pranzo, molte persone per mancanza di tempo vanno al .... (6) per uno spuntino e un caffè.

Glossario. ***gustare***: sentire il sapore di qualcosa;
raffinato: dal sapore buono, elegante, ricercato.

AUTOVALUTAZIONE

What did you learn in Units 5 and 6?

1 *Sai...?* Match the two columns.

1. esprimere possesso
2. parlare della famiglia
3. esprimere preferenza
4. parlare di progetti
5. parlare dei pasti

☐ a. *A me piace di più la pasta al pomodoro.*
☐ b. *In estate andremo in Portogallo.*
☐ c. *Tua nonna è molto simpatica.*
☐ d. *Marco non fa mai colazione.*
☐ e. *Questa è la mia macchina nuova.*

2 Match the sentences.

1. Cameriere, scusi!
2. Perché non prendi le lasagne?
3. Di chi è questo?
4. Scusi, il prossimo treno per Perugia?
5. Per secondo, hai deciso?

☐ a. *Il Regionale delle 11.*
☐ b. *No, oggi niente primo.*
☐ c. *Un attimo, signora, arrivo.*
☐ d. *Una bistecca ben cotta.*
☐ e. *È mio.*

3 Complete.

1. Tre pasti: ....
2. Due aggettivi per descrivere un piatto: ....
3. Il plurale di *mia*: ....
4. Il futuro di *volere* (prima persona singolare): ....
5. Il plurale di *bel*: ....

4 In each group, find the word that doesn't belong.

1. È un dolce:
   prosciutto | mozzarella | salame | parmigiano | panna cotta
2. Non si mangia a colazione:
   fette biscottate | burro | cornetto | risotto | pane
3. Non è un tipo di pasta:
   tagliatelle | tortellini | vitello | penne | farfalle
4. Non è un verbo "da cucina":
   tagliare | cuocere | ordinare | mescolare | grattugiare

Check your answers on page 104.
Sei soddisfatto/a?

Maschio Angioino, Napoli

Al cinema

Unità 7

Glossary p. 195

Per cominciare...

 **1** Have you seen any Italian films? Which? Of which genre(s)?

drammatico

commedia

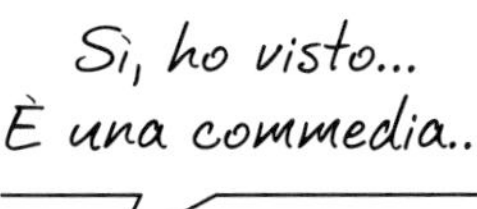

d'azione

d'avventura

giallo/poliziesco

thriller

dell'orrore

 **2** Study the photos on page 20 and describe what Gianna and Lorenzo did.

 **3** Now listen to the dialogue and check your hypotheses.

 **4** Listen to the dialogue again and mark the people to which the sentences correspond.

1. Sono andati al cinema.			
2. Aveva 39 di febbre.			
3. Voleva andare a vedere un film d'azione.			
4. Ha dormito durante il film!			
5. Ha visto un film in televisione.			
6. I film dell'orrore non sono il suo genere.			

In this unit, we will learn:

- *to recount and describe facts in the past*
- *to talk about cinema*
- *to talk about memories*
- *to express agreement and disagreement*
- *film vocabulary*
- *the imperfect indicative* (imperfetto)*: regular and irregular verbs*
- *the past perfect* (trapassato prossimo)
- *the difference between the imperfect and the present perfect*
- *famous Italian actors and directors*

A Che ridere!

1 Read the dialogue and check your answers to the previous activity.

Gianna: Alla fine, ieri, visto che non potevi venire, sono andata al cinema con Lorenzo: abbiamo visto l'ultimo film di Muccino.

Michela: Avete fatto bene. Io, purtroppo, avevo 39 di febbre e sono stata a casa tutto il giorno.

Gianna: Oh, mi dispiace. Però che ridere ieri!

Michela: Davvero? Ma era una commedia?

Gianna: No, il film no. È Lorenzo che è un personaggio da commedia!

Michela: Eheh, perché?

Gianna: Innanzitutto, siamo stati mezz'ora a scegliere il film da vedere perché a Lorenzo non piaceva niente. In realtà voleva vedere un film d'azione. Poi finalmente abbiamo scelto il film di Muccino. Molto bello, solo che alla fine Lorenzo sembrava confuso.

Michela: In che senso? Storia complicata?

Gianna: Macché! Mentre parlavamo del film, lui faceva dei commenti strani. Poi ho capito: durante il film lui dormiva!

Michela: No! Ha perso tutto il film?!

Gianna: Non so, forse la metà... comunque il film era molto bello.

Michela: Bene... anch'io ho visto un film in televisione. C'era questa ragazza innamorata del fantasma che viveva nel teatro. Lui però era un assassino e...

Gianna: Ma... non è il *Fantasma dell'Opera* di Dario Argento?

Michela: Sì! Bel film, no?

Gianna: Mah, i film dell'orrore non sono proprio il mio genere!

2 Answer the questions.

1. Che film hanno visto Gianna e Lorenzo al cinema?
2. Perché Lorenzo era confuso alla fine del film?
3. Come ha passato la serata Michela?

3 In pairs, read the dialogue.

4 Complete the dialogue with the verbs provided.

voleva ✶ *guardavo* ✶ *aveva* ✶ *diceva* ✶ *mangiavo*
era ✶ *dormiva* ✶ *facevo*

Michela: Scusa, ma tu non hai visto che Lorenzo .... (1) al cinema?

Gianna: Io .... (2) i popcorn e .... (3) il film. Però mi sembrava molto strano il silenzio di Lorenzo... Io ogni tanto .... (4) dei commenti, ma lui non .... (5) niente.

Sergio: Che tipo! Forse .... (6) molto stanco...

Gianna: Macché! Ieri non .... (7) lezione all'università. La verità è che lui .... (8) andare a vedere un film d'azione.

5 Study the sentence: *Lorenzo sembrava confuso.*

Underline in dialogue A1 the verbs like "sembrava." Then, complete the table.

Imperfetto

parlare	vivere	dormire
parlavo	vivevo	dormivo
parlavi	vivevi	dormivi
parlava	....	....
....	vivevamo	dormivamo
parlavate	vivevate	dormivate
parlavano	vivevano	dormivano

es. 1-3 p. 117

6 Study the table on page 21 and complete the sentences, as in the example in blue.

1. Ieri mattina alle 11 (loro, *dormire*) .... ancora.

2. Ogni volta che zia Giulia (*partire*) .... per un viaggio, lo zio (*sembrare*) .... felice.

3. All'inizio (noi, *volere*) *volevamo* vedere un film d'avventura.

4. Mentre la mamma (*lavorare*) .... al PC, (noi, *giocare*) .... con il papà.

5. Mi ricordo quando (voi, *vivere*) .... a Bari.

6. Mentre i bambini (*litigare*) ...., è arrivata la maestra.

7 In pairs, re-read dialogue A4 and complete the table.

Imperfetto irregolare

essere	bere	dire	fare
ero	bevevo	dicevo	....
eri	bevevi	dicevi	facevi
....	beveva	....	faceva
eravamo	bevevamo	dicevamo	facevamo
eravate	bevevate	dicevate	facevate
erano	bevevano	dicevano	facevano

es. 4-6 p. 118

B Ti ricordi?

1 Read the dialogue.

Gianna: E questa foto?
Simona: È la festa a casa di Marta! Ricordi?
Gianna: Oddio, è vero! Eravamo all'università. Che bei tempi!
Simona: Sì, studiavamo tutta la settimana e il sabato organizzavamo sempre una festa! Ti ricordi di quella a casa di Matteo?
Gianna: No, quale? Non mi ricordo.
Simona: Dai... quella sera che hai conosciuto Franco.
Gianna: Oddio, Franco... che tipo!
Simona: Ma dai, era simpatico!
Gianna: Beh, insomma... era un po' esagerato: è riuscito anche a trovare il mio numero di telefono!
Simona: Davvero?
Gianna: Certo! E sai cosa ha fatto una volta? Mentre io ero a lezione, è venuto all'università ed è entrato in aula con un mazzo di fiori!
Simona: No, veramente?!
Gianna: Eh, sì, purtroppo... Comunque, se ricordo bene, una volta siamo anche usciti... sì, siamo andati al Museo del Cinema italiano.
Simona: Ah! Vabbè, non era cattivo, solo un po' particolare. E poi scherzava sempre.
Gianna: Era pure un bel ragazzo, ma troppo strano.
Simona: Chissà, forse era solo innamorato!

2 a Re-read the dialogue and complete the table.

Parlare di ricordi

Ricordo... / Ricordo che...	....
Mi ricordo quella volta che...	....
Non dimenticherò mai...	....

b In pairs, use the expressions from the table to describe your memories.

Student *A* talks to Student *B*:
- *di una persona o di un evento importante*
- *di un film che ha visto anni fa*

Student *B* talks to Student *A*:
- *delle vacanze più belle*
- *di un ricordo dell'infanzia*

La mia laurea

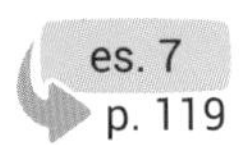
es. 7 p. 119

3 Complete the table with the verbs found in the dialogue on page 23. Then, study the functions of the *imperfetto* and *passato prossimo*.

Usiamo...

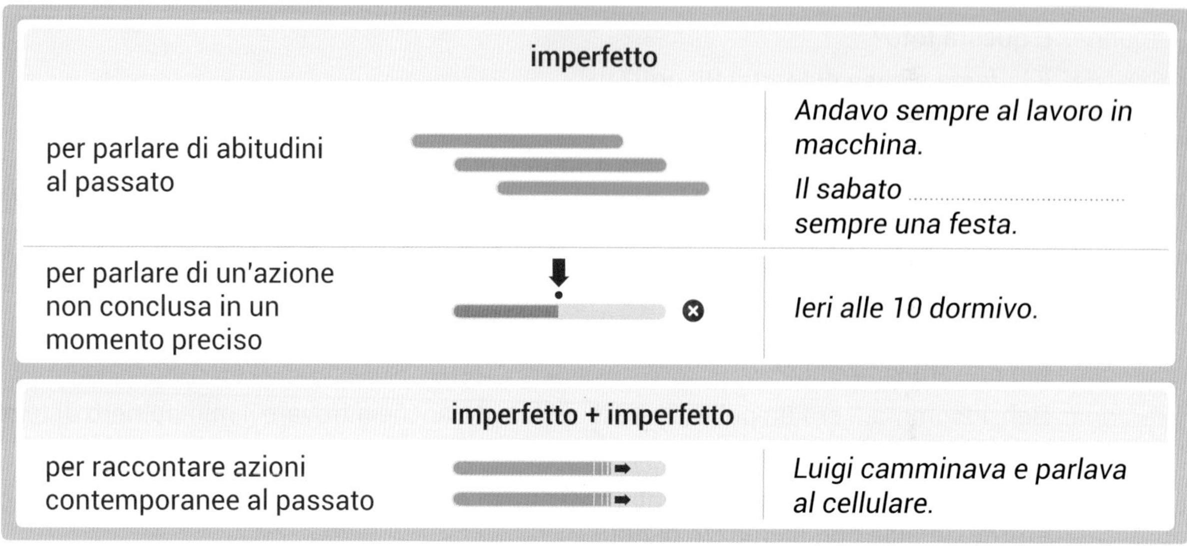

imperfetto	
per parlare di abitudini al passato	*Andavo sempre al lavoro in macchina.* *Il sabato .... sempre una festa.*
per parlare di un'azione non conclusa in un momento preciso	*Ieri alle 10 dormivo.*
imperfetto + imperfetto	
per raccontare azioni contemporanee al passato	*Luigi camminava e parlava al cellulare.*

passato prossimo	
per parlare di un'azione conclusa	*Ho studiato dalle 5 alle 8.* *.................................. al Museo del Cinema italiano.*
passato prossimo + passato prossimo	
per parlare di azioni successive concluse	*Ho aperto la porta e sono uscita.* *.................................. all'università ed .... in aula.*
imperfetto + passato prossimo	
per raccontare un'azione passata interrotta da un'altra azione passata	*Mentre io .... a lezione, ... in aula con un mazzo di fiori.*

4 Turn and tell!

Students will arrange themselves in a circle around a table and the instructor will begin a story: "Era una notte buia e piovosa mentre Adele guardava la tv...". The instructor will stop and spin a bottle (or pen or marker) placed at the center of the table. The chosen student must continue the imaginary story using the *imperfetto* and/or *passato prossimo*.

If the student tells a part of the story correctly, he/she will spin the bottle next and the game will continue in this manner. Those who are not able to continue the story will be eliminated from the game. The last student remaining in the circle wins.

5 Read the sentences and choose the correct verb.

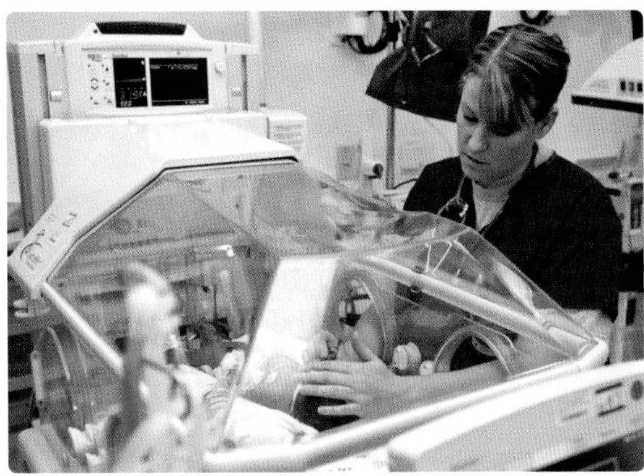

1. Mentre ascoltava/ha ascoltato la musica ha studiato/studiava l'italiano.
2. Ieri sera alle 8 Gianna e Francesca erano/sono state a casa.
3. Mentre ho aspettato/aspettavo l'autobus, vedevo/ho visto un vecchio amico.
4. Quando siamo andati/andavamo da loro abbiamo portato/portavamo sempre qualcosa alla loro figlia.
5. Quando telefonava/ha telefonato Luca io ho dormito/dormivo ancora.
6. Ieri Sofia lavorava/ha lavorato fino a tardi.

es. 8-13 p. 120

6 Recount and describe. Read the first text, in which Franco describes how he met Gianna. Then, complete the second text with the *imperfetto* or *passato prossimo* of the verbs in parentheses.

Come hai conosciuto Gianna?

Allora... era una sera di giugno ed ero alla festa di Matteo. Mentre parlavo al telefono, ho notato una ragazza che scherzava e rideva. Era bellissima. Aveva i capelli lunghi, portava dei pantaloni neri e una maglietta bianca. Sembrava simpatica e molto dolce. Volevo parlare con lei, ma ero un po' nervoso. Alla fine è venuta lei da me e così abbiamo parlato un po'. Prima di andare via, ho chiesto a Matteo il numero di telefono di Gianna.

Era un mattino di marzo. All'inizio .... (1. fare) bel tempo. I bambini .... (2. essere) molto felici di visitare Pisa. Dopo un po', però, ... (3. cominciare) a piovere. .... (4. continuare) a piovere per altre due ore. Quando .... (5. arrivare) a Pisa, ... (6. piovere) ancora. Non .... (7. esserci) molta gente in giro, ma anche così deserta la città .... (8. sembrare) molto bella. .... (9. essere) tutti impazienti perché volevamo salire sulla Torre pendente.

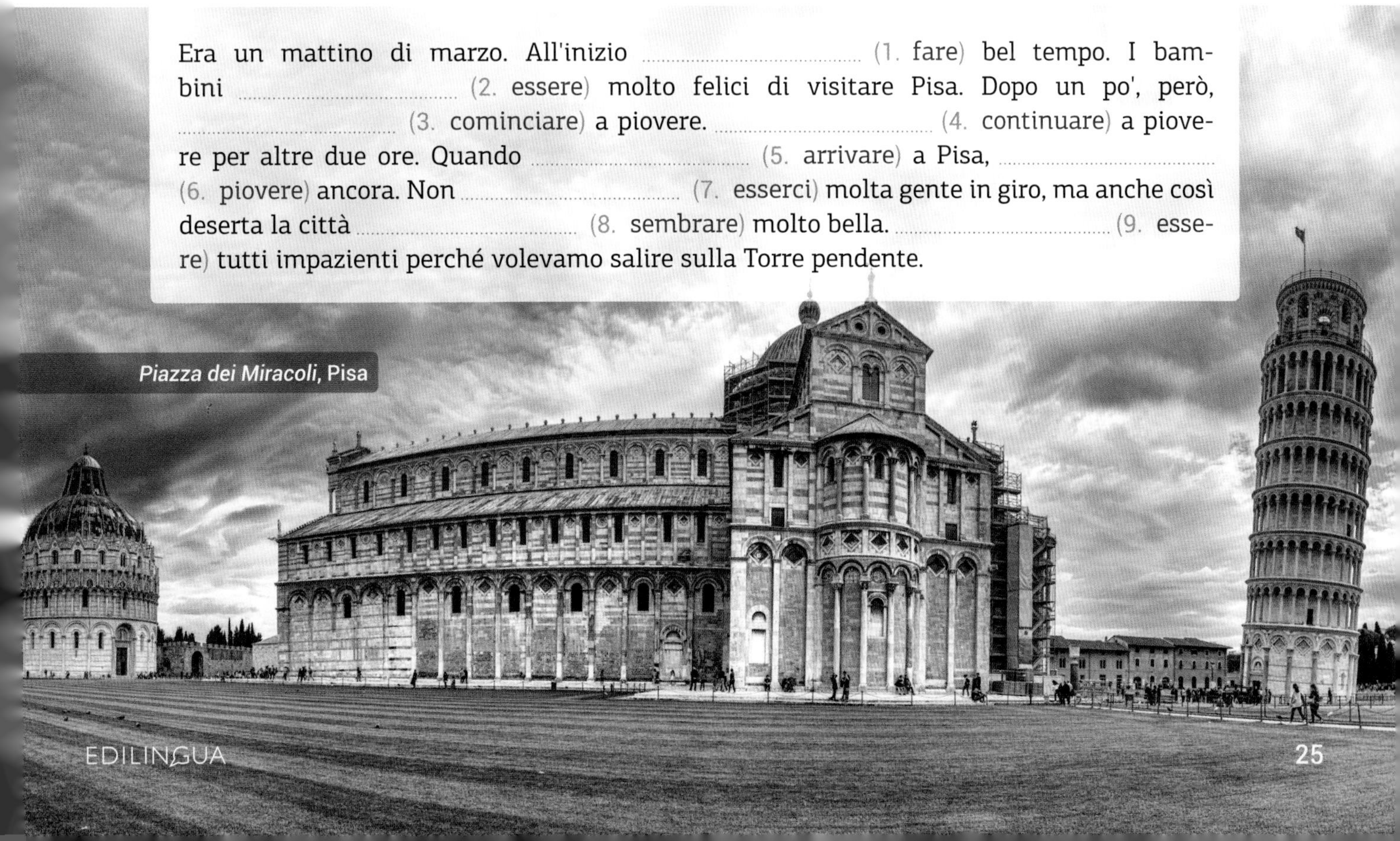

Piazza dei Miracoli, Pisa

7 Study the vignettes and describe what happened to Lorenzo yesterday. Use the *imperfetto* and the *passato prossimo*.

es. 14-18
p. 121

C Avevamo deciso di andare al cinema...

37 **1** Listen to the dialogue and mark the correct answer.

Alla fine i ragazzi vanno: ☐ a mangiare ☐ a teatro ☐ al cinema

37 **2** Listen to the dialogue again and mark the sentences that are present.

- ☐ 1. avevamo deciso di andare al cinema
- ☐ 2. noi volevamo andare all'Odeon
- ☐ 3. che Laura non aveva visto ancora
- ☐ 4. era andato a vedere il film qualche giorno prima
- ☐ 5. le critiche che avevo letto io non erano buone
- ☐ 6. ormai era tardi per lo spettacolo delle dieci e mezza
- ☐ 7. abbiamo dovuto discutere mezz'ora prima di scegliere
- ☐ 8. voleva andare in un posto dove era già stata

3 Complete the summary with the past participles, as in the example in blue.

visto ⁎ *invitato* ⁎ *letto* ⁎ *stata* ⁎ *detto* ⁎ *deciso* ⁎ *pensato*

Ieri Gianna e Sofia hanno .... (1) di andare a vedere un film di Sorrentino al cinema *Odeon*. Poi Sofia, però, ha .... (2) Laura, una sua amica, che aveva già .... (3) il film. Allora hanno .... (4) di andare a vedere una commedia con Paola Cortellesi, ma Laura non voleva. Un suo amico le aveva .... (5) che non era un bel film, anche se le recensioni che Gianna aveva ...*letto*... (6) erano buone. Alla fine sono andate a mangiare al ristorante scelto da Laura, perché voleva andare in un posto dove non era mai .... (7)!

4 Study the table and complete the rule.

Come si forma il trapassato prossimo?

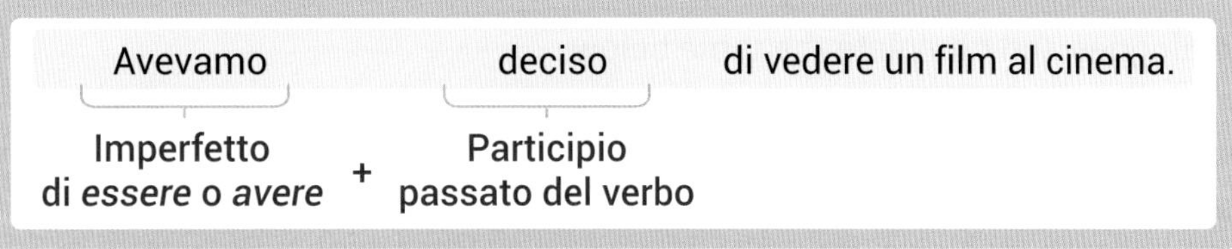

Uso del trapassato prossimo

Trapassato prossimo	Passato prossimo o Imperfetto
Laura aveva già visto il film,	perciò non siamo andati al cinema.
Avevamo deciso di andare al cinema,	ma era tardi.
1ª azione passata	**2ª azione passata**

Usiamo il trapassato prossimo quando parliamo di un'azione passata che avviene prima di un'altra azione ☐ passata ☐ presente ☐ futura, che è al passato prossimo o all'imperfetto.

The **modal verbs** *in the* imperfetto *and* passato prossimo *are covered in the* Approfondimento grammaticale *on page 185.*

5 Re-order the words in the boxes to complete the sentences.

1. Non ho passato l'esame — non / studiato / avevo / perché
2. Ero stanco — poco / perché / dormito / avevo
3. Ho mangiato molto a pranzo — perché / avevo / non / colazione / fatto
4. Quando sono arrivato alla stazione — partito / già / era / il treno
5. Non potevo entrare in casa: — in ufficio / dimenticato / le chiavi / avevo
6. Ho incontrato Gianna, — per Palermo / era / ancora / partita / non

es. 19-22 p. 123

D Sei d'accordo?

1 Listen and match the dialogues with the images.

a

b

c

d

2 Read the dialogues and complete the table below.

1. • Cosa pensi di Paolo Sorrentino?
   • Secondo me, è un bravissimo regista. *La grande bellezza* mi è piaciuto molto!
   • Sono d'accordo con te! Infatti, ha vinto il David di Donatello per la migliore regia.

2. • Ti piacciono i film di Fellini?
   • Sì, sono geniali. Per me il più bello è *Amarcord*.
   • Mhm... non lo so, io preferisco *La dolce vita*!

3. • Carino il film, ma sicuramente non è il più divertente di Claudio Bisio.
   • Hai ragione: *Benvenuti al Sud* mi era piaciuto di più.

4. • Rosaria dice che Sofia Loren ha vinto un Oscar come migliore attrice.
   • È proprio vero! Per *La ciociara* se non sbaglio. Che gran film!
   • Mhm... Io e Lisa non siamo d'accordo! *Ieri, oggi e domani* è molto più bello.

Esprimere accordo	Esprimere disaccordo
....	....
....	....
....	No, non penso/credo.
Sì, lo penso anch'io.	Non è vero!

Note: Nicola è d'accordo. / Lisa è d'accordo. / Loro sono d'accordo.

3 Fill out the form below and then compare your answers with those of a classmate. Use the expressions from the previous activity to express agreement or disagreement.

Il film italiano più bello è...

Non sono d'accordo...

L'attore italiano più bravo / L'attrice italiana più brava: ....

Film italiano più bello: ....

Un attore italiano / Un'attrice italiana che non ti piace: ....

Un film italiano che non ti è piaciuto: ....

es. 23 p. 125

E Vocabolario e abilità

1 Study the cover of the DVD and insert the words from the list below.

attori ⁎ *regista* ⁎ *titolo del film* ⁎ *premi* ⁎ *trama* ⁎ *recensioni della stampa*

1. ....
2. ....
3. ....
4. ....
5. ....
6. ....

2 **Ascolto** Workbook (p. 126)

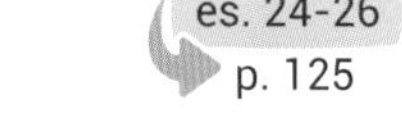
es. 24-26 p. 125

3 **Parliamo**

1. Andate spesso al cinema? Se non ci andate spesso, qual è il motivo?
2. Come scegliete i film da vedere? In base al parere degli amici, alle recensioni, alla pubblicità, al trailer?
3. Secondo voi, un bel film deve avere: una trama interessante, musiche emozionanti, bravi attori, un regista famoso...?
4. Secondo voi, è lo stesso vedere un film al cinema e alla tv? Motivate la vostra risposta.
5. Conoscete molti attori o registi italiani? Quali? Avevate già sentito parlare degli attori o registi presentati in questa unità?
6. Avete visto qualche film italiano? Qual era la trama? Cos'altro ricordate?

4 **Scriviamo**

Write an email to an Italian friend to describe an Italian film that you have seen and that you like a lot. Talk about the plot, actors, soundtrack, and reviews of the film.

p. 98

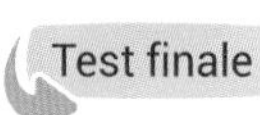
Test finale

Ladri di biciclette, di Vittorio de Sica

Il cinema italiano: grandi registi...

Il successo del cinema italiano è legato a moltissimi registi e attori che sono molto apprezzati anche all'estero.

Vittorio de Sica è stato un attore ma soprattutto un importante regista del **Neorealismo**: un movimento che cerca di dare un'immagine vera dell'Italia dopo la Seconda guerra mondiale. *Sciuscià* (1946) e *Ladri di biciclette* (1948) sono tra i suoi film più conosciuti.

Insieme a lui, altri due registi hanno segnato questo periodo: ***Luchino Visconti*** con *Ossessione* (1943) e ***Roberto Rossellini*** con *Roma città aperta* (1945).

I soliti ignoti (1958) di ***Mario Monicelli*** è tra i film che apre la strada a un nuovo genere cinematografico: la **Commedia all'italiana**. Alle situazioni comiche* questo genere unisce sempre un'ironia nei confronti della società italiana di quegli anni.

Il **Western all'italiana** nasce nel 1964 grazie a ***Sergio Leone***: tra i primi film ricordiamo *Per un pugno di dollari* (1964) e *Il buono, il brutto e il cattivo* (1966), interpretati dall'attore americano Clint Eastwood e accompagnati dalle musiche del grande compositore Ennio Morricone. Questo genere è noto in tutto il mondo come **Spaghetti western**.

Marcello Mastroianni e Totò in *I soliti ignoti*

Tra i registi contemporanei più amati e premiati, ricordiamo:

Giuseppe Tornatore: i suoi film, come *Nuovo cinema Paradiso* (Oscar nel 1990) e *Baarìa*, spesso ambientati in Sicilia, raccontano storie poetiche e a volte un po' malinconiche, tristi.

Gabriele Salvatores ha vinto nel 1992 il premio Oscar per il miglior film straniero con *Mediterraneo*. Un altro suo bel film è *Io non ho paura*, tratto dal romanzo di Niccolò Ammaniti.

Il successo di ***Gabriele Muccino*** comincia con *L'ultimo bacio*, nel 2001, e arriva subito ad Hollywood con *La ricerca della felicità*, con Will Smith come protagonista.

La dolce vita, di Federico Fellini (1960)

Federico Fellini è tra i più ammirati registi del mondo: ha vinto quattro Oscar per il miglior film straniero e un Oscar alla carriera. Tra i suoi capolavori: *La dolce vita, 8 ½, Amarcord.*

Insieme a ***Bernardo Bertolucci***, ***Michelangelo Antonioni*** e ***Pier Paolo Pasolini***, rappresenta fin dagli anni '60 il grande **cinema d'autore**.

...e grandi attori

Oltre ad interpreti di grande talento, come Marcello Mastroianni e Sofia Loren, e a grandi comici del passato, come Totò ("il principe della risata") e Alberto Sordi (che interpretava l'italiano medio, con i suoi pregi e i suoi difetti*), il cinema italiano oggi ha tanti attori di successo internazionale.

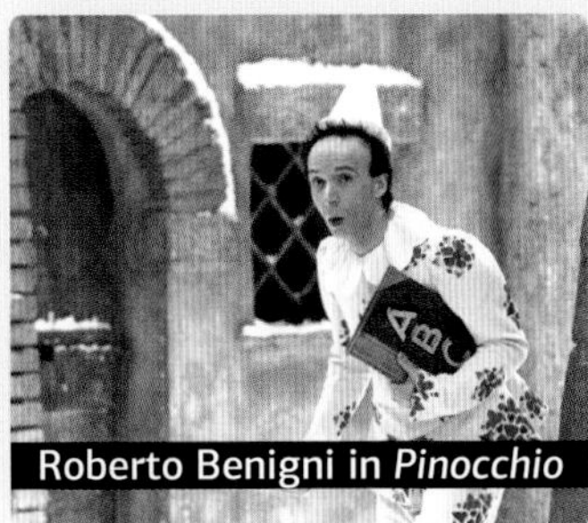

Roberto Benigni in *Pinocchio*

Roberto Benigni è un attore comico e regista: ha vinto tre Oscar per il film *La vita è bella*. Tra i suoi migliori film: *Johnny Stecchino*, *Il mostro* e *Pinocchio*.

Carlo Verdone è un attore comico e regista. In alcuni film recita* insieme a ***Paola Cortellesi***, un'attrice comica di successo molto amata dagli italiani.

Riccardo Scamarcio e Laura Chiatti in *Io che amo solo te*

Riccardo Scamarcio diventa famoso con il film *Tre metri sopra il cielo* (2004), tratto dal romanzo di Federico Moccia. Ha recitato in moltissimi film italiani e stranieri.

Pierfrancesco Favino (a destra nella foto con Kim Rossi Stuart e Claudio Santamaria) oggi è un attore conosciuto anche all'estero: ha recitato con Tom Hanks, Brad Pitt, Ben Stiller...

Romanzo criminale, di Michele Placido

Stefano Accorsi, come Favino, è legato professionalmente ai registi Gabriele Muccino e Ferzan Özpetek. Ha recitato anche in molti film francesi. Tra i suoi successi: *Veloce come il vento*.

1 Read the texts and, in pairs, answer the questions.

1. Cos'hanno in comune De Sica e Benigni?
2. Citate due film italiani che hanno vinto l'Oscar.
3. Chi sono gli attori comici che hanno fatto la storia del cinema italiano?
4. Qual è il nome tipico dei film western italiani?
5. Quali caratteristiche hanno i film di Tornatore?
6. Con quali registi hanno spesso lavorato Favino e Accorsi?

Glossario. *comico*: della commedia, che fa ridere; ***pregi e difetti***: caratteristiche positive e negative di una persona/cosa; ***recitare***: avere un ruolo in un film o a teatro.

Attività online

2 Do some research about one of the actors or directors described above and then complete the form on the right.

Present the information you have found to your classmates. If you want, you can also include images or a film poster. Some helpful expressions:

- *Oggi vi presento... È nato/a nel... a...*
- *Ha girato commedie/film drammatici...*

Nome: ....

Data di nascita: ....

Genere di film: ....

Film famosi: ....

Ha lavorato con: ....

Curiosità: ....

AUTOVALUTAZIONE

What did you learn in Units 6 and 7?

1 *Sai...?* Match the two columns.

1. raccontare
2. ordinare al ristorante
3. esprimere accordo
4. esprimere disaccordo
5. parlare di ricordi

- ☐ a. *Hai ragione, è proprio così!*
- ☐ b. *Ricordo che quella sera c'era anche Gianna.*
- ☐ c. *Cosa avete di buono oggi?*
- ☐ d. *Non è vero.*
- ☐ e. *Era tutto tranquillo, quando all'improvviso è arrivato un temporale.*

2 Match the sentences. Note: there is one extra sentence in the column on the right!

1. Mentre attraversavo la strada
2. Cosa danno all'Ariston?
3. È un'attrice di grande talento!
4. Perché non prendi le lasagne?
5. I tuoi come stanno?

- ☐ a. *Bene, grazie!*
- ☐ b. *Il nuovo film di Sorrentino.*
- ☐ c. *mi ha investito una bicicletta.*
- ☐ d. *Hai ragione.*
- ☐ e. *Non mi piacciono.*
- ☐ f. *era passata una bicicletta.*

3 Complete.

1. Tre registi italiani: ....
2. Tre attori/attrici italiani/e del passato: ....
3. Il singolare di *miei*: ....
4. L'imperfetto di *fare* (seconda persona plurale): ....
5. Il trapassato prossimo di *arrivare* (prima persona singolare): ....

4 Find, horizontally and vertically, the eight hidden words.

P	O	R	T	S	A	T	A	R	E
A	T	U	T	R	L	U	T	E	S
T	F	O	R	C	H	E	T	T	A
A	C	L	P	E	N	T	O	L	A
S	C	O	M	I	C	O	R	E	F
S	A	L	A	T	O	N	E	M	I
G	R	E	G	I	S	T	A	F	L
A	P	T	Y	D	O	M	E	N	M

Piazza e Basilica di San Marco, Venezia

Check your answers on page 104. *Sei soddisfatto/a*?

Fare la spesa

Unità 8

Glossary p. 196

Per cominciare...

1 Study the images for 10 seconds and then close your book. Which four objects don't belong?

2 Match the words to the images above.

☐ succo di frutta	☐ latte	☐ yogurt	☐ prosciutto	☐ caffè
☐ Parmigiano	☐ mele	☐ arance	☐ biscotti	

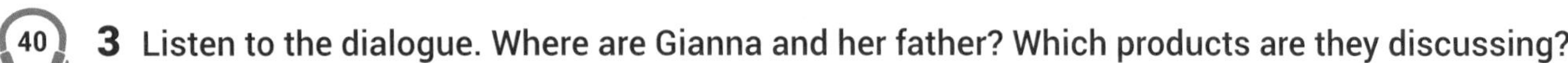

40 **3** Listen to the dialogue. Where are Gianna and her father? Which products are they discussing?

40 **4** Listen to the dialogue again and mark the 4 facts that are present.

☐ 1. Gianna ha dimenticato la lista della spesa.
☐ 2. Il Grana Padano costa meno del Parmigiano.
☐ 3. A Gianna piacciono le mele rosse.
☐ 4. Gianna vuole comprare i biscotti ai cereali.
☐ 5. Gianna e suo padre prendono un pacco di pasta.
☐ 6. Il sabato ci sono molti clienti al supermercato.

In this unit, we will learn:		
	• *to express joy, regret or disappointment* • *to offer, accept or refuse help* • *vocabulary related to grocery shopping: stores and products*	• *direct object pronouns (with compound tenses and modal verbs)* • *the partitive pronoun* ne • ce l'ho, ce n'è • *some typical Italian products and famous Italian markets*

A Al supermercato

1 Read the dialogue to check your answers to the previous activity.

padre: Allora, prendi la lista della spesa.

Gianna: Un momento... non la trovo.

padre: Non mi dire che...

Gianna: Oh, no... ho dimenticato la lista a casa... Tranquillo, ricordo che cosa dobbiamo comprare.

padre: Sei sicura?

Gianna: Certo, papà! Allora: caffè, Parmigiano, frutta...

padre: Bene, io prendo il caffè. Prendi tu il Parmigiano? È lì, in fondo.

Gianna: Hmm.. niente Parmigiano, hanno solo Grana Padano. Lo prendiamo, no?

padre: Per me è uguale, anzi, costa di meno. Poi, frutta: pere, banane, mele rosse...

Gianna: Eh no... lo sai che le mele rosse non mi piacciono, sono troppo dolci. Prendiamo quelle verdi, le preferisco.

padre: D'accordo. Cos'altro ci manca?

Gianna: Hmm... ah sì, i biscotti per la colazione. Proviamo questi ai cereali? Hanno meno calorie e io sono a dieta.

padre: Macché dieta, Gianna, stai benissimo così! Comunque, prendiamo anche questi al limone? A tua madre piacciono e non li compriamo da un po' di tempo.

Gianna: Bene! Ah, quasi dimenticavo... manca anche la pasta. Eccola qui. Quanti pacchi ne prendiamo?

padre: Tre, due di spaghetti e uno di fusilli.

Gianna: Sempre fusilli! Prendiamo le penne integrali?

padre: Ok... penne integrali. Contenta? E adesso subito alla cassa. Oggi è sabato e c'è una fila lunghissima.

2 Answer the questions.

1. Quali mele preferisce Gianna? Perché?
2. Perché Gianna vuole comprare i biscotti ai cereali?
3. Quali biscotti piacciono alla madre di Gianna?
4. Quanti pacchi di pasta comprano?

3 Read the dialogue in pairs. One of you will read the part of Gianna and the other will read the part of her father.

4 Re-read the dialogue and match the sentences with the products.

- [ ] a. Non la trovo.
- [ ] b. Lo prendiamo?
- [ ] c. Le preferisco.
- [ ] d. Non li compriamo da un po' di tempo.

5 Gianna and her father return home. Read and complete the dialogue with the pronouns provided.

lo ✕ mi ✕ le ✕ lo ✕ lo ✕ lo ✕ li ✕ la ✕ lo ✕ le ✕ la ✕ li

padre: Siamo tornati...
madre: Avete preso i biscotti, no?
padre: Sì, ... (1) abbiamo presi. Due confezioni, erano in offerta!
madre: Ai cereali? Ma preferisco quelli al limone, ... (2) sai.
padre: ..*Lo*.. (3) so. Certo che .... (4) so. Infatti .... (5) abbiamo presi.
madre: Grazie, tesoro... la mozzarella? Qui nei sacchetti non .... (6) vedo.
Gianna: Oh no! Abbiamo dimenticato la mozzarella! Però abbiamo preso il Grana Padano. .... (7) mangi, vero?
madre: Certo.
Gianna: Meno male!
madre: Poi... pere, banane... e le arance dove sono? Non .... (8) avete prese?
padre: Gianna, non avevi detto che ricordavi tutta la lista a memoria?
Gianna: .... (9) sapevo che mancava qualcosa... scusate! Comunque, abbiamo preso anche le mele!
madre: Eh, però avete preso le mele verdi! Perché non avete comprato quelle rosse?
padre: ..*Mi*.. (10) ha convinto Gianna a comprarle. Perché? Non .... (11) mangi più?
madre: Mah, preferisco quelle rosse, sono più dolci.
padre: Uffa, Maria! La prossima volta la spesa è meglio se .... (12) fai tu.

6 In your notebook, write a short summary of the dialogues you have read.

7 Study the sentences and complete the table.

1. • Quando rivedrete le vostre amiche? • Le rivedremo la prossima settimana.
2. • Che tipo è Sergio? • Noi lo troviamo simpatico.
3. • Conosci Gianna, la sorella di Carlo? • Sì, la conosco bene.
4. • Chi chiama Carlo e Daniele? • Li chiamo io.

I pronomi diretti

mi	ha convinto tua sorella	(*ha convinto me*)
ti	ascolto con attenzione	(*ascolto te*)
....	troviamo simpatico	(*troviamo lui*)
....	conosco bene	(*conosco lei*)
La	ringrazio	(*ringrazio Lei*)
ci	accompagna a casa	(*accompagna noi*)
vi	prego di non fumare	(*prego voi*)
....	chiamo io Carlo e Daniele	(*chiamo loro*)
....	rivediamo la prossima settimana	(*rivediamo loro*)

8 Substitute the highlighted words with a pronoun, as in the example. Then, complete the rule.

Non compro mai le uova al supermercato. → *Non le compro mai al supermercato.*

1. Faccio la pizza ogni fine settimana.
2. Stasera chiamerò Paola e Carla per sapere come stanno.
3. Perché oggi non cuciniamo gli spaghetti?
4. Conosci Dario?
5. Quando Serena vedrà me e la mia ragazza insieme, capirà tutto.

Mettiamo il pronome... a. ☐ prima del verbo b. ☐ dopo il verbo

es. 1-4 p. 129

9 Study these sentences.

Gianna, non avevi detto che ricordavi tutta la lista a memoria?

Lo sapevo che mancava qualcosa...

Ma lo sai che preferisco quelli al limone.

Lo so. Certo che lo so.

Now, in pairs, complete the answers with *lo so* and *lo sapevo*.

1. Sai quanto costa un litro di latte? No, non ....
2. Sapevi che Luca aveva un figlio? Sì, ...
3. Sai che Lidia ha trovato lavoro? Sì, ...
4. Lo sapevi che Giacomo ha 28 anni? No, non ....

es. 5 p. 130

B Che bello!

1 Listen and match the sentences with the illustrations.

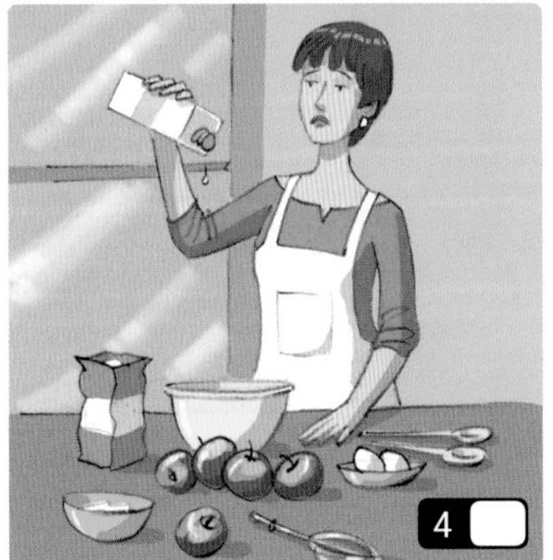

2 Now read the sentences and mark the situations in which the person speaking is happy and those in which he/she is not. Then, complete the table below with the expressions in blue.

a. Che peccato! È finito il latte! Beh, la torta la farò un altro giorno.
b. Che rabbia! Mamma manda sempre me a fare la spesa!
c. Che bella giornata! Finalmente non piove più!
d. • Hai visto? Jovanotti darà due concerti a maggio.
   • Che bella notizia! Non sono mai stata ad un suo concerto.
e. Accidenti! C'è sciopero dei mezzi anche oggi!

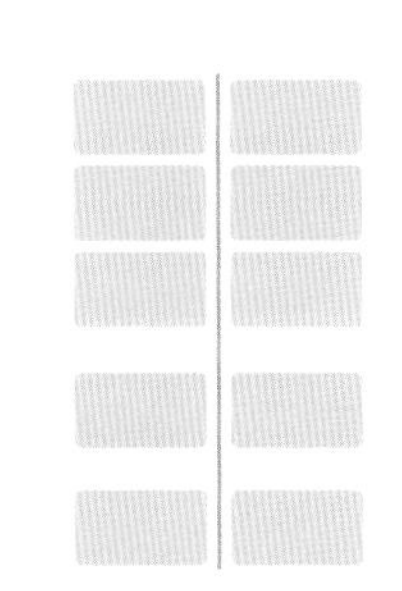

Esprimere gioia	Esprimere rammarico, disappunto
Che bello!	*Peccato!*
Che bella idea!	....
....	*Mannaggia!*
Che bella sorpresa!	....
....	*Che brutta notizia!*
Che fortuna!	....

3 **Student *A* tells Student *B* that:**

- *non puoi andare con lui/lei al cinema*
- *un vostro amico ha vinto una borsa di studio*
- *hai perso un suo libro*
- *hai un biglietto in più per il concerto del suo cantante preferito*
- *pensi di invitare a cena i compagni di classe*

Student *B*: respond to Student *A* using the expressions from the table on page 37.

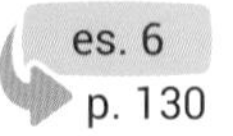
es. 6
p. 130

C Quanto ne vuole?

1 In the grocery store. Put the dialogue in order.

- [1] *Buongiorno signora, desidera?*
- [ ] *Due etti. Anzi, no, ne prendo tre.*
- [ ] *Ecco a lei. Desidera altro?*
- [ ] *No, ne prendo due.*
- [ ] *Sì, vorrei del latte fresco.*
- [ ] *Basta un litro?*
- [ ] *Buonissimo! Quanto ne vuole?*
- [ ] *Buongiorno. Vorrei del prosciutto crudo. È buono?*

un etto = 100 grammi

2 Study the table and answer the questions below.

Il pronome partitivo *ne*

• Quanti caffè bevi al giorno?	• Ne bevo almeno due.
• Vuole anche del pane, signora?	• Sì, ne vorrei un chilo.
• Hai bevuto molto vino ieri?	• No, ne ho bevuto solo un bicchiere.
• Conosci quelle ragazze?	• No, non ne conosco nessuna.
Note: • *Conosci gli amici di Alberto?*	• *Sì, li conosco tutti.*

1. Queste magliette sono in offerta. Io ne prendo un paio. Tu? (*tre*)
2. Di pomodori quanti ne vuole, signora? (*un chilo*)
3. Compri l'acqua frizzante? (*sì, una dozzina di bottiglie*)
4. Quanti esercizi abbiamo per mercoledì? (*quattro*)
5. Compri tutti questi libri? (*no, solo uno*)

es. 7-8
p. 131

D Dove li hai comprati?

1 Read the dialogue and answer the questions.

Marta: Questi dolci sono davvero buoni! Dove li hai comprati?

Giulia: Li ho comprati proprio stamattina dalla nuova pasticceria in via Verdi.

Marta: Ah sì, l'ho vista ieri mentre tornavo dal supermercato. Ha anche delle torte molto buone alla frutta, mi pare.

Giulia: Sì, è vero, sembrano buone ma purtroppo non le ho ancora provate! Alessia, però, mi ha detto che ne ha ordinata una per la festa di Fabrizio, la prossima settimana... ma che c'è?

Marta: Niente... È che Alessia non mi ha invitata alla festa, mentre io l'anno scorso l'ho invitata al mio compleanno.

Giulia: Davvero?! Comunque non sei l'unica, sai. Ricordi Dino, il cugino di Fabrizio? Non l'hanno invitato perché hanno litigato.

Marta: Che peccato! Secondo me, Dino è una persona simpatica. L'ho conosciuto proprio al matrimonio di Alessia e Fabrizio un anno fa.

1. Dove ha comprato i dolci Giulia?
2. Perché Alessia ha ordinato una torta?
3. Perché Marta è dispiaciuta?
4. Chi altro non andrà alla festa di Fabrizio? E perché?

2 Read the dialogue again and complete the table.

I pronomi diretti nei tempi composti

Dino	l'	ho	conosciut......	al matrimonio di Alessia e Fabrizio.
la pasticceria	......	ho	vist*a*	ieri mentre tornavo dal supermercato.
i dolci	......	ho	comprat*i*	stamattina in pasticceria.
le torte	le	ho	provat......	e sono buone.

Note: *Signor Pieri, L'ho chiamata ieri sera.*

Di biscotti	......	ho	pres*o*	un pacco.
Di torte alla frutta	ne	ha	ordinat......	una per la festa di Fabrizio.
Di spaghetti	ne	ho	cucinat......	due chili.
Di mele	......	ho	mangiat*e*	poche.

3 Student *A* will choose three questions and Student *B* will answer, as in the example. Then Student *B* will ask the questions and Student *A* will respond.

> Hai mai mangiato la panna cotta?

> Sì, l'ho mangiata alcuni giorni fa.

> No, non l'ho mai mangiata.

1. Hai mai visitato i Musei Vaticani?
2. Quanta acqua hai bevuto oggi?
3. Avete mai fatto la pasta in casa?
4. Quante fette di torta hai mangiato?
5. Avete portato il vino?
6. Hai visto la mia nuova bicicletta?

es. 9-12
p. 131

4 Work in pairs. Underline the correct form of the verb.

Marcello: Dario, ho sentito che Rosaria andrà a vivere in Spagna! Tu lo sapevi / la sapevi (1)?

Dario: Sì, lo sapevo. L'ha saputa / L'ho saputo (2) da sua sorella.

Marcello: Ma come mai ha preso una decisione del genere?

Dario: Andrà a vivere insieme a quel ragazzo spagnolo, Manuel.

Marcello: Ma allora la cosa è seria. Ma dove lo conosceva / l'ha conosciuto (3) questo Manuel?

Dario: Lo conosce / Lo aveva conosciuto (4) due o tre anni fa. Poi l'estate scorsa lui l'ha invitata a Tenerife e lì è cominciato tutto.

Marcello: Ma tu come fai a sapere tutte queste cose?

Dario: Sapevo da tempo che Manuel piaceva molto a Rosaria. Il resto l'ho saputo / l'ho conosciuto (5) da Anna.

Marcello: Eh, come sempre Anna sa tutto di tutti!

5 Study the parts in blue in the table and check your answers to the previous activity.

• Sapevi che andranno a vivere insieme? • Non hanno invitato Dino perché hanno litigato.	• Non lo sapevo. • Sì, l'ho saputo da un'amica comune.
• Conoscevi la sorella di Loredana? • Ricordi Dino?	• Sì, la conoscevo già. • Sì, l'ho conosciuto un anno fa.

es. 13
p. 133

E Ti posso aiutare?

1 Listen to the short dialogues and indicate whether the person speaking accepts or refuses help.

	Accetta l'aiuto	Rifiuta l'aiuto
1.		
2.		
3.		
4.		
5.		
6.		

2 Listen again and underline the expressions that you hear.

Offrire collaborazione/aiuto
Ti posso aiutare?
Vuoi una mano?
(Come) posso essere d'aiuto?
Hai bisogno di aiuto / di qualcosa?
Posso fare qualcosa (per te/per Lei)?
La posso aiutare?

Accettare
Grazie, sei molto gentile!
Come no?! / Volentieri!
La ringrazio tanto!

Rifiutare
Grazie, non è niente.
No, grazie!
Grazie, faccio da solo.

3 Use the expressions from the previous activity and take turns offering help to a classmate who is in the following situations. He/she will accept or refuse your offer.

- *Ha molti pacchi da portare.*
- *Non riesce a trovare i biglietti per uno spettacolo teatrale.*
- *Sembra molto stressato.*
- *Non trova un appartamento vicino all'università.*
- *Al supermercato non riesce a trovare la pasta.*

es. 14 p. 133

4 Read the dialogue and choose the correct answers.

nonna: Accidenti, è finito il caffè! Stefania, per favore, puoi andare al supermercato all'angolo?

Stefania: Nonna, mi dispiace, ma ora non posso proprio aiutarti! Sono occupata con la ricerca di storia. La devo assolutamente finire oggi.

nonna: Dai, ci vogliono cinque minuti.

Stefania: E Mario? Non può andarci lui?

nonna: Mario non è ancora tornato, il martedì esce più tardi da scuola.

Stefania: Ah, già. Ma hai bisogno del caffè proprio adesso? Più tardi devo uscire, non lo posso comprare dopo?

nonna: No, perché fra un po' arriva la signora Marini, non posso andarci io!

Stefania: Ah, non lo sapevo. D'accordo, nonna! Quanto ne devo comprare?

nonna: Due pacchi vanno bene.

Stefania: Ok, ci vado subito.

nonna: Grazie, tesoro.

1. Stefania non vuole uscire perché
   - ☐ a. il supermercato è troppo lontano.
   - ☐ b. deve finire un compito.
   - ☐ c. non sta molto bene.

2. Mario
   - ☐ a. non è a casa.
   - ☐ b. non vuole mai andare a fare la spesa.
   - ☐ c. è ancora troppo piccolo per uscire da solo.

3. La nonna non può uscire perché
   - ☐ a. deve aspettare Mario.
   - ☐ b. non sta bene.
   - ☐ c. aspetta una sua amica.

5 Re-read the dialogue and then complete the table.

I pronomi diretti con i verbi modali

Mi puoi portare a casa?	Puoi portarmi a casa?
Ora non ti posso proprio aiutare.	....
....	Non posso comprarlo dopo?
....	Devo assolutamente finirla oggi.
La posso aiutare?	Posso aiutarla?
Ci vogliono vedere.	Vogliono vederci.
Non vi possono incontrare.	Non possono incontrarvi.
Li/Le devo chiamare subito.	Devo chiamarli/le subito.
(di caffè)	Quanto devo comprarne?

6 Study the position of the pronouns in the table on the previous page and choose the two correct answers.

I pronomi diretti vanno:
- ☐ dopo *dovere/potere/volere*
- ☐ prima dell'infinito
- ☐ dopo l'infinito
- ☐ prima di *dovere/potere/volere*

Note:
~~Voglio lo vedere.~~
errore!

7 Change the sentences, as in the example.

Per cena voglio preparare il pesce alla griglia.

a. Lo voglio preparare per cena.

b. Voglio prepararlo per cena.

1. Devi parcheggiare la moto proprio qui?
2. Oggi non possiamo fare la spesa, andremo domani.
3. I Santoro vogliono invitare i tuoi genitori alla festa.
4. Potete prendere due chili di mele dal fruttivendolo?
5. È tardi! Devo accompagnare le bambine a scuola.

es. 15-16 p. 134

F Vocabolario

1 *Dove compriamo...?*
Match the products with the stores.

1. un dizionario
2. un mazzo di rose
3. uno yogurt
4. i dolci
5. una medicina
6. un chilo di arance
7. il pane
8. il pesce

b ☐

farmacia

c ☐

pasticceria

a ☐

fioraio

f ☐

pescivendolo

g ☐

panetteria

d ☐

libreria

e ☐

fruttivendolo

h ☐

supermercato

2 Match the containers with the products.

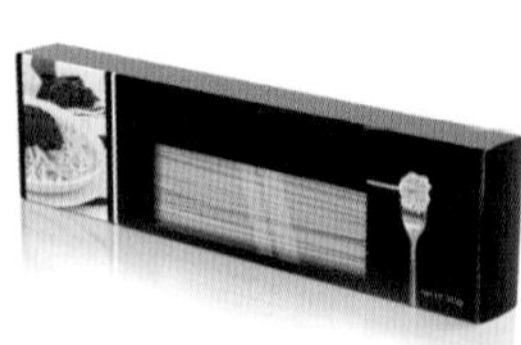

lattina   tubetto   vasetto   scatoletta   bottiglia   pacco

acqua   *aranciata*   *spaghetti*   *dentifricio*   *marmellata*   *tonno*

es. 17-18 p. 135

G No, non ce l'ho!

1 Franco and Dario want to make a carrot cake for a party. Read the dialogue and indicate whether the statements are true (V) or false (F).

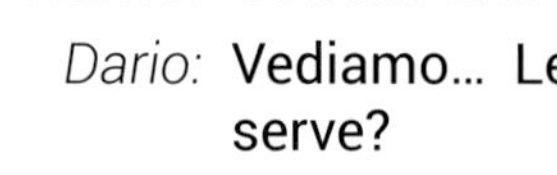

Franco: Ce li hai tutti gli ingredienti per fare la torta?
Dario: Vediamo... Le carote ce le ho. Poi che cos'altro serve?
Franco: Beh, la farina, lo zucchero...
Dario: Lo zucchero... No, non ce l'ho. La farina, invece, sì. L'ho presa due giorni fa.
Franco: Perfetto... il lievito ce l'hai, vero?
Dario: Sì, ce n'è... Eccolo! Basta una bustina, no?
Franco: Sì, va bene. L'olio c'è?
Dario: Sì, ma ce n'è poco. Dobbiamo comprarlo.
Franco: Allora ci servono soltanto lo zucchero e l'olio.
Dario: No, aspetta. Manca pure la farina.
Franco: Ma come?! Non avevi detto che ce l'avevi?
Dario: È vero, ma il pacco è quasi vuoto. L'avrà usata sicuramente mia sorella ieri per fare i biscotti.
Franco: Ho capito, controlliamo di nuovo se abbiamo tutti gli ingredienti. Non mi va di andare due volte al supermercato!

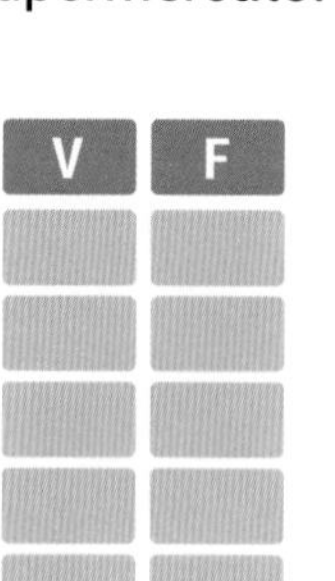

	V	F
1. Dario ha la farina e lo zucchero.		
2. Dario ha dimenticato di comprare il lievito.		
3. L'olio che ha Dario non è abbastanza.		
4. Bisogna comprare la farina perché ce n'è poca.		
5. Franco non vuole andare al supermercato.		

2 Re-read the dialogue and complete the table.

• Hai lo zucchero?	• No, ...
• Hai la lista della spesa?	• Sì, ce l'ho.
• Hai tu i nostri sacchetti?	• Sì, ce li ho io.
• Hai le carote per la torta?	• Le carote ....
Ma:	
• L'olio c'è?	• Sì, ma .... poco.
• Ci sono abbastanza olive verdi?	• No, non ce ne sono più.

3 Study the table and answer the questions.

1. Quante bottiglie di acqua ci sono nel frigorifero? (*una*)
2. C'è qualche supermercato qua vicino? (*due*)
3. Chi ha i nostri passaporti? (*Pamela*)
4. Hai tu il regalo di Sara? (*no*)
5. Avete le chiavi di casa? (*sì*)

es. 19 p. 135

H Abilità

1 **Ascolto Workbook (p. 136)**

2 **Situazioni**

1. **Student** *A* and **Student** *B* have to go to the grocery store and make a list. Study the drawing of the items they need and create a dialogue. Include the type of container and quantity for each product.

2. **Student** *A* goes to a grocery store to buy a few products (see the list on the left). **Student** *B* works in the store. Imagine a dialogue. Some useful expressions: *prego signora/e..., desidera..., vorrei anche...*

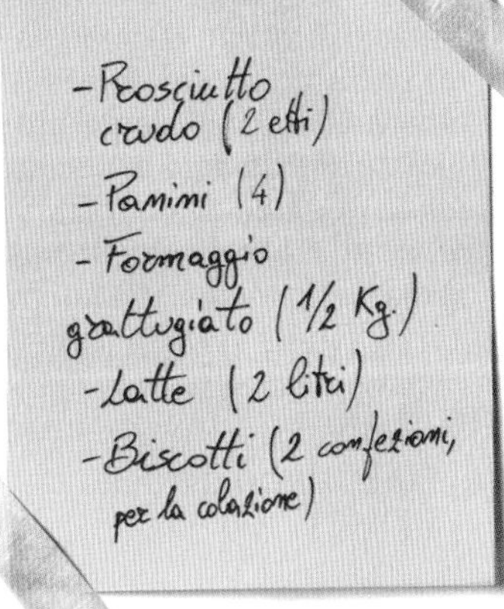

80-100 **3** **Scriviamo**

Write a short story that begins with the following line: "Quel giorno al supermercato è successo qualcosa di strano/insolito...". Here are some possible ideas: you encounter a famous person / you lose or can't find your wallet...

es. 20-22 p. 136

p. 99

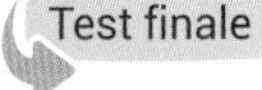

Mercati storici d'Italia

Ecco cinque mercati storici in Italia da non perdere e dove possiamo trovare oggetti particolari ma anche generi alimentari*.

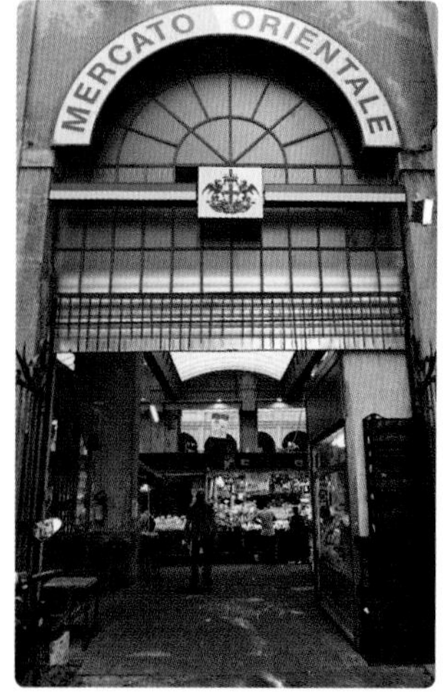

Mercato orientale di Genova

È nel centro di Genova e qui possiamo trovare i migliori ingredienti per cucinare: olio, basilico, acciughe* e soprattutto delle speciali erbe aromatiche* per preparare piatti tipici.

Mercato Centrale di Livorno

Il Mercato Centrale di Livorno è uno dei mercati coperti più grandi d'Europa, dove è possibile trovare generi alimentari freschi tutti i giorni della settimana.

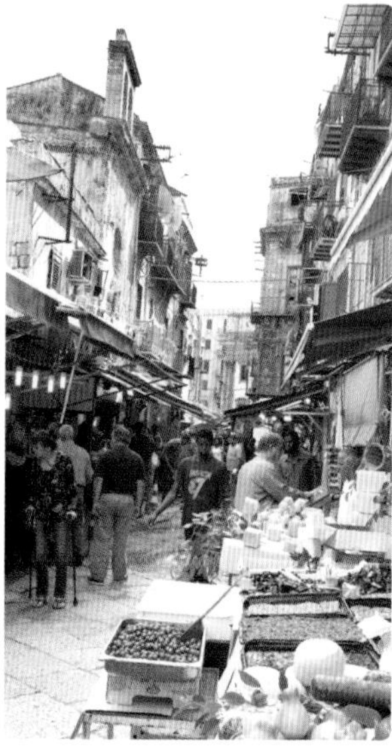

Ballarò a Palermo

In questo mercato troviamo soprattutto frutta, verdura, pesce e carne. Altri mercati da visitare a Palermo sono il Capo, dove i palermitani vanno a fare la spesa di tutti i giorni, e la Vucciria, famosa per lo street food a buon prezzo.

Mercato di Porta Palazzo di Torino

Luogo di incontro e di folklore*, è uno dei mercati all'aperto più grandi d'Europa, dove si trova un po' di tutto: cibo, abbigliamento, calzature*, casalinghi* e così via. Il mercato è aperto tutti i giorni tranne* la domenica.

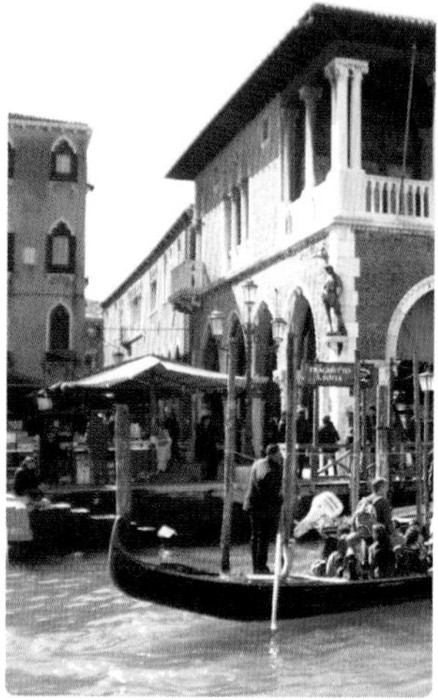

Mercato di Rialto a Venezia

Ha lo stesso nome del famoso ponte, ha più di mille anni ed è coloratissimo. Ancora oggi i veneziani lo frequentano per comprare soprattutto frutta, verdura e pesce per preparare i piatti tipici della loro cucina.

adattato da
www.quotidiano.net

1 Read the texts and answer the questions.

1. Che cosa possiamo trovare nei mercati storici italiani?
2. Quali particolari prodotti troviamo al mercato di Genova?
3. Quali mercati sono chiusi la domenica?
4. Quali sono i tre mercati principali di Palermo?
5. Che cosa hanno in comune il Mercato Centrale di Livorno e quello di Porta Palazzo di Torino?
6. Quale di questi mercati ti interessa di più? Perché?

Glossario. ***generi alimentari***: alimenti, prodotti da mangiare; ***acciuga***: specie di pesce; ***erbe aromatiche***: piante profumate che usiamo in cucina; ***folklore***: le tradizioni; ***calzature***: scarpe; ***casalinghi***: oggetti per la casa; ***tranne***: ma non.

Prodotti tipici italiani

Sono più di 150 i prodotti tipici italiani che hanno avuto il riconoscimento DOP (denominazione di origine protetta) dall'Unione Europea. Ne conoscete qualcuno? I più conosciuti sono probabilmente questi tre.

A

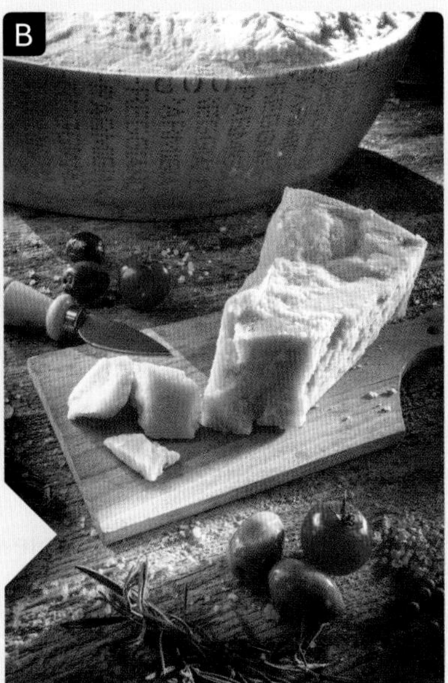
B

Parmigiano Reggiano

È il re dei formaggi italiani, nasce nella pianura padana, nel Nord Italia, e ha una lunga storia (lo troviamo anche nel *Decameron* di Boccaccio). Con il suo sapore delicato* e gustoso* allo stesso tempo, il Parmigiano Reggiano, grattugiato o a pezzi, è protagonista di antipasti, primi, secondi, contorni. Inoltre, è un alimento preziosissimo: energetico ma non grasso.

Prosciutto di Parma

La differenza tra il prosciutto di Parma e tutti gli altri è il suo sapore dolce dovuto al clima della zona di produzione e al particolare processo di stagionatura* naturale (14-24 mesi) delle cosce* di maiale. Alimento genuino*, dolce e saporito al tempo stesso, è ideale per ogni occasione e per ogni gusto.

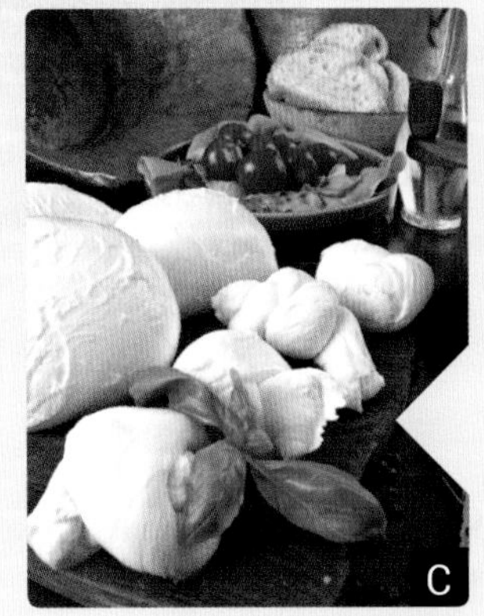
C

Mozzarella di bufala* campana

Simbolo dell'Italia in tutto il mondo come ingrediente base della pizza, la ritroviamo in mille ricette della dieta mediterranea. Le origini di questo formaggio fresco si perdono nella leggenda, al III secolo a.C.*, quando Annibale porta in Italia i bufali.
Consiglio: è preferibile conservarla fuori dal frigorifero, a temperatura ambiente.

1 Match the statements with the correct paragraph (A, B or C).

- [ ] 1. Il suo sapore particolare è dovuto alla zona di produzione.
- [ ] 2. Un ingrediente che è utilizzato in tanti piatti oltre alla pizza.
- [ ] 3. Lo troviamo in molti piatti: antipasti, primi, secondi e contorni.
- [ ] 4. Di questo prodotto ha parlato anche un famoso scrittore.

Glossario. ***stagionatura***: maturazione, periodo necessario per ottenere il sapore desiderato; ***coscia***: la parte sopra il ginocchio; ***genuino***: naturale; ***delicato***: leggero, non forte; ***gustoso***: piacevole; ***bufala***: animale simile alla mucca, ma più grande e di colore nero; ***a.C.***: avanti Cristo.

2 Choose one of the following *prodotti DOP* and look for the answers to the questions online. Then, present your product to the class.

aceto balsamico di Modena ⁎ *Grana Padano* ⁎ *pecorino romano*
pomodoro San Marzano ⁎ *mela Val di Non* ⁎ *pistacchio verde di Bronte*

- *Quali sono le origini del prodotto?*
- *Quali sono le caratteristiche del prodotto?*
- *Dove possiamo trovarlo?*
- *Come lo possiamo mangiare o cucinare?*
- *È un prodotto famoso nel mondo?*

Attività online

AUTOVALUTAZIONE

What did you learn in Units 7 and 8?

1 *Sai...?* Match the two columns.

1. esprimere rammarico
2. offrire aiuto
3. esprimere disaccordo
4. rifiutare l'aiuto
5. esprimere accordo

- ☐ a. *Vuoi una mano?*
- ☐ b. *Grazie, ma faccio da solo.*
- ☐ c. *Accidenti! Ma perché proprio oggi?*
- ☐ d. *Hai ragione, è colpa mia.*
- ☐ e. *Mah, non credo.*

2 Match the sentences. Note: there is one extra answer!

1. Quanto ne vuole?
2. Ma tu lo sapevi già?
3. Quale vuoi?
4. Posso essere d'aiuto?
5. Niente secondo?

- ☐ a. *Veramente l'ho appena saputo.*
- ☐ b. *No, meglio un contorno.*
- ☐ c. *Due etti, grazie.*
- ☐ d. *Li voglio tutti e due.*
- ☐ e. *Accidenti!*
- ☐ f. *Grazie, molto gentile.*

3 Complete.

1. Quanti etti ci vogliono per fare mezzo chilo? ....
2. Due negozi che non vendono alimenti: ....
3. L'imperfetto di *essere* (prima persona plurale): ....
4. Il singolare del pronome diretto *ci*: ....
5. Il plurale di *l'ho vista*: ....

4 In each store, find the product that doesn't belong.

1. negozio di alimentari: *latte* | *prosciutto* | *zucchero* | *fiori*
2. farmacia: *medicine* | *acqua minerale* | *dentifricio* | *shampoo*
3. macellaio: *pollo* | *pesce* | *maiale* | *bistecche*
4. fruttivendolo: *formaggio* | *banane* | *arance* | *mele*

Check your answers on page 104. *Sei soddisfatto/a?*

Il Duomo, Firenze

Per cominciare...

1 Work in pairs. Discuss what you know about Italian fashion and then write:

- il nome di tre stilisti italiani
- due capi di abbigliamento
- tre colori
- il nome di una città famosa per la moda

44 **2** Complete the list below with the words provided. Then, listen to the dialogue and mark which items of clothing Luisa and Enrico mention.

jeans ⁎ *scarpe da tennis* ⁎ *giacca* ⁎ *pantaloni*

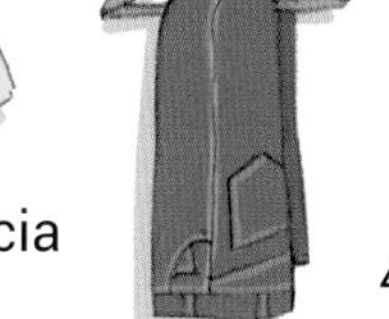

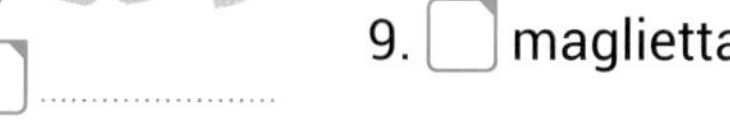
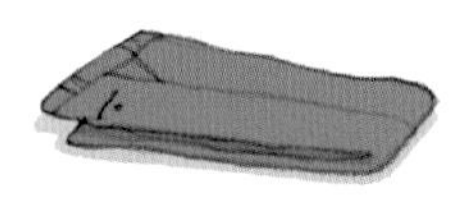

1. ☐ camicia
2. ☐ ....
3. ☐ ....
4. ☐ gonna
5. ☐ vestito
6. ☐ calzini
7. ☐ ....
8. ☐ ....
9. ☐ maglietta
10. ☐ cappotto

3 Listen to the dialogue again and mark the correct statements.

1. Enrico
   - ☐ a. è libero sabato mattina.
   - ☐ b. è libero sabato pomeriggio.
   - ☐ c. è impegnato tutta la giornata.

2. Il sabato Enrico
   - ☐ a. si sveglia sempre tardi.
   - ☐ b. prepara la colazione per Luisa.
   - ☐ c. esce con i suoi amici.

3. Luisa ha bisogno di nuovi vestiti
   - ☐ a. per andare a una festa.
   - ☐ b. per il lavoro.
   - ☐ c. per fare sport.

4. Il centro commerciale
   - ☐ a. ha un nuovo negozio di abiti eleganti.
   - ☐ b. non è molto affollato il sabato.
   - ☐ c. fa degli sconti questo fine settimana.

In this unit, we will learn:

- *to describe daily activities*
- *to talk about clothing (color, size, style) and shopping (price, form of payment)*
- *to ask for and express an opinion*
- *reflexive and reciprocal verbs*
- *reflexive verbs with compound tenses and modal verbs*
- *the impersonal form and impersonal expressions*
- *some interesting facts about Italian fashion*

A Ogni giorno i soliti vestiti!

1 Read the text and check your answers to the previous activity.

Luisa: Amore, hai impegni per domani?

Enrico: Mah, sì, vado solo a giocare a tennis con Lorenzo.

Luisa: Ah, a che ora?

Enrico: Abbiamo prenotato il campo per le cinque, perché?

Luisa: Perfetto, allora la mattina possiamo andare al centro commerciale dietro al Duomo. Che ne dici?

Enrico: Ma è sabato, mi sveglio sempre più tardi!

Luisa: Va bene, ci alziamo con comodo, facciamo colazione e poi andiamo.

Enrico: Ma... devi andarci proprio domani? Sarà pieno di gente!

Luisa: Sì, è il mio unico giorno libero e devo comprare qualcosa per l'ufficio. Mi metto ogni giorno i soliti vestiti! Non so, vorrei dei pantaloni neri e forse una bella gonna o una giacca...

Enrico: Ho capito. Ma tua sorella non può venire con te?

Luisa: No, ha da fare. Hai poca voglia di fare shopping con me o sbaglio?

Enrico: No, scherzi? Però forse possiamo evitare il centro commerciale. Ti ricordi di Gianna, l'amica di Lorenzo? Eh, proprio ieri hanno scoperto un nuovo negozio di abbigliamento, bello e non molto caro: ha vestiti eleganti, camicie, accessori vari...

Luisa: Però al centro commerciale questo fine settimana ci sono delle offerte! E poi scusa, tu non volevi comprare un nuovo paio di scarpe da tennis?

Enrico: Già, è vero. Bene, però alle quattro dobbiamo essere a casa, ok?

Luisa: Sì, sì, tranquillo.

2 Read the dialogue in pairs. One of you will read the part of Luisa and the other will read the part of Enrico. Then, answer the questions.

1. Perché Luisa vuole andare al centro commerciale?
2. Perché Enrico non vuole andarci di sabato?
3. Cosa vuole comprare Enrico?
4. A che ora devono tornare a casa?

3 Study the verb in blue in the example on the right and underline other similar verbs in the dialogue.

Ma è sabato, mi sveglio sempre più tardi!

4 Lorenzo receives a message from Enrico. Complete the conversation with the verbs provided, as in the example in blue.

mi divertirò ⁕ *ti sentirai* ⁕ *si annoia* ⁕ *ci vediamo* ⁕ *ti rilassi*
mi sono svegliato ⁕ *si conoscono*

Ehi, come va? Oggi niente tennis per me. Stamattina *mi sono svegliato* (1) con un raffreddore terribile. .... (2) un'altra volta!

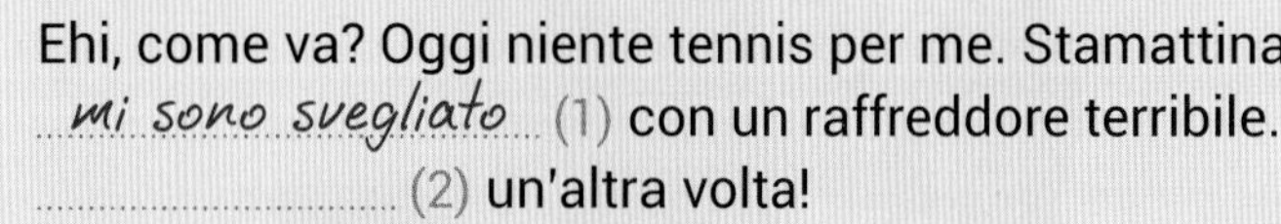

Nooo! Dai, se ti riposi, forse .... (3) meglio!

Povero me, dovrò stare al centro commerciale con Luisa tutto il giorno! .... (4) moltissimo ! ☹ ☹

Ahaha! Se Luisa vuole, posso chiedere a Gianna di accompagnarla. Così mentre loro .... (5) meglio, tu .... (6) un po' a casa. Lei non .... (7) di sicuro ad andare in giro per i negozi! ☺

40-60 **5** Briefly describe what Enrico and Luisa will do on Saturday.

....

....

....

....

....

....

....

....

6 Which sentence below corresponds to the photo?

☐ a. Enrico sveglia Luisa.
☐ b. Enrico si sveglia.

7 Complete the table with the reflexive pronouns that you saw in Activity A4.

I verbi riflessivi

svegliarsi		
io	.... sveglio	più tardi il sabato.
tu	.... svegli	da solo?
lui, lei, Lei	.... sveglia	alle 8.
noi	.... svegliamo	presto per andare al lavoro.
voi	vi svegliate	facilmente?
loro	si svegliano	sempre alla stessa ora.

8 Read the sentences and choose the correct option.

1. Il signor Pedrini si veste/ci veste molto bene.
2. Scusi, Lei come ti chiama/si chiama?
3. Quando guardo la tv, mi addormento/ ci addormenta sempre.
4. Enrico e Luisa si divertono/ci divertono moltissimo al centro commerciale.
5. Io e Lorenzo ci prepariamo/vi prepariamo a giocare a tennis.
6. Gianna, non ti senti/ti sentiamo bene?

es. 1-5
p. 142

9 In Activity A4, we saw the reflexive verbs *ci vediamo* and *si conoscono*. Complete the table and then create sentences with the verbs in the parentheses.

I verbi riflessivi reciproci

Io incontro te al bar. / Tu incontri me al bar.	→	(noi) Ci .... al bar.
Tu ami tanto Flavia. / Flavia ama tanto te.	→	Tu e Flavia vi .... tanto.
Luisa saluta Gianna. / Gianna saluta Luisa.	→	(loro) Luisa e Gianna si ....

1. I miei genitori, dopo tanti anni (*amarsi*) ancora come il primo giorno.
2. Quei due quando (*incontrarsi*) per strada non (*salutarsi*) mai.
3. Dopo tanti anni mio fratello e suo suocero (*darsi*) ancora del Lei.
4. Tu e Lidia (*sentirsi*) spesso per telefono.
5. Allora, (noi, *vedersi*) alle 8 in piazza.

es. 6-7
p. 143

10 Complete the dialogues with the pronouns (*mi*, *si*) and past participles (*incontrate*, *sentita*, *visti*).

Now, complete the rule!

Nei tempi composti, i verbi riflessivi hanno l'ausiliare ....

11 Ask your classmate the questions using the *passato prossimo*. Your partner will respond, following the example.

Ti sei svegliato presto oggi?

Sì, mi sono svegliato presto.

1. A che ora (*alzarsi*) questa mattina?
2. Tu e Gabriella (voi, *conoscersi*) un anno fa?
3. Ieri sera (*addormentarsi*) davanti alla tv?
4. Perché tu e Paolo non (voi, *salutarsi*), avete litigato?
5. Marco, ieri (*annoiarsi*) veramente alla festa di Alba?
6. Lo scorso fine settimana (tu, *vedersi*) con gli amici?

es. 8-10
p. 144

B La posso provare?

1 Listen to the dialogue: who is speaking? Where are they?

2 Listen to the dialogue between Enrico and the clerk again and mark the statements as true (V) or false (F).

	V	F
1. Enrico ha visto una giacca di lino e seta in vetrina.		
2. La commessa mostra a Enrico anche un paio di scarpe.		
3. La prima giacca che Enrico prova è stretta.		
4. La taglia di Enrico non c'è.		
5. Enrico paga con il bancomat.		

3 Read the dialogue and check your answers.

commessa: Buongiorno! Desidera?
Enrico: Buongiorno! Ho visto una giacca in vetrina che mi piace molto. È di lino, credo.
commessa: È un tessuto misto... lino e seta. Di che colore la vuole?
Enrico: Quella fuori è celeste, vero? C'è anche in grigio?
commessa: Credo di sì. Ecco, c'è in grigio, nero e marrone. Che taglia porta?
Enrico: La 48.
commessa: Vediamo un po'... sì, eccola.
Enrico: La posso provare?
commessa: Certo, il camerino è là, in fondo a sinistra. ...Come va la giacca?
Enrico: Mi piace molto, ma è un po' stretta. Posso provare una taglia più grande?
commessa: Sì, certo. Controllo se ce l'abbiamo. Eccola, prego.
Enrico: Sì, questa va benissimo. Quanto costa?
commessa: Costa 69 euro e 50 centesimi, ma c'è uno sconto del 20%. Quindi... 55 euro e 60.
Enrico: Perfetto! La prendo.
commessa: Bene... paga in contanti?
Enrico: Posso pagare con il bancomat?
commessa: Certo!

4 Search the dialogue for useful expressions for buying clothes and complete the tables.

Parlare del colore

Di che colore la/lo vuole?
C'è anche in ....*?*
Quella fuori è ....*?*
La/Lo preferisco nera/o.

Parlare della taglia/ del numero di scarpe

Che numero porta (di scarpe)?
Porto/Ho il 37.
Che taglia ....?
La 48.
È un po' stretta/larga.
È grande/piccola.
Posso provare .... più grande?

Parlare del prezzo e delle modalità di pagamento

Quant'è? / Quanto ....?
Costa ....
C'è uno sconto?
Sì, c'è uno sconto ....
Paga in ....?
Posso pagare con .... / la carta di credito?

Esprimere un parere

È molto elegante.
È alla moda.
È bellissimo.

5 Study the tables above and then go shopping!

Student *A*: You have seen an outfit that you like in a storefront and enter the store to try it on, or because you want to buy it as a gift. Ask for information about it, and then buy it.

Student *B*: You work in the store and provide information about the size, price, and discounts.

Guida alle taglie

IT	EU	UK	US
38	34	6	2
40	36	8	4
42	38	10	6
44	40	12	8
46	42	14	10
48	44	16	12
50	46	18	14
52	48	20	16
54	50	22	18
56	52	24	20
58	54	26	22

es. 11 p. 145

C Come ti vesti?

1 Study the images and find the word that doesn't belong below each photo.

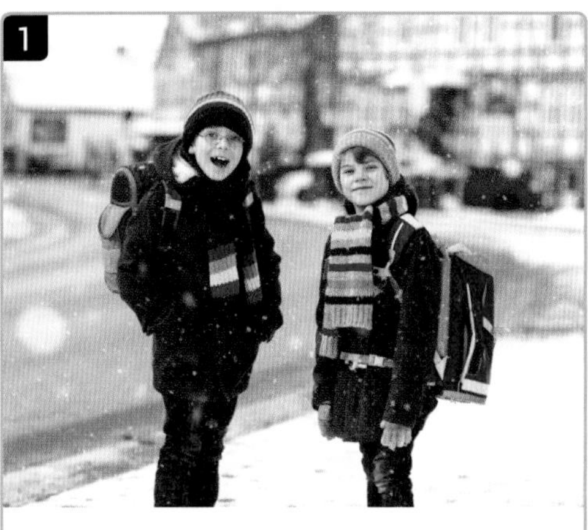

I bambini indossano:
cappello | guanti | camicia | jeans
giubbotto | sciarpa

La signora indossa:
borsa | calze
scarpe con il tacco alto
gonna | cappotto

L'uomo indossa:
maglione | pantaloni
cintura | occhiali | scarpe
cappotto

2 **a** Match the synonyms.

maglietta	misura
taglia	t-shirt
tessuto	pullover
maglione	stoffa

b Match the opposites.

stretto	sportivo
corto	economico
classico	largo
caro/costoso	lungo

3 Complete the list with the missing colors.

1. ....
2. grigio
3. verde
4. rosso
5. bianco
6. rosa
7. ....
8. giallo
9. marrone
10. ....

4 Divide yourselves into two teams: team *A* and team *B*. Take turns choosing one member of the opposing team. Take notes to be able to describe their clothing without looking at them. Your team will have 30 seconds to figure out who it is. If they guess correctly on the first try, you earn a point. If they guess incorrectly, it will be the other team's turn.

The team with the most points wins.

es. 12 p. 146

5 Study the position of the pronouns in the sentences. Then, complete the table.

I verbi riflessivi con i modali

Mi devo fermare un attimo. / Devo fermar...... un attimo.
A che ora ...... vuoi svegliare? / A che ora vuoi svegliarti?
...... possiamo sentire più tardi? / Possiamo sentirci più tardi?

es. 13-14 p. 146

D Che ne pensi?

1 Listen and match the short dialogues with the images.

2 Read the dialogues to check your answers.

a. • Ecco, guarda il cappotto che mi piace. Che ne pensi?
• Bello! Ma quanto costa?
• 500 euro.
• Secondo me, è un po' caro!

b. • Andiamo a fare spese domani? Che ne dici?
• Sì, d'accordo.

c. • Cosa ne pensi di questo maglione?
• Mi sembra un po' pesante.
• Dici? A me invece sembra leggero.

d. • Bello questo vestito? Che te ne pare?
• Lo trovo molto elegante, anche se non è il mio stile...

3 Search the dialogues for the expressions needed to complete the table.

Chiedere un parere	Esprimere un parere
....	*Secondo me...*
Che ne dici?	....
Cosa ne pensi di...?	....
....	*Lo/La trovo molto/un po'...*

4 **Student *A*** chooses one of the topics on the right and asks for Student *B*'s opinion.

Student *B* answers Student *A*, then chooses a new topic and asks for Student *A*'s opinion, and so on.

- *qualcosa che indossi*
- *un personaggio famoso*
- *un regalo che vuoi fare*
- *gli italiani e le italiane*
- *una tua idea*
- *una città*

es. 15 p. 147

E Si può pagare in contanti?

1 Read the guide for going shopping during sales and then mark the statements that are clearly presented in the text.

❶ È importante non fidarsi di sconti maggiori del 50% del costo iniziale. Nessuno regala niente.

❷ Prezzi tipo 49,99 euro vogliono dire 50 euro e non 49.

❸ Spesso ci si ferma ai primi negozi che hanno prezzi interessanti. È meglio, invece, girare più negozi e confrontare i prezzi.

❹ Di solito si paga di più per i tessuti naturali e meno per quelli sintetici.

❺ I capi d'abbigliamento devono avere l'etichetta con le modalità di lavaggio.

❻ È meglio non fidarsi dei negozi con il cartello "non è possibile cambiare la merce venduta".

❼ Bisogna sempre controllare la provenienza dei capi di cotone.

❽ È utile fare un giro per i negozi prima dei saldi per segnare il prezzo di cosa si vuole comprare e poi fare un confronto.

❾ Se uno vede capi disponibili in tutte le taglie e colori, attenzione: forse è merce messa sul mercato per l'occasione.

❿ Anche in periodo di saldi, le forme di pagamento sono sempre le stesse. Si può pagare in contanti, con il bancomat o con la carta di credito.

adattato da *www.lanotiziaweb.it*

☐ 1. Tutti gli sconti sono del 50%.
☐ 2. I tessuti naturali costano di più.
☐ 3. Tutti i capi d'abbigliamento devono avere indicazioni sul lavaggio.
☐ 4. Meglio non fidarsi quando non è possibile cambiare i capi di abbigliamento.
☐ 5. I capi di cotone sono di provenienza italiana.
☐ 6. Anche in periodo di saldi, si spende molto.

2 Read the sentences and find the subject of the verbs.

1. Si paga di più per i tessuti naturali.
2. Bisogna sempre controllare la provenienza.
3. Spesso ci si ferma ai primi negozi.

3 Study the table.

La forma impersonale

Uno paga di più per i tessuti naturali.	→	Si paga di più per i tessuti naturali.
Attenzione ai verbi riflessivi!		
Uno si ferma ai primi negozi.	→	Ci si ferma ai primi negozi. NON ~~Si si~~ ferma ai primi negozi.
Note:		
Quando uno è giovane, è più ottimista.	→	Quando si è giovani, si è più ottimisti.

Le espressioni impersonali

We often use impersonal expressions: we don't specify who speaks, we understand it from the context.

È possibile pagare con la carta di credito. (*Si può pagare...*)
Bisogna controllare la provenienza dei capi. (*Si deve...*)
È necessario indicare la modalità di lavaggio di un capo. (*Si deve...*)
È meglio non fidarsi.
È utile/inutile fare un giro per i negozi prima dei saldi.
È importante non fidarsi di sconti maggiori del 50%.
È facile/difficile trovare vestiti a buon prezzo.
È bello fare regali agli amici.

4 Change the sentences to the impersonal form, as in the examples.

Uno si diverte anche senza spendere molto. → *Ci si diverte anche senza spendere molto.*
Bisogna provare il vestito prima di comprarlo. → *Si deve provare il vestito prima di comprarlo.*

1. Nelle grandi città italiane uno spende molto per l'affitto.
2. È importante parlare bene l'inglese per viaggiare all'estero.
3. Di solito, uno si rilassa quando va in vacanza.
4. In molte città italiane uno non entra in macchina nel centro storico.
5. È possibile fare colazione in albergo.
6. Bisogna sempre guidare con attenzione.

es. 16-19 p. 147

F Vocabolario e abilità

1 Someone has stolen signora Andretti's wallet. She describes the thieves to the police. Are you able to identify them in the illustration?

> Erano in due, un uomo e una donna. L'uomo portava un cappotto lungo un po' vecchio, una maglietta a righe, jeans e scarpe da ginnastica. La donna indossava, invece, una maglia di cotone nera a maniche lunghe, una gonna verde a pallini, occhiali da sole e una borsa di pelle.

2 a Re-read and complete the description with the types of fabric/material...

b ...and the names of the patterns on the fabric.

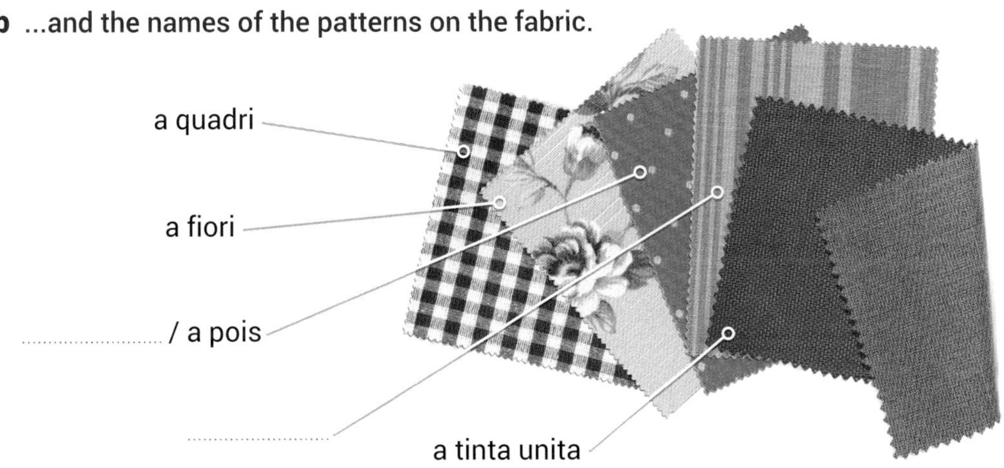

es. 20 p. 149

3 Play in pairs. Choose one of the people standing in the front in the illustration on page 60. Take turns asking questions, as in the example below. The first person to identify the person chosen by their partner wins! If you have time, choose another person in the illustration and play again.

> Il tuo personaggio porta...? / Ha i capelli... / È...?
>
> Sì/No. Il tuo personaggio ha...?
>
> Sì/No.
>
> ...

4 Ascolto Workbook (p. 149)

5 Parliamo

1. Come ti vesti di solito? Qual è il tuo stile? Come ti vesti per le occasioni speciali (appuntamento, festa, colloquio di lavoro)?
2. In genere, dove compri i tuoi vestiti (in un centro commerciale, nei negozi della tua città, all'estero, online)?
3. Quanto spendi per i vestiti? Quanto è importante l'abbigliamento per te? Perché?
4. Nel vostro Paese cosa si pensa della moda italiana?
5. Qual è il periodo di saldi nel vostro Paese? Comprate durante i saldi?

6 Scriviamo

You want to spend a few days in Rome. Write an email to a friend who studies there. Tell her about your trip and the things you want to buy, and ask which are the best stores in Rome and where you should shop.

es. 21-23 p. 149

p. 100

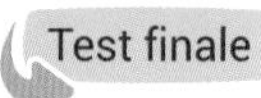
Test finale

La moda italiana

Da molti anni ormai l'Italia è sinonimo di moda: Armani, Versace, Valentino, Dolce & Gabbana, Prada, Gucci, Missoni e Moschino sono soltanto alcuni degli stilisti più famosi. Il "made in Italy", espressione del gusto e della raffinatezza degli italiani, è uno dei settori più sviluppati dell'economia, con esportazioni* in tutto il mondo.

Gli italiani sono un popolo molto attento alla moda: alcuni spendono parecchio per i capi firmati dei grandi stilisti. I più* scelgono altri stilisti, meno conosciuti all'estero, che offrono alta qualità a prezzi più bassi.

Moda italiana, però, non significa solo abbigliamento, ma anche accessori: molto noti sono gli occhiali della Luxottica, il più grande produttore al mondo, i prodotti di pelle (scarpe, borse, giubbotti ecc.) e i gioielli che tutto il mondo apprezza perché belli e originali.

gioielli

Benetton: un'azienda di successo

La storia di Benetton ha inizio a Ponzano Veneto nel 1965, quando a soli quattordici anni Luciano Benetton inizia a lavorare come commesso in un negozio di maglieria. Benetton ha un'idea: ridare vita a un prodotto classico, il maglione di lana. Alla fine degli anni Sessanta, infatti, il maglione è ancora un capo d'abbigliamento per adulti, costoso e con poca varietà di colori disponibili. Benetton, che propone un abbigliamento casual e sportivo, presenta i suoi modelli in 36 colori. Il prodotto ha subito un grande successo, soprattutto tra i giovani.

Nel 1972 Benetton comincia a produrre anche jeans, maglie di cotone e abbigliamento per bambini.

La popolarità di Benetton è legata anche alle sue campagne pubblicitarie, spesso provocatorie*, basate su temi sociali come il razzismo o la diversità.

I Fratelli Prada: la boutique della Galleria Vittorio Emanuele

La storia di Prada inizia nel 1913, quando i fratelli Mario e Martino aprono a Milano, nella galleria del Duomo, una boutique molto elegante: "Fratelli Prada". In vetrina ci sono valigie, borse da viaggio e da sera, tutte realizzate a mano, oltre ad orologi e oggetti di design.

I nobili* apprezzano molto i loro articoli. Tra i primi clienti, nel 1919, abbiamo la casa reale dei Savoia e in pochi anni le grandi famiglie milanesi, ma anche europee. Prada diventa così un punto di riferimento della moda nazionale e internazionale per gli accessori di pelle.

Ma è Miuccia, la nipote di Mario, a trasformare l'azienda in un colosso* mondiale del lusso. Nel 1985, infatti, disegna il classico ed elegante zaino in nylon nero e, quindici anni dopo, lancia sul mercato una linea di occhiali, la Prada Eyewear, che ha ben presto un grandissimo successo.

1 Read the text and answer the questions.

1. Perché il made in Italy ha successo nel mondo?
2. La maggior parte degli italiani compra i vestiti di quali stilisti?
3. Oltre ai capi d'abbigliamento, quali altri prodotti esporta l'Italia all'estero?
4. Qual è stata l'idea di successo di Luciano Benetton?
5. Perché le campagne pubblicitarie della Benetton sono sempre così speciali?
6. All'inizio della loro attività, chi erano i maggiori clienti dei Fratelli Prada?
7. Chi ha trasformato l'azienda Prada in un colosso mondiale del lusso? Grazie anche a quali accessori?

2 Do a little research on an Italian brand that is famous in your country. Then, present your findings to the class. If you want, you can also show images or prepare a poster. Provide a little bit of information about:

- la storia della casa di moda
- i capi d'abbigliamento o tipi di accessori che produce
- lo stile
- popolarità all'estero, pubblicità...

Glossario. ***esportazione***: vendere i prodotti all'estero; ***i più***: la maggior parte delle persone; ***provocatorio***: che ha lo scopo di causare una reazione; ***nobile***: persona che aveva la ricchezza (principi, conti, duchi); ***colosso***: azienda molto grande.

AUTOVALUTAZIONE

What did you learn in Units 8 and 9?

1 *Sai...?* Match the two columns.

1. esprimere un parere	☐	a. *Bene, e quanto costa?*
2. informarti sul colore	☐	b. *Che peccato!*
3. informarti sul prezzo	☐	c. *Mi sembra una buona idea.*
4. esprimere rammarico	☐	d. *C'è anche in rosso?*
5. chiedere un parere	☐	e. *Allora, che ne pensi?*

2 Match the sentences. Note: there is one extra answer!

1. Che taglia porta?	☐	a. *Ottimo, quanto ne vuole?*
2. C'è lo sconto, vero?	☐	b. *Bene, grazie e tu?*
3. Come ti sta?	☐	c. *Vorrei un paio di scarpe.*
4. Ha del prosciutto buono?	☐	d. *La 46.*
5. Posso aiutarla?	☐	e. *È un po' stretto.*
	☐	f. *Sì, del 15%.*

3 Complete.

1. Tre stilisti italiani: ....
2. Quattro colori: ....
3. Due tipi di tessuto: ....
4. Tre aggettivi per descrivere un abito: ....
5. Il plurale di *mi sono dovuto svegliare*: ....

4 Find the ten hidden words, vertically or horizontally.

D	U	V	E	T	A	C	C	O	N	B	E	X
A	G	I	O	F	O	G	I	A	C	C	A	E
V	E	R	D	E	M	A	T	U	N	I	C	Z
E	L	U	S	O	M	R	I	A	Z	H	A	E
L	E	C	P	R	O	V	A	R	E	S	P	T
C	G	I	B	Y	G	C	E	J	O	C	H	T
R	A	C	C	E	S	S	O	R	I	O	O	O
U	N	U	P	E	A	F	I	K	E	N	I	L
D	T	O	S	P	R	E	Z	Z	O	T	S	O
O	E	X	E	Z	E	T	T	O	L	O	O	O

Il Duomo, Milano

Check your answers on page 104. *Sei soddisfatto/a?*

Che c'è stasera in TV? Unità 10

Glossary p. 198

Per cominciare...

1 Which types of television shows do you watch most often? Why?

2 Listen to the dialogue: what are Lorenzo and Daniela discussing?

3 Listen to the dialogue again and mark the statements as true (V) or false (F).

	V	F
1. Daniela sta guardando un quiz.		
2. Lorenzo ha già visto il film *Smetto quando voglio*.		
3. Secondo Daniela, *Che talento!* è un programma interessante.		
4. Lorenzo vuole vedere un documentario sugli animali.		
5. Alla fine mettono su RaiUno.		

In this unit, we will learn:

- *to ask for a favor or to borrow something*
- *to express opinions and regrets*
- *to talk about television shows and justify our preferences*
- *to give commands and advice*
- *to formulate requests and invitations*
- *to ask for and give directions*

- *indirect pronouns*
- *indirect pronouns with compound tenses and modal verbs*
- mi piace/mi piacciono *with compound tenses*
- *the informal imperative* (tu, noi, voi)*: affirmative and negative, regular and irregular verbs*
- *the imperative with pronouns*

- *some interesting facts about television and Italian journalism*

A C'è un film su...

1 Read the dialogue and check your answers to the previous activity.

Lorenzo: Che stai guardando, sorellina?

Daniela: Niente, sto facendo un po' di zapping. Però fra mezz'ora c'è un film su RaiDue che vorrei vedere, se non ti dispiace.

Lorenzo: Ma che film è?

Daniela: Si chiama *Smetto quando voglio*, è una commedia.

Lorenzo: Noo, l'ho visto!

Daniela: Davvero?

Lorenzo: Sì! Lui fa un'attività illegale senza dire niente a sua moglie. Poi comincia a fare molti soldi e le racconta che ha un nuovo lavoro...

Daniela: Grazie mille dello spoiler, Lorenzo! Allora, vediamo *Che talento!* su Canale 5?

Lorenzo: No, per favore! Ma veramente ti piacciono queste trasmissioni? Sono noiose.

Daniela: Secondo me, invece, questo è un programma interessante dove scoprono nuovi talenti e gli danno l'opportunità di diventare famosi.

Lorenzo: Mah, a me piace solo *La Voce*... E poi che altro c'è?

Daniela: Allora... il solito documentario sugli animali... e su RaiUno la partita Inter-Juventus.

Lorenzo: Oh, Inter-Juve, è vero! Dai, metti su RaiUno che sarà già cominciata.

Daniela: Ma non gioca la tua squadra!

Lorenzo: Non importa, Daniela... sarà una bella partita! Dai, ti prego! Poi domani scegli tu, ok?

Daniela: Ma io domani torno a Bologna!

Lorenzo: Appunto!

2 Read the dialogue in pairs. One of you will read the part of Daniela, the other will read the part of Lorenzo.

3 Answer the questions.

1. Che genere di film è *Smetto quando voglio*?
2. Che cosa pensa Lorenzo del programma *Che talento!*?
3. Perché invece per Daniela è interessante?
4. Cosa vuole vedere Lorenzo e perché?

4 The following day, Daniela talks to her friend, Carla. Complete the dialogue with the pronouns provided.

mi ⁎ *gli* ⁎ *mi* ⁎ *gli* ⁎ *le* ⁎ *ti*

Carla: Hai visto *Smetto quando voglio* ieri sera? Veramente divertente!

Daniela: Uffa, no! Lorenzo lo aveva già visto! .... (1) ho proposto di vedere *Che talento!*, ma niente. Non .... (2) piace perché, secondo lui, è un programma noioso.

Carla: Esagerato! Anche io ogni tanto lo guardo. .... (3) piace moltissimo. E .... (4) dirò di più, Alessia vuole fare anche il provino!

Daniela: .... (5) sembra un'idea fantastica! .... (6) potrà aprire delle porte... Comunque, alla fine abbiamo visto la partita. Che noia...

Carla: Povera te!

50-60 **5** Write a short summary of the dialogue between Lorenzo and Daniela.

....

....

....

....

....

....

....

6 Complete the table with the indirect pronouns found in Activity A4.

I pronomi indiretti

A me *Che talento!* piace molto.	*Che talento!* ………… piace molto.
A te interessa il calcio italiano?	………… interessa il calcio italiano?
Quando telefonerai a Lorenzo (a lui)?	Quando ………… telefonerai?
Darà a Maria (a lei) un'opportunità.	………… darà un'opportunità.
Signore/a, a Lei piace guardare la tv?	Signore/a, Le piace guardare la tv?
Questa storia a noi sembra strana.	Questa storia ci sembra strana.
Alessia manderà a voi una fotografia.	Alessia vi manderà una fotografia.
Ai miei genitori (a loro) non chiedo di cambiare canale.	Non ………… chiedo di cambiare canale.
Telefono spesso a Daniela e Carla (a loro).	Gli telefono spesso.

Note: Offro il caffè agli ospiti! = Gli offro il caffè. / Offro loro il caffè.

7 Study the table and change the sentences, as in the example.

Ho fatto una sorpresa a Chiara.
→ *Le ho fatto una sorpresa.*

1. A te piacciono i film italiani?
2. Lorenzo telefonerà a Gianna alle dieci.
3. Cosa regali ai tuoi amici?
4. A Letizia e a me interessano i documentari.
5. Chiederò a Luigi di aiutarmi.
6. Signora Berti, a Lei posso chiedere un favore?

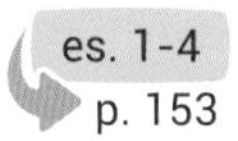
es. 1-4 p. 153

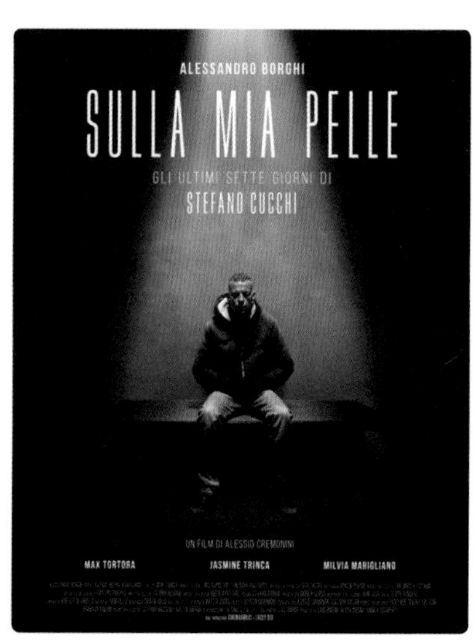

8 Read the sentences and study the past participles. Then, complete the rule.

Pronomi indiretti	Pronomi diretti
Ti ho spiegato già tutto.	Ti ho ascoltato/a.
Le abbiamo regalato un vaso cinese.	L'ho conosciuto/a tempo fa.
Ci hanno prestato la loro moto.	Ci ha chiamati/e Andrea.

Nei tempi composti il participio passato ☐ si accorda / ☐ non si accorda con il pronome indiretto.

9 Change the sentences and replace the highlighted words with the indirect pronouns.

1. Ho fatto vedere a Lorenzo le foto delle vacanze.
2. Abbiamo raccontato a Gianna e Paolo le nostre avventure.
3. Ho inviato il mio curriculum vitae al dottor Marini.
4. Ho consigliato a mia sorella di non uscire con quel ragazzo.
5. Il programma darà alle ragazze l'opportunità di diventare famose.

Note:

Ci è piaciuta la puntata di *Che talento*!

Non ci sono piaciuti i programmi di ieri.

es. 5-9 p. 154

B Mi puoi dare una mano?

1 Listen and complete the sentences, as in the example in blue. Then match the sentences with the images. *Possiamo usare i pronomi indiretti anche per...*

...chiedere qualcosa in prestito

a. Ci .... la tua macchina?

b. Mi .... in prestito questa rivista?

...esprimere un parere

c. Quel che dice non mi .... logico.

d. Mi .... giusto.

...esprimere dispiacere

e. Mi ...., ma non ti posso aiutare.

...chiedere un favore

f. Senti, puoi farmi un favore?

g. Mi puoi .... una mano, per favore?

 **2** Work in pairs. Complete the sentences with the expressions from Activity B1.

1. Giovanna, ..., vai tu al supermercato?
2. .... questo libro? Non l'ho letto!
3. ...., ma non possiamo vederci nemmeno domani.
4. .... il comportamento di Luca: si lamenta continuamente!
5. Cerco di spostare questo armadio, ma non ci riesco; ....?

 **3** Work in pairs. Choose three situations and spend 1-2 minutes preparing short dialogues.

- **Student** *A* asks to borrow something from **Student** *B* who replies
- **Student** *B* says something and **Student** *A* gives an opinion
- **Student** *B* informs **Student** *A* of his/her problem and **Student** *A* expresses his/her regret
- **Student** *A* asks **Student** *B* for a favor and *B* replies

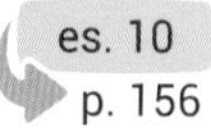
es. 10
p. 156

C Cos'hai visto ieri?

 **1** Listen to the phone call and mark the shows that Julius Caesar watched on TV yesterday.

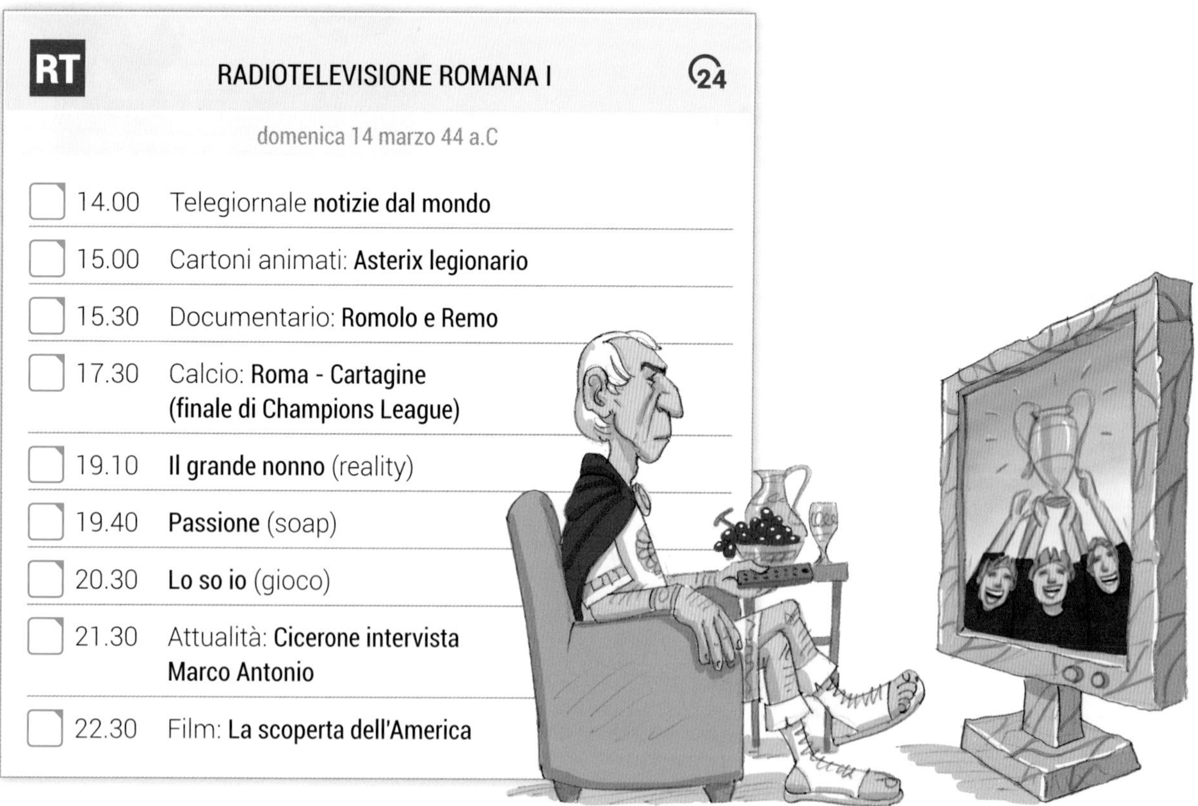

RT — RADIOTELEVISIONE ROMANA I — 24

domenica 14 marzo 44 a.C

☐	14.00	Telegiornale **notizie dal mondo**
☐	15.00	Cartoni animati: **Asterix legionario**
☐	15.30	Documentario: **Romolo e Remo**
☐	17.30	Calcio: **Roma - Cartagine (finale di Champions League)**
☐	19.10	**Il grande nonno** (reality)
☐	19.40	**Passione** (soap)
☐	20.30	**Lo so io** (gioco)
☐	21.30	Attualità: **Cicerone intervista Marco Antonio**
☐	22.30	Film: **La scoperta dell'America**

50 **2** Listen again and mark the statements you hear.

- [ ] 1. Cesare e Cleopatra si trovano a Roma.
- [ ] 2. Cesare e Cleopatra non sono d'accordo su Asterix.
- [ ] 3. La Roma ha vinto la Champions League.
- [ ] 4. Cesare è un fan dei reality.
- [ ] 5. A tutti e due piacciono i quiz televisivi.
- [ ] 6. Cleopatra non sa che cos'è l'America.

3 Work in pairs. Student *A* will choose one of the following programs. Student *B* will ask questions to guess the name of the program, but Student *A* can only respond with *sì* or *no*. Then, switch roles. The person who guesses the name of the show with the fewest number of questions wins.

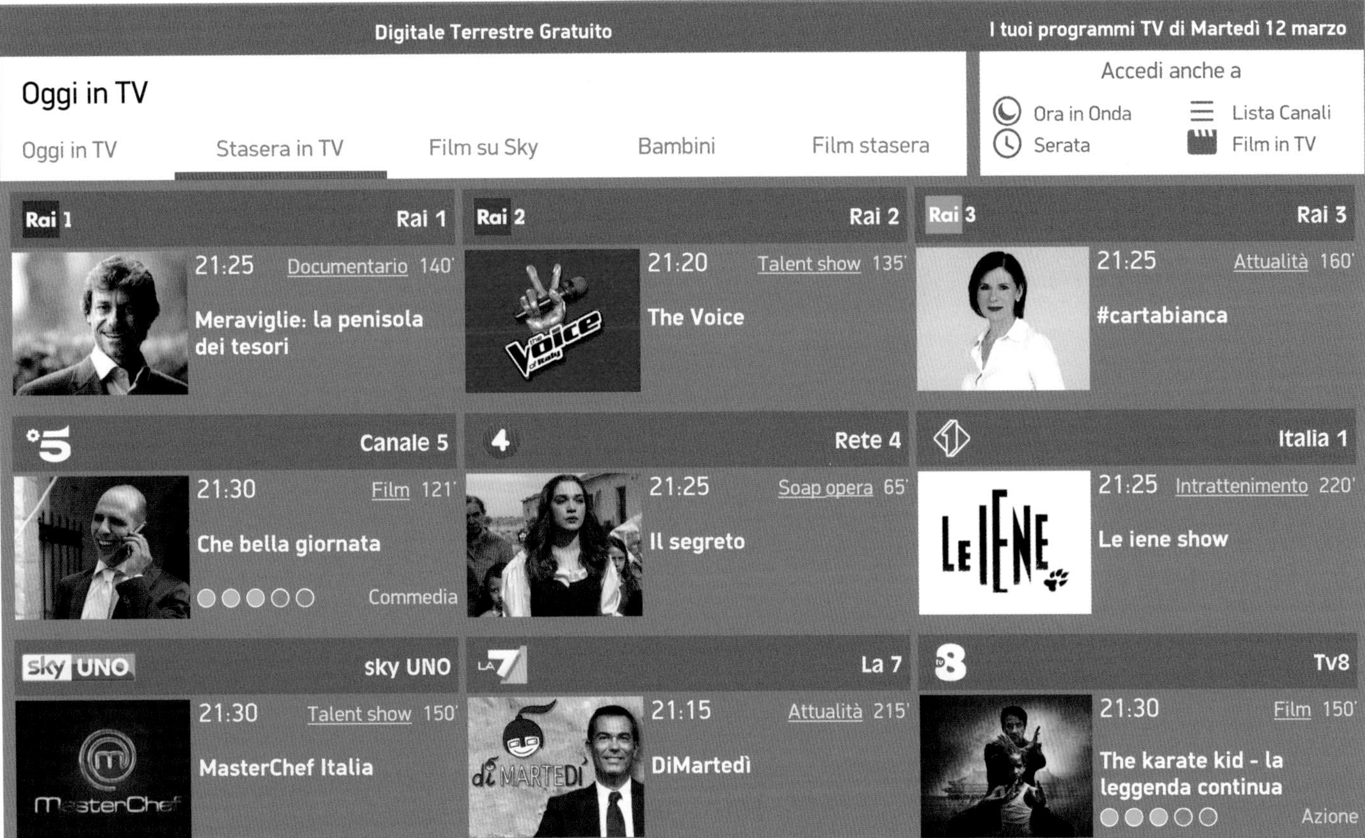

4 Work in pairs. Complete the sentences with the words provided.

1. Per cambiare canale abbiamo bisogno del ....
2. Hai visto la prima .... della nuova fiction della Rai?
3. Ma su quale .... danno la Formula 1?
4. La .... interrompe spesso i programmi.
5. Mio padre ha comprato un .... da 50 pollici.

a. *televisore*
b. *canale*
c. *telecomando*
d. *pubblicità*
e. *puntata*

5 Study the chart of the most watched television programs on May 2. Comment on the television preferences of Italians and compare them with those in your country.

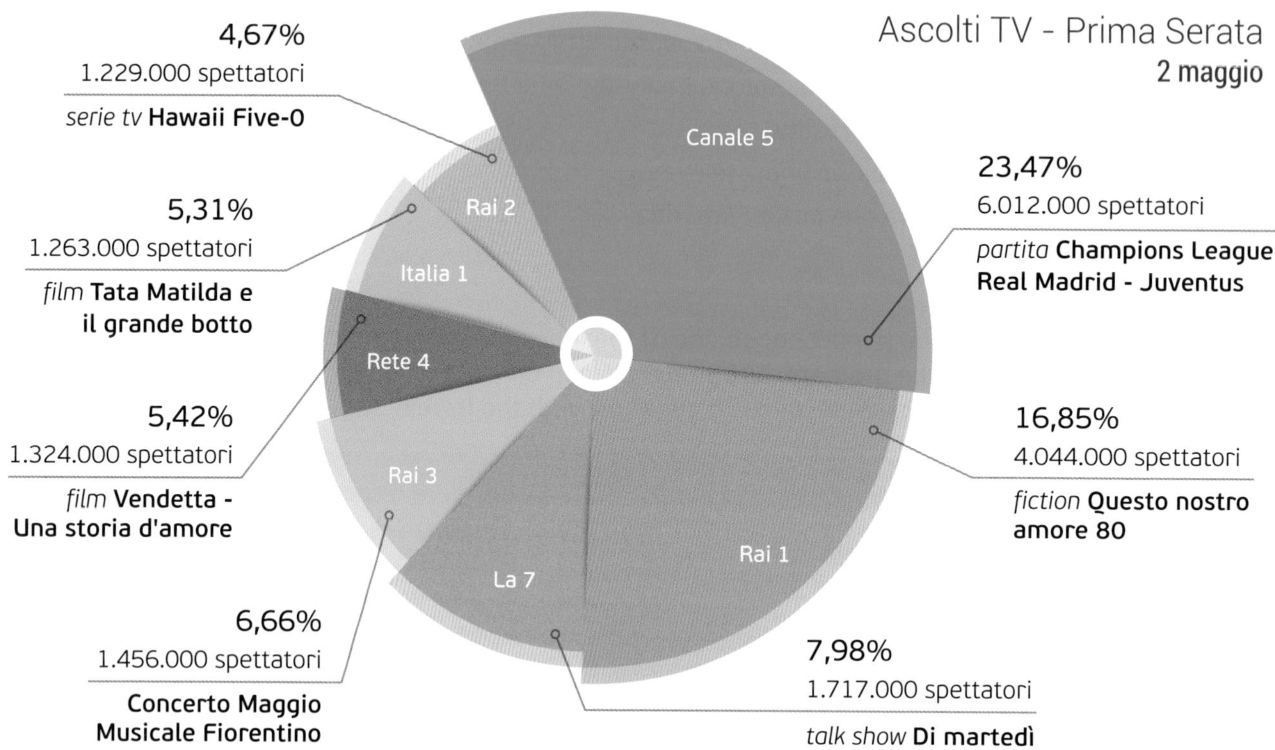

6 Create a dialogue similar to the one on page 70 using the names of the programs above, or others that you like. State which channels they air on and what type of programs they are.

es. 11 p. 156

D Partecipa e vinci!

1 Work in pairs. Match the advertisements with the products, as in the example in blue.

1. *Vinci un anno tutto da leggere*
2. *Viaggia con le Frecce e vinci una Fiat 500*
3. *Scopri la novità nei suoi tre gusti*
4. *Ascolta la tua sete*
5. *Ferma il bullismo*

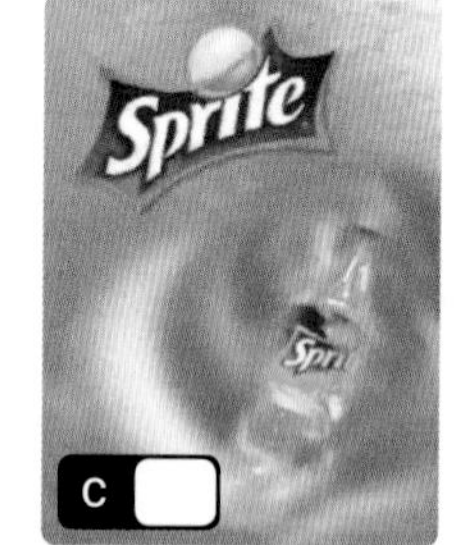

2 a Complete the table with the verbs used in the previous activity.

L'imperativo diretto

	ascoltare	vincere	scoprire -	finire
tu	..................!	..................!	..................!	finisci!
noi	ascoltiamo!	vinciamo!	scopriamo!	finiamo!
voi	ascoltate!	vincete!	scoprite!	finite!

The imperative of the verbs essere *and* avere *are found in the* Approfondimento grammaticale *on page 190.*

b Which other verbs in the imperative can you find in the ads?

3 Complete the sentences with the verbs provided.

uscite ⁎ spegni ⁎ partecipa ⁎ lavora ⁎ venite ⁎ fate

1. .... di più! Solo così realizzerai i tuoi sogni.
2. Ragazzi, avete già studiato abbastanza: ....!
3. .... come volete!
4. .... al concorso! Non hai niente da perdere.
5. Mario, ... la luce! Ieri l'hai dimenticata accesa!
6. Andremo al cinema stasera: .... con noi!

4 Study the examples and complete the table.

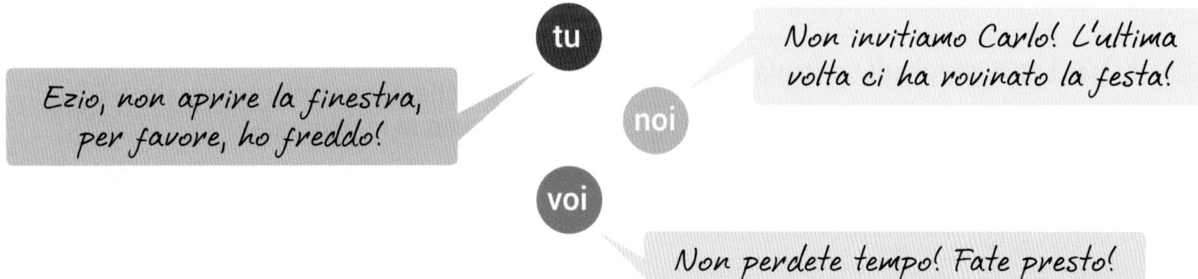

L'imperativo negativo

	invitare	perdere	aprire / finire
tu	non invitare!	non perdere!	non ....! / finire!
noi	non ....!	non perdiamo!	non apriamo! / finiamo!
voi	non invitate!	non ....!	non aprite! / finite!

5 Uses of the imperative. Match the sentences with the correct function.

1. Mangia di meno, se vuoi dimagrire.
2. Luca, spegni subito la televisione. È tardi!
3. Cuocete in forno per 30 minuti.
4. Non fate rumore!

a. *dare istruzioni*
b. *dare consigli*
c. *proibire*
d. *dare ordini*

6 Work in pairs. Use the imperative to give advice/commands/instructions and to prohibit something to:

a. un gruppo di turisti che vuole visitare un museo.
b. una famiglia che vuole fare un picnic in un parco.
c. un amico che deve andare a una cena di lavoro.

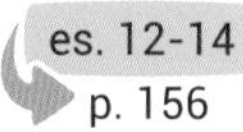
es. 12-14
p. 156

E Prendilo pure!

1 Listen and read the short dialogues and then answer the questions.

a. • Gianni, ti serve *Panorama*?
• No, prendilo pure, Alice! Cerchi qualcosa in particolare?
• Sì, ci dev'essere un articolo sulle vacanze-studio che mi interessa. Ah, eccolo: posso tenerlo?
• Certo, prendilo, ma non dimenticarlo a casa perché non l'ho ancora letto. Però guarda, se ti interessa solo questa pagina, strappala pure!

b. • Pronto, Laura? Sono Parini, dalla redazione. Per favore, girami quell'email con la statistica sulle vendite dei quotidiani.
• Non ce l'ho ancora. Ho chiamato il signor Baldi e mi ha detto che è molto impegnato.
• Allora, telefonagli di nuovo e digli che mi serve al più presto.

c. • Dai, Lucio, svegliati! Sono già le otto!
• Ti prego, mamma! Lasciami dormire ancora un po'!
• Dai, alzati che devi andare a lezione!
• Macché lezione?! Oggi è domenica!

1. Perché Alice vuole il giornale di Gianni? Lui cosa le risponde?
2. Cosa chiede a Laura il signor Parini?
3. Perché Lucio non deve andare a lezione?

2 a Re-read the short dialogues, insert the pronouns in the table and complete the rule.

L'imperativo con i pronomi

Ti serve il giornale? Prendi........ pure!
Vuoi questa pagina? Strappa........!
Non mi puoi svegliare così! Lascia........ dormire ancora un po'!
Non ti sei ancora alzato? Alza........ che devi andare a lezione!

Con *tu*, *noi* e *voi*, i pronomi *precedono/seguono* l'imperativo e formano un'unica parola.

b Study the table and choose the correct option to complete the rule.

L'imperativo negativo con i pronomi

Non prenderlo! Non andarci!	*oppure*	Non lo prendere! Non ci andare!

Nell'imperativo negativo, i pronomi possono andare *prima o dopo/sempre prima/sempre dopo* il verbo.

3 Answer the question, as in the example.

Vuoi prendere questa rivista?

a. Prendila! b. Non prenderla!

1. Volete parlare a Debora?
2. Vuoi mangiare il mio gelato?
3. Dobbiamo andare alla festa?
4. Volete comprare questi libri?
5. Dovete alzarvi presto?
6. Devi scrivere ai tuoi amici?

es. 15-18 p. 157

F Gira a destra!

52 **1** Listen to the short dialogues and mark the expressions you hear.

- ☐ *al primo incrocio*
- ☐ *poi gira subito*
- ☐ *gira a sinistra*
- ☐ *va' sempre dritto*
- ☐ *è la quarta strada*
- ☐ *gira a destra*

52 **2** Listen again and mark which maps correspond to each dialogue.

2 ☐

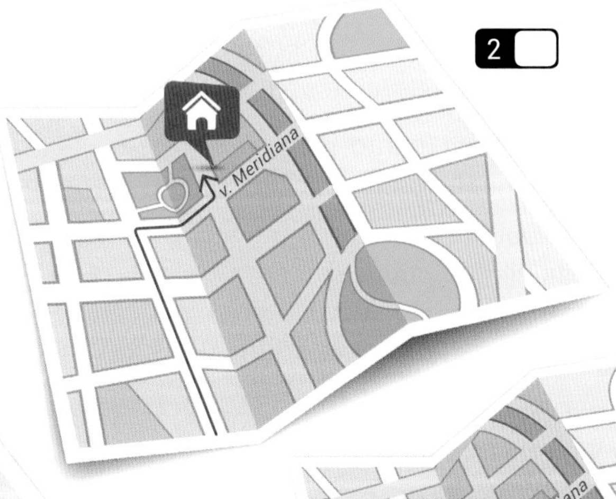

1 ☐

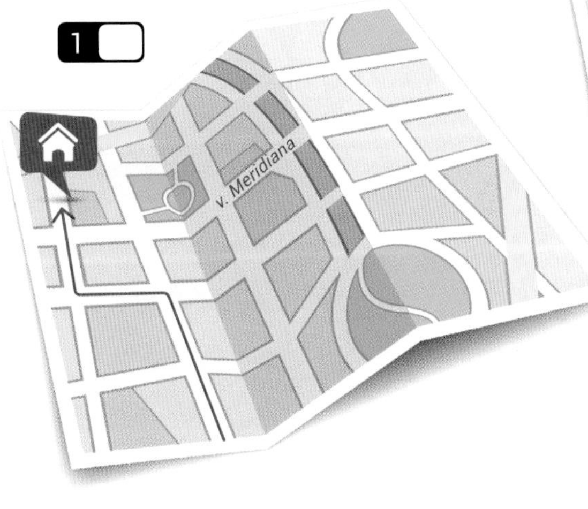

v. Meridiana

3 ☐

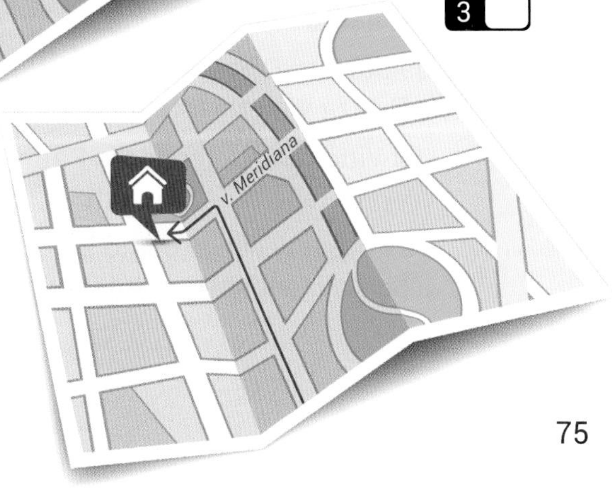

3 In the short dialogues, we find the form *va'*. Which verb do you think this is? Complete the table with: *va'*, *da'* and *fa'*.

L'imperativo irregolare

andare	dare	dire	fare	stare
....	....	di'	....	sta'
andiamo	diamo	diciamo	facciamo	stiamo
andate	date	dite	fate	state
+ ci = vacci	+ le = dalle	+ mi = dimmi	+ lo = fallo	+ ci = stacci

es. 19-21 p. 158

4 Work in pairs. You are in Rome and one of you asks the other for directions to go:

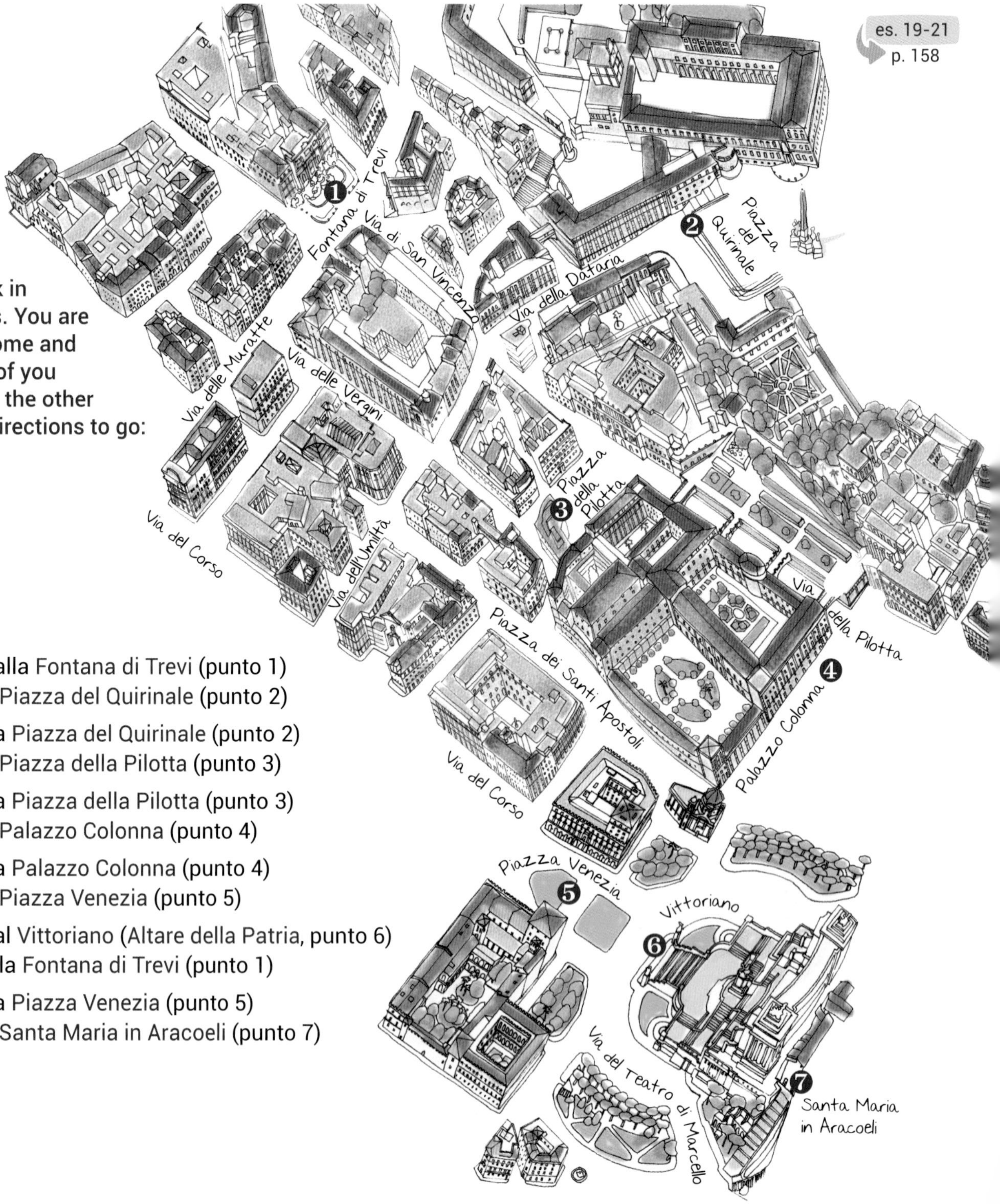

a. dalla Fontana di Trevi (punto 1) a Piazza del Quirinale (punto 2)
b. da Piazza del Quirinale (punto 2) a Piazza della Pilotta (punto 3)
c. da Piazza della Pilotta (punto 3) a Palazzo Colonna (punto 4)
d. da Palazzo Colonna (punto 4) a Piazza Venezia (punto 5)
e. dal Vittoriano (Altare della Patria, punto 6) alla Fontana di Trevi (punto 1)
f. da Piazza Venezia (punto 5) a Santa Maria in Aracoeli (punto 7)

5 Treasure hunt... in the dark! Play in two teams. Each team will prepare a list of 5 objects found in the classroom. The teams will switch lists. Taking turns, one player from each team will cover his/her eyes (with a scarf, for example), and his/her teammates will provide instructions (*Vai Avanti*! *Gira a destra*! *Fermati*! etc.) to reach one of the objects on the list. The first team to find all of the objects wins.

G Abilità

1 Ascolto Workbook (p. 160)

2 Parliamo

1. Quanto tempo passate davanti alla TV?
2. Parlate in breve dei vostri programmi preferiti: perché vi piacciono, che cosa trattano ecc.
3. Cosa pensate della TV a pagamento (ad esempio, Netflix...)? Siete abbonati a un servizio simile?
4. Per tenervi informati preferite leggere il giornale, seguire il telegiornale o navigare su internet?
5. Leggete riviste? Se sì, di che tipo?

es. 22-24 p. 159

3 Scriviamo

Study the images and write a story.

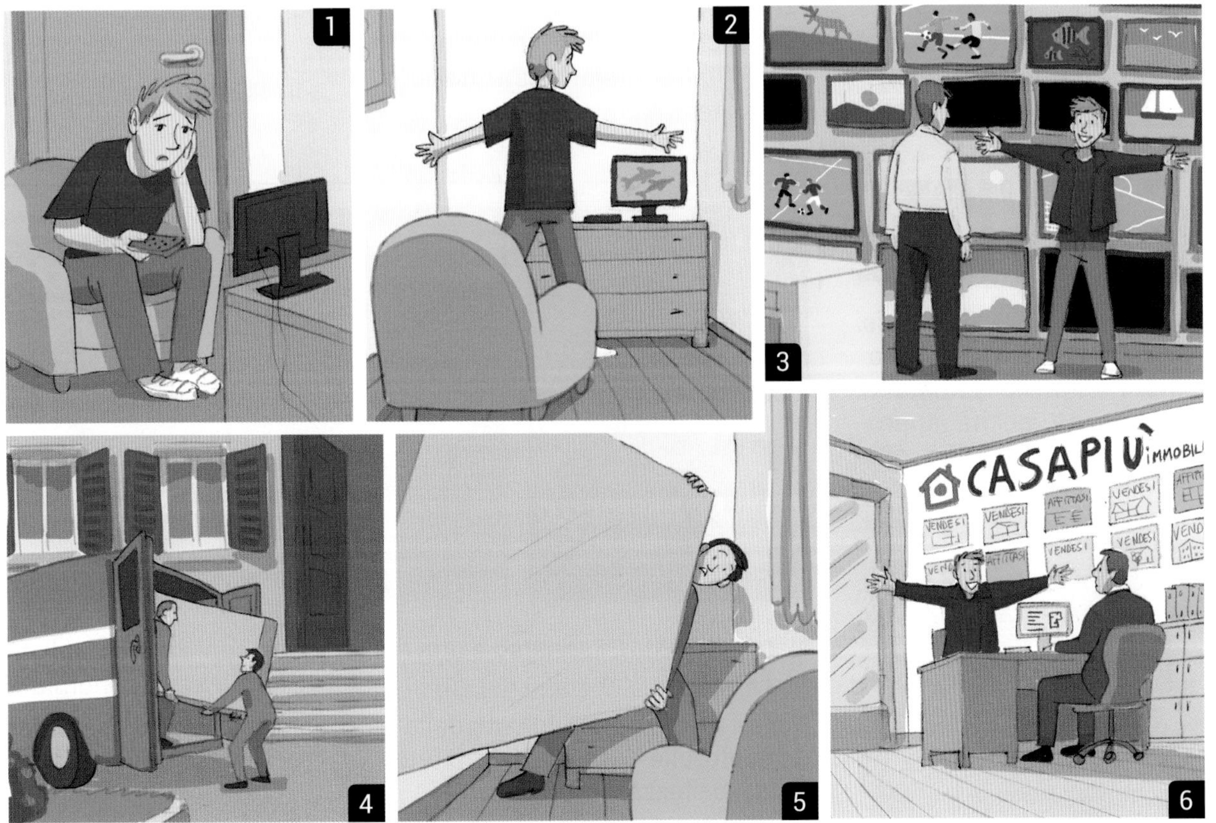

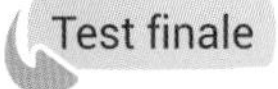
p. 101
Test finale

La stampa italiana

Il digitale ha cambiato molto il mondo dell'informazione, ma il *Corriere della sera, la Repubblica* e *Il sole 24 ore* sono sempre i quotidiani* più letti e venduti in Italia.

I QUOTIDIANI

CORRIERE DELLA SERA

L'attore in tribunale
Guzzanti: «Io, truffato e le mie notti da incubo»

Domani su 7

L'AMERICA SENZA CENTRO

«Noi e la Cina, patto limpido»

IO DONNA
idee
Lavorare senza ufficio
innamoramenti
I gioielli del desiderio
incontri
Giorgio Armani
il rigore, la seduzione
io e il mio corpo
Bellezza totale
ispirazioni
10 weekend per l'autunno
in città
Moda!
TUTTO NUOVO
460 PAGINE

Il ***Corriere della Sera*** è uno storico quotidiano italiano, nato a Milano nel 1876. Ha inserti molto interessanti, come ***IO Donna***: la prima rivista femminile distribuita come supplemento di un quotidiano!

la Repubblica

07 03 19

il venerdì

Nì Tav

Di Maio ribadisce il no al progetto mentre Salvini insiste per il sì
Conte prova ancora a mediare, ma adesso il governo trema

Prove di nuova maggioranza alla Camera
La legittima difesa passa con i voti del centrodestra
I grillini si spaccano

QUEL TABÙ LUNGO 57 CHILOMETRI

LA SINISTRA E L'ALBATROS

LA LEGA HA UN PROBLEMA CON LE DONNE

Reddito di cittadinanza il primo record di richieste

"Vaccini, lasciamo in classe i bambini non in regola"

Di un secolo più giovane è ***la Repubblica***, fondato a Roma nel 1976 da un gruppo di giornalisti del settimanale *L'Espresso*.

La Gazzetta dello Sport

PIATEK, C'È L'ACCORDO
Il «Pistolero» polacco è del Milan
Martedì le firme: al Genoa 40 milioni

STASERA INTER-SASSUOLO
SAN SIRO UN BUU AL RAZZISMO

DZEKO-BELOTTI ROMA-TORINO ROBA DA BOMBER

La Gazzetta dello Sport è il primo quotidiano sportivo del Paese e il più "vecchio" d'Europa nel suo genere (1896). Caratteristico è il colore rosa delle pagine, colore che troviamo anche nel Giro d'Italia*, organizzato dalla stessa testata* giornalistica.

Il Sole 24 ORE

Visco: allarme su conti e Pil
Clausole Iva da disinnescare

Per le economie europee è l'ora della recessione

Banche, mancano 47 miliardi di bond

Il sole 24 ore invece è un quotidiano economico-finanziario, tra i più importanti anche a livello europeo.

LE RIVISTE

Fin dagli anni '50, ***TV Sorrisi e Canzoni*** ci informa sui programmi TV della settimana. Ma contiene anche approfondimenti su attualità, musica, cinema e spettacolo.

Nata nel 1955, ***L'Espresso*** è una rivista molto apprezzata dagli italiani. Esce ogni domenica e tratta di politica, cultura ed economia.

Donna Moderna, pubblicato dalla fine degli anni '80, è un settimanale dedicato alle donne e tra i più letti dal mondo femminile. Tratta di moda, bellezza, amore e salute.

Focus è un mensile più giovane. Pubblicato in molti Paesi, tratta di scienza, sociologia e attualità.

La televisione in Italia

La televisione italiana nasce nel 1954, con la Rai, la rete* statale, finanziata dal canone di abbonamento, che gli italiani pagano ogni anno, e dalla pubblicità. Dall'inizio, e soprattutto negli anni Sessanta, ha avuto un ruolo importante nella diffusione della lingua e della cultura italiana. È stata proprio la televisione che, con i suoi programmi, ha insegnato l'italiano a tanti spettatori e ha reso più unito il Paese.

La Rai propone agli italiani quiz televisivi e varietà della domenica, ma è a partire dagli anni '80, con l'arrivo dei primi canali privati Mediaset, che vediamo programmi del tutto nuovi: talk show, cabaret, satira... fino ai talent show e ai reality di oggi.

Oggi la televisione italiana ha tante emittenti* nazionali e locali, che offrono diversi programmi.

Tra i programmi più apprezzati anche all'estero, in testa alla* classifica troviamo due serie tv: *Il commissario Montalbano* e *L'amica geniale*.

Tratta dai romanzi di Andrea Camilleri, questa fiction racconta le avventure del commissario Montalbano, interpretato da Luca Zingaretti, in una immaginaria cittadina siciliana.

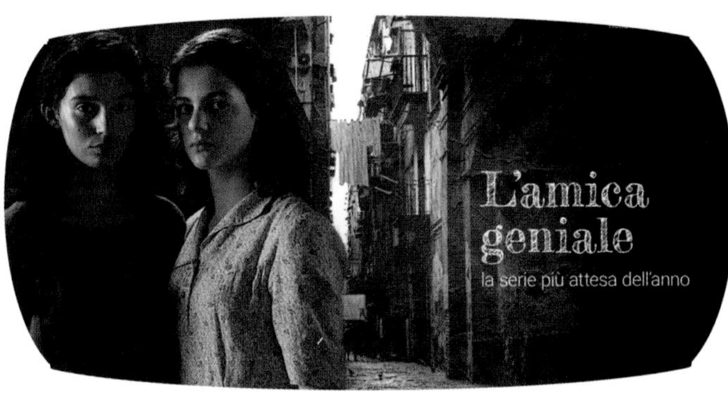

Basata sull'omonimo* romanzo di Elena Ferrante, questa serie ha avuto un grande successo. Interamente in dialetto napoletano, parla dello speciale legame che unisce Elena Greco e Raffaella Cerullo, due bambine che crescono insieme negli anni Cinquanta a Napoli.

Tra le trasmissioni più seguite dagli italiani, c'è sicuramente *Il Festival di Sanremo*.

Organizzato dal 1951, è il più importante festival della musica leggera italiana. Si svolge ogni anno per 5 serate, tra febbraio e marzo.

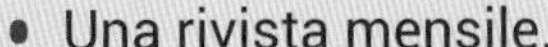

Mini Quiz

- Una rivista mensile.
- Un quotidiano e una rivista che trattano di economia.
- Il più importante festival di musica che gli italiani seguono in TV.
- Il quotidiano sportivo che organizza il Giro d'Italia.
- Il commissario protagonista di una famosa serie.
- La rivista femminile, supplemento del *Corriere della Sera*.
- Il settimanale con la guida ai programmi TV.
- Una famosa serie in dialetto napoletano.

Glossario. ***quotidiano***: giornale che esce ogni giorno; ***Giro d'Italia***: corsa in bicicletta che si fa ogni anno; ***testata***: giornale, rivista; ***rete***: canale televisivo; ***emittente***: canale, rete televisiva; ***in testa a***: al primo posto; ***omonimo***: che ha lo stesso titolo.

Attività online

What did you learn in Units 9 and 10?

1 *Sai...?* Match the two columns.

1. chiedere un favore
2. parlare di abbigliamento
3. dare indicazioni
4. informarti sul prezzo
5. esprimere un parere

☐ a. *Al primo incrocio gira a sinistra.*
☐ b. *Quant'è?*
☐ c. *Questa maglietta ti sta molto bene.*
☐ d. *Mi sembra giusto.*
☐ e. *Mi dai una mano?*

2 Match the sentences. Note: there is one extra answer!

1. Scusa, per il Duomo?
2. Perché non sei d'accordo?
3. Come Le sta il maglione, signora?
4. Allora, mi fai questo favore?
5. Che ne dici? Sei d'accordo?

☐ a. *Che taglia porta?*
☐ b. *Mi dispiace, ma non ti posso aiutare.*
☐ c. *Va' dritto per cento metri e poi gira a destra.*
☐ d. *Perché quello che dici non mi pare giusto.*
☐ e. *Largo, mi dà una taglia più piccola?*
☐ f. *Sì, mi sembra una buona idea.*

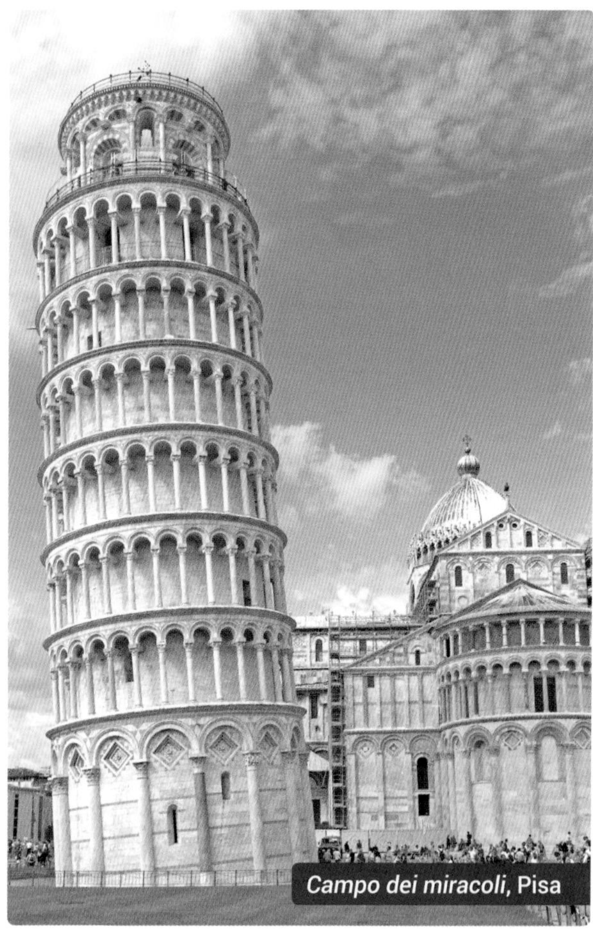
Campo dei miracoli, Pisa

3 Complete.

1. Tre canali televisivi italiani: ....
2. Tre giornali italiani: ....
3. Tre tipi di trasmissioni: ....
4. La forma negativa di *mangialo*: ....
5. Il plurale di *mi ha detto tutto*: ....

4 Choose the right word.

1. La prima notizia del telecomando/canale/telegiornale/documentario era un incidente stradale.
2. Hai visto l'ultima pubblicità/puntata/trasmissione/partita della tua soap opera preferita?
3. Al massimo leggo una notizia/stampa/testata/rivista alla settimana.
4. Vorrei comprare una calza/cravatta/gonna/lana per mio padre.

Check your answers on page 104. *Sei soddisfatto/a?*

A ritmo di musica

Unità 11

Glossary p. 199

Per cominciare...

1 Who is the most famous Italian singer in your country? Complete the form.

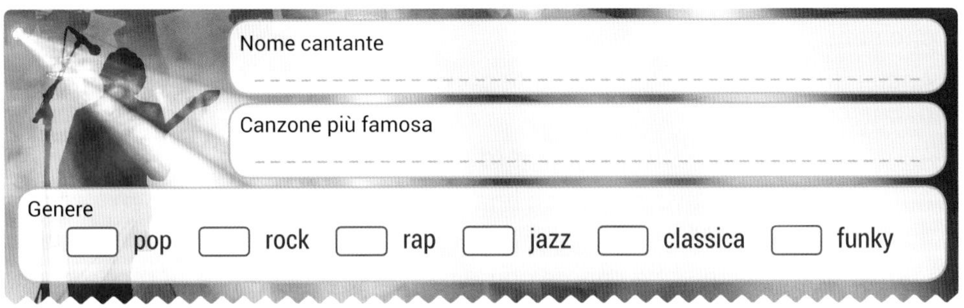

Nome cantante

Canzone più famosa

Genere
☐ pop ☐ rock ☐ rap ☐ jazz ☐ classica ☐ funky

2 Compare your answers with those of your classmates. Who are the most well-known singers in your country?

3 Imagine that you will interview your favorite singer. Write three questions.

....

....

....

54 **4** Listen to the dialogue and mark the statements as true (V) or false (F).

	V	F
1. Gianna è sparita perché doveva andare a un concerto.		
2. Gianna deve fare un'intervista a un produttore musicale.		
3. Lorenzo vuole aiutare Gianna nel suo lavoro.		
4. Le domande di Lorenzo vanno bene per l'intervista.		
5. Gianna chiede a Lorenzo di accompagnarla.		

In this unit, we will learn:

- *to ask for something politely*
- *to give advice*
- *to express a desire or opinion*
- *to formulate a hypothesis*
- *to report someone else's opinion*
- *to express the future in the past*

- *the present conditional: regular and irregular verbs*
- *the past conditional*
- *functions of the present and past conditional*

- *some interesting facts about Italian music*

A Cosa gli chiederesti?

1 Read and listen to the dialogue and check your answers.

Lorenzo: Ciao, ho finito prima e ho pensato di venirti a trovare. Perché sei sparita?

Gianna: Eh, è una settimana difficile al lavoro, devo fare due interviste.

Lorenzo: Ah, e a chi?

Gianna: La prima a un produttore musicale, avevo appena cominciato a lavorarci.

Lorenzo: Davvero? Non ti preoccupare, ti aiuto io! Lo sai che sono un esperto di musica, no?

Gianna: Anche di musica! Sì, effettivamente potresti aiutarmi: tu che cosa gli chiederesti?

Lorenzo: Allora... gli chiederei... quali canzoni diventano dei successi!

Gianna: Ah, bella questa, avevo pensato a una domanda simile: quali artisti diventano delle star.

Lorenzo: Vedi? Poi, mi piacerebbe sapere come nascono le tendenze, le mode musicali.

Gianna: Lorenzo! Ma sei proprio bravo!

Lorenzo: Hai visto? E poi, sarebbe interessante capire se il successo dipende dai concerti, dai download, dalla radio, dai social media...

Gianna: Fantastico! Ma queste domande ti vengono spontanee?

Lorenzo: Veramente... ho incontrato Michela ieri e mi ha detto dell'intervista. Così mi sono preparato un po'!

Gianna: Ahaha, non importa, sono carine le tue domande, le userò!

Lorenzo: Grazie. E la seconda intervista, a chi la farai?

Gianna: Eh? ...La seconda? A... Ilaria Grande.

Lorenzo: La vincitrice di *La Voce*? Gianna, la devo assolutamente conoscere! Mi porteresti con te? Ti prego!

Gianna: Ecco, lo sapevo, il solito Lorenzo!

2 Answer the questions.

1. Perché per Gianna è una settimana difficile?
2. Cosa sarebbe interessante per Lorenzo?
3. Perché Lorenzo è così bravo a fare le domande?
4. Chi è Ilaria Grande?

3 Read the dialogue in pairs. One of you will read the part of Lorenzo, and the other will read the part of Gianna.

40-50 **4** Describe what Gianna and Lorenzo discuss.

....

....

....

....

5 Lorenzo says: "Mi porteresti con te?". Find 5 other verbs like *porteresti* in the dialogue and then complete the phone call between Elena and Gianna.

Elena: Gianna!!! Come stai? .... (1) bello vederti ogni tanto!

Gianna: Ciao Elena! Mi .... (2) davvero tanto! Ma devo fare due interviste questa settimana e non ho ancora preparato le domande.

Elena: .... (3) farti aiutare da Lorenzo, lo sai che è bravo in queste cose.

Gianna: Sì, ma tu .... (4) una cosa del genere a Lorenzo?

Elena: Beh, io lo .... (5) proprio a lui, perché no! Tu non lo .... (6) con te?

Gianna: Ahaha!!! Sì, come assistente!!! ...Preferirei di no! Ahaha!

6 Complete the table.

Il condizionale semplice/presente

portare	chiedere	preferire
porterei	....	....
....	....	preferiresti
porterebbe	chiederebbe	preferirebbe
porteremmo	chiederemmo	preferiremmo
portereste	chiedereste	preferireste
porterebbero	chiederebbero	preferirebbero

When do you think we use the present conditional?

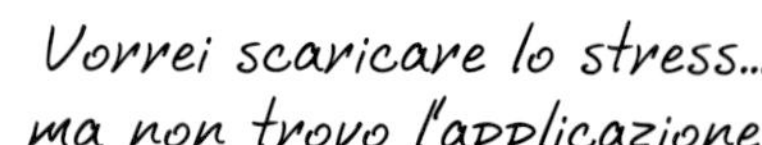

7 Form sentences with verbs in the conditional.

1. Guardate che gelato! Noi ne (*mangiare*) volentieri uno!
2. Al posto tuo (io, *accettare*) volentieri la sua proposta.
3. Domani (tu, *prendere*) tu i bambini da scuola?
4. Carla, se possibile, (lei, *preferire*) andare allo spettacolo delle 9.
5. Voi chi altro (*invitare*) alla festa?

es. 1-2 p. 163

8 Match the infinitive verbs with the conditional, as in the example in blue.

Verbi irregolari al condizionale

infinito	condizionale	infinito	condizionale
essere	darei	dovere	andrei
avere	sarei	potere	dovrei
dare	avrei	sapere	vorrei
stare	farei	andare	potrei
fare	starei	volere	saprei

See the complete table in the Approfondimento grammaticale *on page 192.*

9 Form sentences with the verbs in the conditional.

1. Ragazzi, (*sapere*) dirmi come si arriva ai Navigli?
2. (tu, *andare*) a vivere per sempre in Italia?
3. Il famoso gruppo americano (*dovere*) arrivare in Italia domani.
4. Ad essere sinceri, (*volere*) andare anche noi al concerto.
5. Giulia (*fare*) volentieri un viaggio in Puglia, le piace molto.

es. 3-5 p. 163

Navigli, Milano

B Al tuo posto guarderei il Festival di Sanremo...

55 **1** Listen to the dialogue and mark the statements that are present.

- [ ] 1. Paul vorrebbe conoscere meglio la musica italiana.
- [ ] 2. A Sara non piace la musica rap.
- [ ] 3. Paul sa suonare uno strumento.
- [ ] 4. Il Festival di Sanremo è una gara per cantanti italiani.
- [ ] 5. Sara non sa dove abita Paul.

2 a Read the dialogue and find the verbs needed to complete the sentences below.

Paul: Sara, tu che sei appassionata di musica, potresti darmi qualche suggerimento? Vorrei conoscere un po' meglio la musica italiana.

Sara: Certo. A me per esempio piacciono cantanti come Giorgia, Alessandra Amoroso, Marco Mengoni... Se ti piace la musica leggera, pop, prova a cercarli su YouTube o su Spotify. Così magari scoprirai anche altri cantanti.

Paul: Bene, anche se il pop non è proprio il mio genere.

Sara: Che musica ascolti?

Paul: Rock, blues, rap...

Sara: Allora, se ti piace la musica rock dovresti ascoltare assolutamente qualcosa di Ligabue, di Vasco Rossi o di Gianna Nannini che hanno fatto grandissime canzoni!

Paul: Ah, bene.

Sara: Oppure per il rap potresti provare con la musica di Fedez o di Fabri Fibra... Anzi, al posto tuo guarderei il Festival di Sanremo. Ma lo sai che stasera c'è proprio la prima puntata?

Paul: Il Festival di Sanremo? Sì, ne ho sentito parlare...

Sara: È una manifestazione per cantanti italiani. Si esibiscono moltissimi artisti ed è possibile ascoltare vari generi musicali: sicuramente ne troverai alcuni che ti piacciono.

Paul: Ottima idea. Potremmo guardarlo insieme. Ti va?

Sara: Perché no? Passo da casa tua verso le otto?

Paul: Sì, perfetto.

Sara: Eh, però mi dovresti dare il tuo indirizzo.

Paul: Giusto, scrivi? Via Ghilebbina 12.

Sanremo, Imperia

1. .... ascoltare qualcosa di Ligabue.
2. Al tuo posto .... il Festival di Sanremo.
3. .... darmi qualche suggerimento?
4. .... conoscere un po' meglio la musica italiana.
5. .... provare con la musica di Fedez o Fabri Fibra.
6. Mi .... dare il tuo indirizzo.

b Now, in pairs, insert the sentences above in the table below.

Usi del condizionale semplice

Dare consigli	Esprimere un desiderio *(realizzabile)*	Chiedere qualcosa gentilmente
....	*Preferirei uscire...*	*Ti/Le dispiacerebbe... ?*
....	*Mi piacerebbe rimanere...*	*Potrebbe..., per piacere?*
....	*Andrei (volentieri)...*	....................?
Faresti bene a...	*Avrei voglia di visitare...*	....
Un'idea sarebbe...	....	

3 Work in pairs. Study the table on the previous page and create short dialogues for the following situations.

1. C'è un concerto importante in una città vicino alla vostra.
2. Sei in treno e la persona accanto a te parla ad alta voce al cellulare.
3. Un vostro amico vuole imparare una lingua straniera.
4. Chiedi a un passante di indicarti la strada.
5. Hai molta fame.
6. Non sai cosa regalare a due amici che si sposano.

es. 6-9 p. 164

4 Match the sentences with the functions of the conditional, as in the examples.
Il condizionale si usa anche per...

5 Complete the sentences with the verbs provided.

dovrebbe cominciare ⁎ *dovrebbe avere* ⁎ *potrebbero essere* ⁎ *coinvolgerebbe* ⁎ *tornerebbe*

1. Mario e Chiara .... già al mare.
2. Secondo l'articolo, lo scandalo .... anche due ministri.
3. Il Presidente della Repubblica .... stasera.
4. Orlando .... già la patente.
5. Il film .... da un momento all'altro.

es. 10-11 p. 166

6 Mime

Student *A* will act out the verbs below without speaking. Student *B*, with his/her book closed, will state the infinitive form of the verb and at least one form (*io*, *tu*, *lui/lei/Lei*, *noi*, *voi*, *loro*) of the present conditional. If Student *B* answers correctly, the pair will earn 1 point. Then, they will switch roles. Let's see which pair earns the most points!

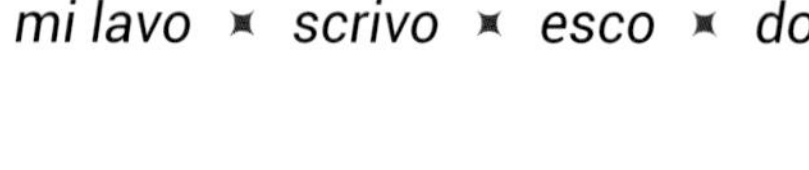
leggo ⁎ *mangio* ⁎ *guido* ⁎ *parto* ⁎ *gioco*
mi lavo ⁎ *scrivo* ⁎ *esco* ⁎ *dormo* ⁎ *mi vesto*

C L'avrei visto volentieri, ma...

56 **1** Sara and Paul meet to watch the *Festival di Sanremo* together, but...
Listen to the dialogue and put the images in chronological order.

a 

b 

c 

d 

e 

f 

2 Now, read what happened and check your answers.

Dario: Hai visto il Festival ieri?

Sara: L'avrei visto volentieri, ma...

Dario: Cos'è successo?

Sara: Niente, mi ero messa d'accordo con Paul: avremmo visto il Festival a casa sua. Infatti, alle 8 ero da lui, puntuale... abbiamo ordinato una pizza, ci siamo seduti comodi sul divano... ma la tv non si accendeva.

Dario: Come non si accendeva?

Sara: Abbiamo provato di tutto, evidentemente c'era un guasto. Allora abbiamo pensato di guardarlo in diretta streaming sul sito della Rai.

Dario: Ah, giusto!

Sara: Macché! La connessione era lentissima e si vedeva male. Io avrei invitato Paul a venire a casa mia, ma ho appena fatto il trasloco e l'appartamento è sottosopra.

Dario: Sareste potuti venire da me!

Sara: Già, non ci ho pensato. Comunque, alla fine sono rimasta un'oretta e poi sono tornata a casa.

Dario: Allora sei riuscita a vedere un po' di Festival?

Sara: Solo l'ultima mezz'oretta, perché al ritorno ho incontrato traffico e ho fatto tardi.

Dario: Oddio, che serata sfortunata!

Sara: Guarda, lascia stare...

3 Study the sentence: "l'avrei visto volentieri!". Find and underline verbs like *avrei visto* in the dialogue on the previous page to complete the sentences below.

1. Probabilmente (voi, *potere venire*) prima, ma oggi c'è molto traffico.
2. (noi, *vedere*) l'ultimo film di Nanni Moretti, ma non era più nelle sale.
3. (io, *invitare*) Paola alla festa, ma non rispondeva al telefono.
4. (io, *vedere*) la partita, ma dovevo lavorare.

4 Insert the missing verbs in the table and then complete the rule.

Il condizionale composto/passato

....	visto	il Festival di Sanremo.	....	andato/a	a casa sua.
Avresti			**Saresti**		
Avrebbe			**Sarebbe**		
....			**Saremmo**	andati/e	
Avreste			....		
Avrebbero			**Sarebbero**		

Il condizionale composto si forma con il condizionale semplice di .... o .... + il participio ....

5 Express your desires in the following situations using the past conditional.

I tuoi amici sono andati al mare, ma tu dovevi studiare...

L'insegnante vi aveva parlato di una vacanza studio, ma costava troppo.

Non sei andato a una festa e poi hai saputo che c'era la ragazza che ti piace...

I biglietti per un grande concerto di musica rock sono già esauriti!

Ieri alla TV c'era un film italiano che volevi tanto vedere.

Hai speso i soldi che avevi messo da parte per comprare la nuova PlayStation.

6 Present or past conditional? Complete the sentences.

1. (io, *andare*) al mare, ma il cielo era nuvoloso.
2. (io, *andare*) al mare oggi: fa troppo caldo.
3. Voi (*venire*) con noi a teatro la prossima settimana?
4. Mia nonna è ancora in ospedale, altrimenti noi (*sposarsi*) il mese prossimo.
5. Marcello ti (*chiamare*) stasera per invitarti, ma è un po' timido.
6. Noi (*mangiare*) un altro pezzo di tiramisù, ma era finito.

es. 12-16 p. 167

D Sarei passato...

1 Read the sentences below and complete the table.

Lo so già, Lorenzo arriverà in ritardo.
Lo sapevo che saresti arrivato in ritardo.

Esprimere il futuro nel passato

Lorenzo dice che passerà.	→	Lorenzo ha detto che ....
Spero che mi chiamerai.	→	Speravo che mi avresti chiamato.
Sono sicuro che ci andrai.	→	Ero sicuro che ci saresti andato.

2 Change the sentences to the past, as in the example.

Sai cosa farai? ➔ *Sapevi cosa avresti fatto?*

1. Siamo certi che le vacanze saranno bellissime.
2. Spero che alla festa rivedrò tutti i vecchi amici.
3. Sei sicura che riuscirai a fare tutto da sola?
4. Sperano che l'esame finale sarà facile.
5. Io non so ancora cosa farò da grande.

es. 17-19 p. 168

3 Summary.

Condizionale semplice e composto: differenze

Condizionale semplice	Condizionale composto
Esprimere un desiderio realizzabile: Mangerei volentieri un altro po'.	**Esprimere un desiderio non realizzato:** Avrei comprato il regalo, ma era troppo caro.
Chiedere gentilmente: Mi presteresti il tuo libro?	**Azione futura rispetto ad un'altra passata:** Ha detto che sarebbe venuto.
Esprimere opinione / ipotesi: Non dovrebbe essere molto difficile.	
Dare consigli (realizzabili): Dovresti spendere di meno!	**Dare consigli (non più realizzabili):** Avresti dovuto spendere di meno!

E Vocabolario e abilità

1 Match the words and images.

- ☐ 1. microfono
- ☐ 2. batteria
- ☐ 3. cuffie
- ☐ 4. chitarra
- ☐ 5. tastiera

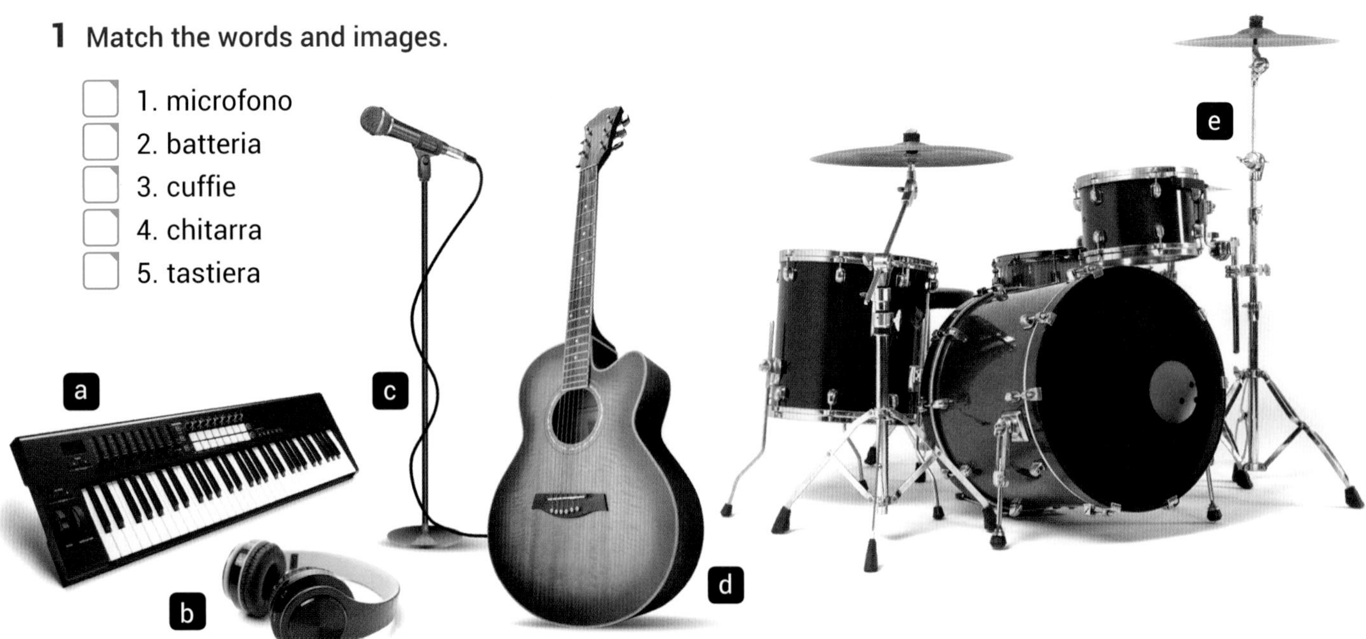

2 Complete the sentences with the words provided.

Festival ⌘ *testi* ⌘ *autore* ⌘ *tournée* ⌘ *cantante*

1. Tiziano Ferro è un .... italiano famoso anche all'estero.
2. Quest'anno Andrea Bocelli farà una .... mondiale.
3. Eros Ramazzotti compone anche i .... delle sue canzoni.
4. Con *Volare*, Domenico Modugno ha vinto il .... di Sanremo nel 1958.
5. Lucio Dalla è l'.................... della canzone *Caruso*, che ha cantato anche Luciano Pavarotti.

3 Ascolto Workbook (p. 171)

4 Parliamo

1. Quali generi musicali ti piacciono? Quali sono i tuoi cantanti preferiti? Fai una piccola indagine per individuare le preferenze musicali dell'intera classe.
2. Quando e in quali occasioni ascolti musica?
3. Sai suonare uno strumento? Se sì, quale? Se no, quale ti piacerebbe imparare a suonare?
4. Racconta di un concerto che hai ascoltato dal vivo o in TV: chi erano gli artisti, dove l'hanno fatto, ti è piaciuto? Perché?
5. È diffusa la musica italiana nel tuo Paese? Conosci canzoni italiane moderne o del passato?

5 Situazione

Students *A* and *B* want to give a gift to a friend who loves Italian culture. Student *A* suggests giving him number 1 or 2, while Student *B* suggests number 3 or 4. Create a dialogue in which each explains his/her preferences. In the end, which gift did you decide to give him?

6 Scriviamo

Yesterday you went to the concert of a singer/band that your Italian friend also really likes. Write her an email to describe the experience.

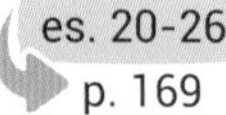

p. 169

p. 102

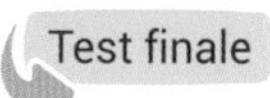

Musica italiana

Giusy Ferreri è una cantautrice* pop-rock. Alcuni dei suoi singoli, come *Roma-Bangkok* e *Amore e Capoeira*, sono rimasti in classifica più delle canzoni di Madonna! Per la sua voce particolare è chiamata la Amy Winehouse italiana.

Marco Mengoni è diventato famoso grazie al talent show *X Factor*. Le sue canzoni sono generalmente molto romantiche* (tra le più belle *Ti ho voluto bene veramente*) e la sua voce, tra il soul e il blues, fa davvero emozionare. Ha vinto anche il Festival di Sanremo con la canzone *L'essenziale*.

Jovanotti ha cominciato la sua carriera come DJ e cantante di musica rap. Infatti introduce, alla fine degli anni '80, questo genere in Italia. Oggi è un cantautore di grande successo e nelle sue canzoni mette insieme suoni etnici e pop. Tra le sue canzoni più conosciute anche all'estero: *Baciami ancora*, *L'ombelico del mondo* e *Bella*.

Anche la cantante pop Emma Marrone ha iniziato la sua carriera grazie a un noto programma televisivo e talent show italiano: *Amici*. Da allora, ha partecipato a molte competizioni nazionali e internazionali, come *Eurovision*, *MTV Europe Music Awards* e i *World Music Award*, vincendo Sanremo con *Non è l'inferno*.

Mini quiz

- I generi musicali introdotti da Jovanotti e Tiziano Ferro.
- Almeno due cantanti che hanno vinto Sanremo.
- Due famosi rapper italiani.
- Almeno due cantanti diventati famosi grazie ai talent show.

Laura Pausini ha vinto Sanremo con *La solitudine* a soli 18 anni. Oggi ha un successo internazionale: solo in America Latina ha venduto oltre 70 milioni di dischi. Nella sua carriera ha ottenuto prestigiosi* riconoscimenti nazionali ed internazionali: *Sanremo, Festivalbar, World Music Awards, Grammy Award*... Possiamo affermare che la Pausini è la bandiera della musica italiana nel mondo!

Con *Perdono* nel 2001, Tiziano Ferro introduce la musica R&B in Italia. I suoi testi sono particolari e carichi di significati profondi. Oggi è molto famoso sia in Italia che all'estero e nella sua carriera ha venduto milioni di copie nel mondo. Numerosissimi i riconoscimenti per la sua musica in varie manifestazioni: *Festivalbar, MTV Music Award, Billboard Latin Music Award* ecc.

Fedez è un pop-rapper molto amato dai giovani. Collabora spesso con altri famosi rapper italiani. Con J-Ax, ad esempio, ha realizzato un album di successo: *Comunisti col Rolex*, di evidente critica sociale.

Il matrimonio con la fashion blogger e influencer Chiara Ferragni lo ha reso ancora più celebre.

Do a little research on one of the singers listed to the right and then present your findings to the class. Show some images and/or play one of his/her songs.

Include the following information:

- *il genere di musica,*
- *come è diventato/a famoso/a,*
- *le sue canzoni più famose,*
- *i temi delle sue canzoni,*
- *collaborazioni con altri artisti.*

Ligabue
Vasco Rossi
Eros Ramazzotti
Alessandra Amoroso
Fabri Fibra
Max Gazzè
Gianna Nannini
Niccolò Fabi
Malika Ayane

Glossario. ***cantautrice***: cantante che scrive le sue canzoni; ***romantico***: che fa sognare; ***prestigioso***: straordinario, eccezionale.

Espressioni utili:

- *Oggi vi presento...*
- *È diventato/a famoso/a grazie a...*
- *Nelle sue canzoni parla di...*

AUTOVALUTAZIONE

What did you learn in Units 10 and 11?

1 *Sai*...? Match the two columns.

1. esprimere un desiderio realizzabile ☐
2. esprimere il futuro nel passato ☐
3. dare consigli ☐
4. chiedere qualcosa in modo gentile ☐
5. dare indicazioni ☐

a. *Potresti passarmi il sale?*
b. *Credevo che mi avresti telefonato.*
c. *Avrei voglia di fare quattro passi.*
d. *Secondo me, faresti bene ad accettare.*
e. *Gira a destra e poi sempre dritto.*

2 Match the sentences. Note: there is one extra answer!

1. Perché non mi hai chiamato ieri? ☐
2. Non so che fare. Qualche consiglio? ☐
3. Mi presteresti la tua sciarpa rosa? ☐
4. Mi sono perso, mi potrebbe aiutare? ☐
5. Sa dov'è la Banca Toscana? ☐
 ☐

a. *Non mi va molto.*
b. *Prendila pure!*
c. *L'aiuterei volentieri, ma non sono di qui.*
d. *Al terzo incrocio a sinistra.*
e. *Io al posto tuo, insisterei.*
f. *L'avrei fatto, ma ero impegnato.*

3 Complete.

1. Due strumenti musicali: ....
2. Quattro cantanti italiani: ....
3. Un famoso festival di musica italiana: ....
4. Il singolare di *andateci!*: ....
5. Il condizionale composto di *leggere* (prima persona singolare): ....

4 Complete the sentences with the words provided.
Note: there are two extra words!

partita | canale | gruppo | cantante | concerto
batteria | microfono | tournée | canzoni | pianoforte

1. La .... ha preso il .... e ha cominciato a cantare.
2. Il famoso .... parte per una grande .... in oltre 20 città europee.
3. Da piccolo suonavo il ...., a 15 anni componevo musica e scrivevo ...., ma alla fine sono diventato DJ!
4. Appena è finita la ...., ho subito cambiato ....

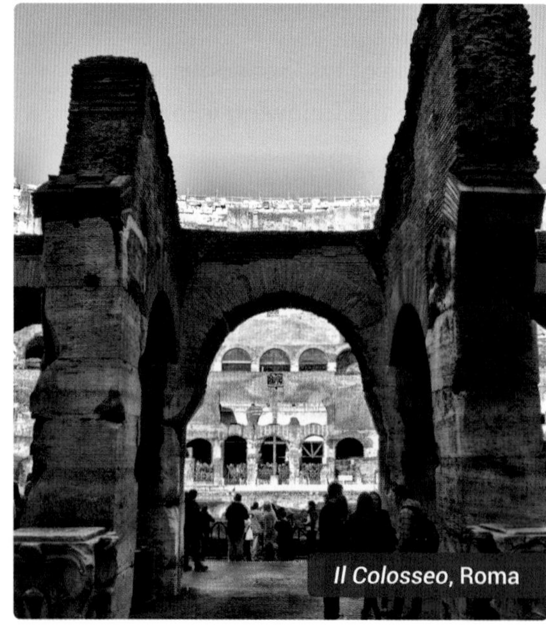
Il Colosseo, Roma

Check your answers on page 104. *Sei soddisfatto/a*?

What did you learn in *The new Italian Project 1*?

1 Where and in which occasions would you hear the following words and expressions?

1. "Un macchiato"
   - a. dal fruttivendolo
   - b. al bar
   - c. al supermercato
2. "Che numero porta?"
   - a. in un negozio di abbigliamento
   - b. in un negozio di scarpe
   - c. in un negozio di alimentari
3. "Due biglietti per favore!"
   - a. sull'autobus
   - b. sulla metro
   - c. in tabaccheria
4. "Un etto basta"
   - a. in farmacia
   - b. dal fioraio
   - c. in un negozio di alimentari
5. "Solo andata?"
   - a. alla biglietteria
   - b. in aereo
   - c. in un negozio
6. "Pronto?"
   - a. in un negozio
   - b. al supermercato
   - c. al telefono
7. "Al dente"
   - a. dal dentista
   - b. al bar
   - c. al ristorante
8. "In contanti"
   - a. in un negozio
   - b. per strada
   - c. a casa

2 Match the two columns. Note: there is one extra answer.

1. Grazie cara!
2. Quando è successo?
3. Alla fine parti o no?
4. Ragazzi, oggi scriveremo un test.
5. Posso essere d'aiuto?
6. E tu che ne pensi?
7. Ma è lontano?
8. Vuoi venire con noi?

- a. Per due ore.
- b. Accidenti!
- c. Girate a sinistra e lo vedrete.
- d. Nel settembre scorso.
- e. Grazie, faccio da sola.
- f. Con piacere!
- g. Mah, vedremo.
- h. Secondo me, è un errore.
- i. Figurati!

3 Insert the words provided in the correct category. Each category has 3 words.

detersivo | *sciarpa* | *cappotto* | *parmigiano* | *pentola* | *Carnevale* | *ristretto*
Befana | *temporale* | *binario* | *uova* | *giacca* | *penne* | *Freccia* | *stazione*
temperatura | *Capodanno* | *tazza* | *nuvoloso* | *tè* | *primo*

1. *bar* ....
2. *pasta* ....
3. *feste* ....
4. *supermercato* ....
5. *abbigliamento* ....
6. *tempo* ....
7. *treni* ....

AUTOVALUTAZIONE

4 Re-order the words to form sentences. Start with the highlighted words.

1. ci è tardi. si perché è andata non svegliata ....
2. avrò quando studiare chiamerò. finito di ti ....
3. ha che niente. non detto ne mi sapeva ....
4. verremo a voi in Natale con montagna. ....
5. che ha passato sarebbe tua. da casa promesso ....
6. non chiama digli Stefano che se ci sono. ....

5 Complete the sentences with the forms of the verb *leggere* provided on the right.

1. A dieci anni .... le favole. *leggo*
2. In vacanza .... sempre almeno un paio di libri. *ho letto*
3. Oggi .... volentieri un giornale sportivo. *leggerò*
4. Mi ha regalato un libro che .... *leggevo*
5. Questo articolo l' .... proprio una settimana fa. *avevo già letto*
6. Ieri sera .... volentieri un libro, ma ero stanco. *leggerei*
7. La rivista che mi hai prestato la .... domani. *avrei letto*

6 Complete the sentences with the missing words.

1. Signora, ... prego .... non dire niente a mia madre, ... dirò tutto io stasera.
2. Perché .... sei alzata così presto, hai molto .... fare prima .... viaggio?
3. Mentre andavo .... scuola ho visto Anna e .... ho invitata .... mia festa.
4. .... ha chiesto di andare con lui .... cinema e molto probabilmente .... andrò.
5. Gianna ha accettato .... uscire con Mario, anche se inizialmente .... aveva detto .... no.

7 Write the opposites of the following words.

1. alto ....
2. lungo ....
3. salire ....
4. aprire ....
5. difficile ....
6. addormentarsi ....

Check your answers on page 104.

Sei soddisfatto/a di quello che hai imparato?

We look forward to seeing you in...

Episodio - Ho una fame...!

Per cominciare...

1 Watch the first forty seconds of the video without sound and describe the situation.

2 Divide yourselves into two groups. Group A will leave the classroom and group B will watch the episode from the beginning to the 1:37 mark. After group A returns to the classroom, group B will leave. Group A will watch the episode from the 1:37 mark until the end. Then, each group will ask 2 or 3 questions to the other and together they will try to reconstruct the entire episode.

Guardiamo

1 What do the protagonists order? Choose among the dishes below and then watch the entire episode. Check to see if you chose the correct dishes and correctly summarized the episode in the previous activity.

- [ ] bruschette
- [ ] spaghetti
- [ ] patate
- [ ] insalata mista
- [ ] risotto
- [ ] tagliatelle
- [ ] formaggi
- [ ] mozzarella
- [ ] fusilli
- [ ] pollo
- [ ] cotoletta
- [ ] bistecca

2 Now, complete the matching exercise, as in the example in blue.

Facciamo il punto

1 Mark the true statements. If necessary, you can watch the episode again.

- [ ] 1. A Gianna piace la pasta al dente.
- [ ] 2. Non è la prima volta che Lorenzo va in quel ristorante.
- [ ] 3. A Lorenzo piacciono molto le bruschette.
- [ ] 4. Gianna preferisce i fusilli al pomodoro e basilico.
- [ ] 5. Gianna non vuole i cetrioli.
- [ ] 6. Lorenzo non ama i piatti piccanti.

2 Write a short summary of the episode.

Episodio - Che film andiamo a vedere?

Per cominciare...

In pairs, try to match the sentences with the images and guess what will happen in the episode.

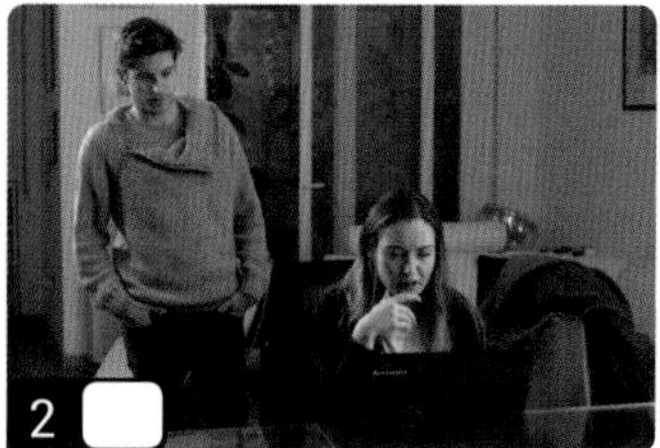

a. *Beh! Ci sono due o tre film interessanti.*
b. *E no, caro mio, stavolta non ci casco!*
c. *Senti, prendiamo i pop corn? Da piccola, quando andavo al cinema con i miei, li prendevo sempre!*
d. *Bello, bello... Poi con tutti quei panorami di Firenze... bello.*

Guardiamo

Watch the entire episode. Study the images, read the lines and choose the correct answer.

a — E no, caro mio, stavolta non ci casco!

1. Gianna usa l'espressione in blu per dire:
   - ☐ a. non vengo con te!
   - ☐ b. non credo alle tue parole!
   - ☐ c. non esco prima della fine del film!

b — Lo danno all'Odeon.

2. Gianna usa l'espressione in blu per dire:
   - ☐ a. All'Odeon danno gratis il dvd del film.
   - ☐ b. Il film è in programma al cinema Odeon, ma solo per oggi.
   - ☐ c. Al cinema Odeon proiettano il film.

3. Gianna usa l'espressione in blu per dire:
   - ☐ a. Ma cosa dici...?
   - ☐ b. Ma cosa vuoi...?
   - ☐ c. Ma dove vai...?

Facciamo il punto

Re-watch the first minute of the episode. Which of the expressions below (introduced on page 28 of the textbook) do Lorenzo and Gianna use?

☐ D'accordo! ☐ Non sono d'accordo! ☐ Non è vero! ☐ È proprio vero!

Episodio - Arriva lo zio Tony!

Per cominciare...

1 The title of this episode is "Arriva lo zio Tony!". Who do you think zio Tony is? Where is he from? In pairs, make some hypotheses about what will happen.

2 Match the products with the photos.

a. *tortellini al prosciutto* ⁎ b. *parmigiano* ⁎ c. *gorgonzola*
d. *mozzarella di bufala* ⁎ e. *ravioli di zucca*

1

2

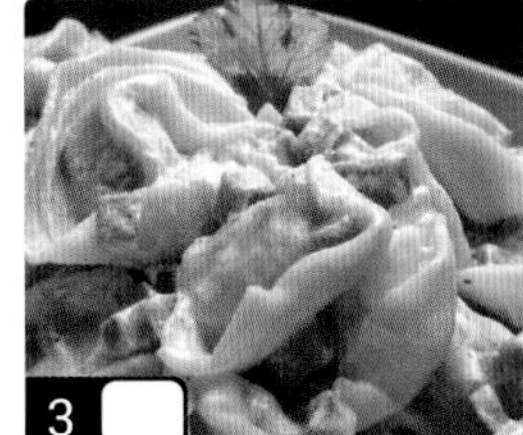
3

4

5

Guardiamo

1 Watch the episode until the 0:50 mark and underline the expressions of surprise and regret that Lorenzo uses on the phone (also found on page 37 of the textbook).

Esprimere gioia	
Che bello!	Che bella notizia!
Che bella idea!	Che fortuna!

Esprimere rammarico	
Peccato!	Accidenti!
Mannaggia!	Che rabbia!

2 Watch the entire episode and check your answers to question 1 in the *Per cominciare* section.

Facciamo il punto

1 Gianna talks about "prodotti DOC e DOP". Do you know what that means?

2 Study the images and describe what happens in each scene.

1

2

3

4

Episodio - Che taglia porti?

Per cominciare...

As you can imagine based on the title, in this episode Gianna and Lorenzo are in a clothing store. Which of the following words and expressions do you expect to encounter during the episode?

- ☐ non mi sento bene
- ☐ scarpe
- ☐ occhiali
- ☐ c'è uno sconto?
- ☐ azzurro
- ☐ che te ne pare?
- ☐ vestito
- ☐ mi preparo
- ☐ ti sta molto bene

Guardiamo

1 Watch the episode and check the hypotheses you made in the previous activity.

2 Why do you think that at a certain point (2:14) Lorenzo tells Gianna "Stai benissimo!"?

Facciamo il punto

Study the images of the protagonists.
In pairs, complete their lines.

Ma vai a un matrimonio o a una festa in maschera?

Guarda quel vestito. ....?

Sì, vorrei sapere se avete la mia taglia di quel bel vestito azzurro, che è in vetrina.

Però ....
Non c'è uno sconto?

Proprio perché è l'ultimo, posso toglierle un 10%.

Episodio - Che rivista vuoi?

Per cominciare...

1 Watch the first 50 seconds without sound. Describe the places and people you see. What do you think they are saying? What can you understand from Lorenzo and Gianna's expressions?

2 Divide yourselves into two groups. Group A will leave the classroom and group B will watch the episode from the beginning to the 1:30 mark. Then group A will return to the classroom and group B will leave. Group A will watch the episode from the 1:30 mark until the end. Then, each group will ask 2 or 3 questions to the other, and together they will try to reconstruct the entire episode.

Guardiamo

1 Watch the entire episode and list the newspapers that Lorenzo and Gianna buy. Then, match them with the correct person, as in the example in blue.

2 Why does Gianna want to buy the *Corriere della Sera*?

Facciamo il punto

In pairs, study the photos and put them in the correct order. Then, with the help of the images, describe what happens in the episode.

Episodio - Intervista a una cantante

Per cominciare...

1 In pairs, look at the images of a few scenes from the episode and match the lines with the photos.

a. Dai, Lorenzo, lo studio è piccolo e non avremo più di 10-15 minuti.
b. "Casualmente" le faresti vedere la mia foto?
c. Ilaria, è cambiata la tua vita da quando hai vinto *La Voce*?
d. Puoi andare, ti aspetta di là.

2 Now, imagine the correct sequence of the photos and guess what will happen in this episode. Share your ideas with other pairs.

Guardiamo

1 Watch the episode and check the hypotheses that you made in the previous activity.

2 Now, answer the following questions:

a. Com'è cambiata la vita di Ilaria da quando ha vinto *La Voce*?

b. Che cosa pensa Ilaria dei talent show?

Facciamo il punto

Read the lines and choose the correct answer.

A
Ma che ci vieni a fare?

B
Che senso ha?

Nella frase A Gianna fa questa domanda a Lorenzo:
- [ ] per invitarlo ad andare con lei
- [ ] per convincerlo a non andare

Nella frase B Gianna risponde così a Lorenzo:
- [ ] perché è contenta della sua idea
- [ ] per fargli cambiare idea

Unità 6

1. 1. e, 2. c, 3. a, 4. b, 5. d
2. 1. c, 2. b, 3. e, 4. a, 5. d
3. 1. colazione, pranzo, cena...; 2. buono, saporito...; 3. mie; 4. vorrò; 5. bei
4. 1. panna cotta, 2. risotto, 3. vitello, 4. ordinare

Unità 7

1. 1. e, 2. c, 3. a, 4. d, 5. b
2. 1. c, 2. b, 3. d, 4. e, 5. a
3. 1. Fellini, Tornatore, De Sica...; 2. Loren, Mastroianni, Sordi...; 3. mio; 4. facevate; 5. ero arrivato/a
4. **Orizzontale:** forchetta, pentola, comico, salato, regista; **Verticale:** ruolo, attore, film

Unità 8

1. 1. c, 2. a, 3. e, 4. b, 5. d
2. 1. c, 2. a, 3. d, 4. f, 5. b
3. 1. cinque; 2. libreria, fioraio...; 3. eravamo; 4. mi; 5. le ho viste (le abbiamo viste)
4. 1. fiori, 2. acqua minerale, 3. pesce, 4. formaggio

Unità 9

1. 1. c, 2. d, 3. a, 4. b, 5. e
2. 1. d, 2. f, 3. e, 4. a, 5. c
3. 1. Gucci, Prada, Versace...; 2. grigio, rosso, verde, blu...; 3. seta, cotone...; 4. lungo, a righe, elegante...; 5. ci siamo dovuti/e svegliare
4. **Orizzontale:** tacco, giacca, verde, provare, accessorio, prezzo, etto; **Verticale:** crudo, elegante, sconto

Unità 10

1. 1. e, 2. c, 3. a, 4. b, 5. d
2. 1. c, 2. d, 3. e, 4. b, 5. f
3. 1. Rai 3, Canale 5, LA7...; 2. la Repubblica, La Stampa, Il Corriere della Sera...; 3. documentario, talent show, serie tv...; 4. non mangiarlo/non lo mangiare; 5. ci ha (hanno) detto tutto
4. 1. telegiornale, 2. puntata, 3. rivista, 4. cravatta

Unità 11

1. 1. c, 2. b, 3. d, 4. a, 5. e
2. 1. f, 2. e, 3. b, 4. c, 5. d
3. 1. chitarra, batteria...; 2. Pausini, Jovanotti, Fedez, Giusy Ferrero...; 3. Festival di Sanremo; 4. vacci!; 5. avrei letto
4. 1. cantante, microfono; 2. gruppo, tournée; 3. pianoforte, canzoni; 4. partita, canale

Autovalutazione generale

1. 1. b, 2. b, 3. c, 4. c, 5. a, 6. c, 7. c, 8. a
2. 1. i, 2. d, 3. g, 4. b, 5. e, 6. h, 7. c, 8. f
3. 1. *bar*: ristretto, tazza, tè; 2. *pasta*: pentola, penne, primo; 3. *feste*: Carnevale, Befana, Capodanno; 4. supermercato: detersivo, parmigiano, uova; 5. *abbigliamento*: sciarpa, cappotto, giacca; 6. *tempo*: temporale, temperatura, nuvoloso; 7. *treni*: binario, Freccia, stazione
4. 1. Non ci è andata perché si è svegliata tardi.
   2. Quando avrò finito di studiare ti chiamerò.
   3. Mi ha detto che non ne sapeva niente.
   4. A Natale verremo con voi in montagna.
   5. Ha promesso che sarebbe passato da casa tua.
   6. Se chiama Stefano digli che non ci sono.
5. 1. leggevo, 2. leggo, 3. leggerei, 4. avevo già letto, 5. ho letto, 6. avrei letto, 7. leggerò
6. 1. La, di, le; 2. ti, da, del; 3. a, l', alla; 4. Mi, al, ci; 5. di, gli, di
7. 1. basso, 2. corto, 3. scendere, 4. chiudere, 5. facile, 6. svegliarsi

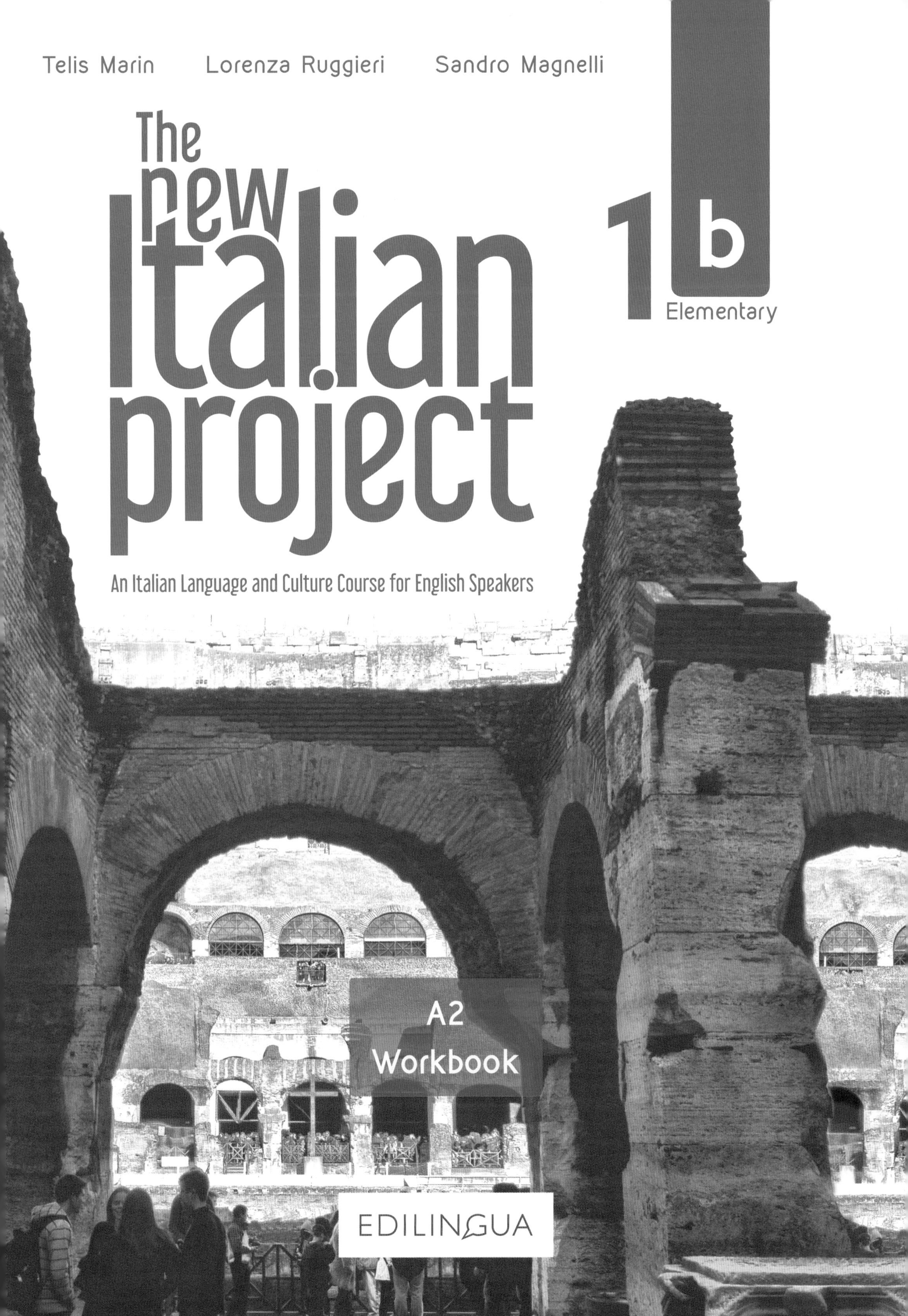
Telis Marin
Lorenza Ruggieri
Sandro Magnelli
The new Italian project
1b
Elementary
An Italian Language and Culture Course for English Speakers
A2
Workbook
EDILINGUA

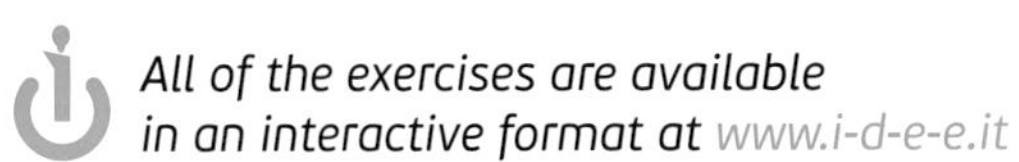

A cena fuori

Glossary p. 195

1 Complete the messages with the possessives provided.

mio ♦ *mie* ♦ *mia* ♦ *tue* ♦ *sua* ♦ *suoi*

Lucia! Da quanto tempo! Io sto bene, anzi, benissimo: finalmente sono libera!

Davvero! Ma ti sei laureata?

No, non ancora, la laurea sarà a settembre, ma ho dato gli ultimi esami!

Complimenti! E adesso? Andrai in vacanza con le .... (1) amiche?

Eh, no, non ancora... Vorremmo andare al mare, ma le .... (2) amiche non hanno finito gli esami e non abbiamo ancora prenotato...

Ho un'idea: vieni qui! Dai, festeggiamo insieme il .... (3) compleanno e poi... partiamo e andiamo a Taormina dalla .... (4) amica Emma! Mi ha invitato a casa .... (5) per due settimane! Ci saranno anche i .... (6) cugini! Sono simpaticissimi... Ho passato molte estati con loro!

Magari! Non so... Ora do un'occhiata ai voli!

2 Complete the possessives.

Scuola di lingue ABC
Comincia quando vuoi: il tu...... corso di lingua è sempre on line!
4

3 **Put the words in order to create sentences. Start with the highlighted words.**

1. Luigi e | suoi | partiranno | amici | per | i | l'Inghilterra.

   ....

2. il | treno? | vostro | a che | partirà | ora

   ....

3. tuoi | l'esame | i | farete | compagni | di Storia? | tu e

   ....

4. in ritardo! | volo | mio | il | già | è

   ....

5. alla | ballato | nostra | festa! | tanto | avete

   ....

6. loro | fanno | la | domenica | genitori | giardinaggio. | i

   ....

4 **A phone call between Lorenzo and Alessia. Choose the correct answer.**

Alessia: Ciao Lorenzo. Come va?

Lorenzo: Alessia, ciao! Insomma... non molto bene: devo cambiare casa!

Alessia: Perché? Ma hai appena cambiato! Che problemi ha il mio/tuo (1) appartamento?

Lorenzo: Non posso studiare! I miei/loro (2) vicini... Proprio ora che preparo i miei/tuoi (3) ultimi esami!

Alessia: Sì... i vostri/tuoi (4) ultimi esami... Sentiamo, che cosa fanno i miei/tuoi (5) vicini? Perché non puoi studiare?

Lorenzo: La coppia litiga sempre, i loro/vostri (6) figli hanno lezione di violino due ore al giorno e poi... il loro/suo (7) cane! È terribile!

Alessia: Ma hai provato a parlare con loro? Anche i nostri/tuoi (8) vicini sono tipi rumorosi, ma abbiamo parlato con loro e non abbiamo problemi... Anzi sono diventati nostri/vostri (9) amici!

5 **Choose the correct sentences and then complete the name of the Italian dish in the photo, as in the example in blue.**

1. Io ho il ragazzo. { Il mio ragazzo si chiama Pierre. A / Il suo ragazzo si chiama Pierre. E
2. Io ho due gatti. { I miei gatti sono molto carini. G / I suoi gatti sono molto carini. I
3. Gianna ha molti fiori in giardino. { I loro fiori sono bellissimi. G / I suoi fiori sono bellissimi. L

4. Silvio e Franca hanno un bambino. { Il loro bambino ha quattro anni. B / Il mio bambino ha quattro anni. P

5. Noi abbiamo un professore italiano. { Il suo professore è di Roma. E / Il nostro professore è di Roma. O

6. Voi avete molti bagagli. { Sono pesanti i vostri bagagli? N / Sono pesanti i loro bagagli? I

7. Anna ama gli spaghetti al pesto, { sono il suo piatto preferito. E / sono il loro piatto preferito. A

8. John ha molti amici. { I tuoi amici non sono italiani. C / I suoi amici non sono italiani. S

L A SA ...... NE
AL ...... A
...... OL ...... G .... E

6 **Change the possessives and the rest of the sentence from the singular to the plural, and vice versa, as in the example.**

La mia amica Eva verrà con me. ➜ *Le mie amiche Lia ed Eva verranno con me*.

1. I tuoi vicini di casa sono molto simpatici. ➜ ....
2. La sua storia è molto interessante. ➜ ....
3. I nostri amici francesi sono arrivati ieri. ➜ ....
4. Il mio gatto ha gli occhi verdi. ➜ ....
5. I suoi ultimi libri sono molto belli. ➜ ....
6. Abbiamo fatto noi il vostro biglietto. ➜ ....
7. La loro pizza è senza mozzarella. ➜ ....

7 **Write the sentences with the correct possessive and the verbs in the *presente* (p.), *passato prossimo* (p.p.) or *futuro semplice* (f.).**

(comprare, io, p.p.) la bicicletta di Paola. ➜ *Ho comprato la sua bicicletta.*

1. (portare, f.) io gli zaini dei ragazzi.
....
2. (perdere, tu, p.p.) il numero di telefono di Maurizio?
....?
3. Sono sicuro che il cane di Luca (stare, f.) bene con noi.
....
4. In piazza (incontrare, voi, f.) gli amici miei e di Fernando.
....
5. I bambini (mangiare, p.p.) metà della pizza di Lucia.
....
6. Per l'esame (volere, noi, p.) gli appunti tuoi e di Aldo.
....

8 Read the descriptions (1-7) and write the missing names (a-g).

1. Teresa è la madre di Franco.
2. Franco è il fratello di Luisa.
3. Luisa è la moglie di Piero.
4. Ada è la sorella di Giulio.
5. Piero è lo zio di Bruno.
6. Luigi è il nonno di Ada.
7. Viviana è la nipote di Teresa.

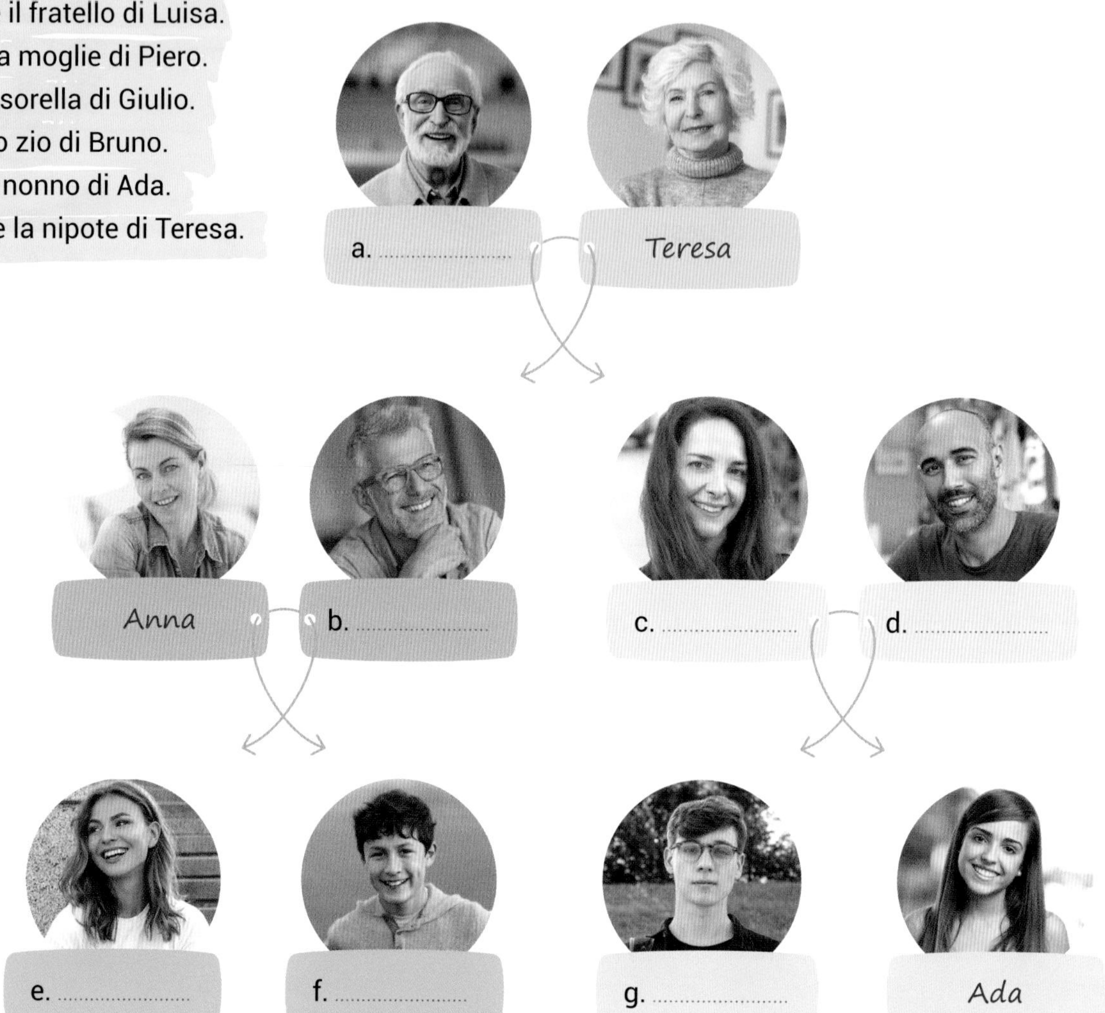

9 Choose the correct answers. Refer also to the *Approfondimento grammaticale* on page 182.

Conosco Giovanna da più di vent'anni ed è la mia/mia (1) più cara amica. Giovanna è architetto e ha una bella famiglia: vive con il suo/suo (2) marito Lorenzo, che è medico, i loro/loro (3) figli, Riccardo e Davide, che vanno a scuola, e il loro/loro (4) cane, Pablo.
La settimana scorsa Giovanna ha fatto una festa per i suoi quarant'anni e ha invitato un sacco di gente: i suoi/suoi (5) genitori e i loro/loro (6) amici, la sua/sua (7) sorella, il suo/suo (8) "fratellino" (anche se ha quasi quarant'anni anche lui!) e i nostri/nostri (9) vecchi amici del liceo. Io ci sono andato con la mia/mia (10) moglie e la nostra/nostra (11) figlia.
È stata una festa molto divertente!

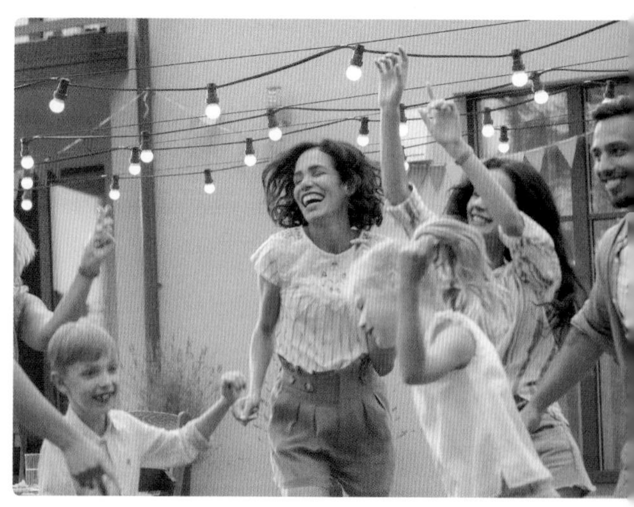

10 Complete with the possessives – with or without the article – as in the example.

1. Stefano, ...tuo.... fratello lavora ancora all'Università di Bologna?
2. Luisa ha 25 anni, ma per me resta sempre .... sorellina.
3. .... sorella ed io siamo ancora giovani e viviamo con .... genitori.
4. Al cenone a casa mia sono venuti tutti .... zii e hanno portato anche .... figli.
5. Mario e .... cugino studiano Matematica all'Università di Napoli.
6. Gli italiani amano passare il fine settimana con .... famiglia.
7. Ragazze, ... zii abitano ancora in Inghilterra?
8. Signor Bertoli, c'è .... moglie al telefono.
9. Marcella, come si chiama .... padre?

11 Complete the dialogue with the words/expressions provided.

antipasto ♦ *contorno* ♦ *vorrei* ♦ *da bere*
possiamo ordinare ♦ *ti piaceranno* ♦ *vorrei*

Bruno: Cosa prendiamo?
Luisa: Non so, ... (1) mangiare qualcosa di leggero, ieri non sono stata bene.
Bruno: Va bene, chiediamo al cameriere... Scusi, ... (2)?
Cameriere: Certo.
Bruno: Allora, io come .... (3) prendo il prosciutto di Parma. E poi come primo...
Luisa: Prendi le linguine al pesto: sono sicura che .... (4)!
Bruno: Va bene, prendo le linguine.
Cameriere: E per Lei, signora?
Luisa: Io .... (5) una bistecca ai ferri e, come .... (6), un'insalata mista.
Cameriere: E .... (7) cosa porto?
Bruno: Acqua naturale. Grazie.

Giochi

12 Choose the correct answer.

1. Quando c'è il sole, mi piace/mi piacciono fare passeggiate.
2. Non mi piace/mi piacciono il gelato al cioccolato.
3. Non mi piace/mi piacciono i film storici.
4. Mi piace/Mi piacciono tanto le penne al pomodoro!
5. A me piace/piacciono le canzoni di Emma! A te?
6. Mi piace/Mi piacciono andare al mare con i miei amici.
7. Non mi piace/mi piacciono uscire quando piove.
8. A me piace/piacciono la cucina italiana, invece a mia sorella piace/piacciono quella francese.

13 Look at the images. Then, complete the paragraph with the missing words, as in the example.

Per iniziare bene la giornata bisogna fare una buona colazione. Ma cosa mettere in tavola? Uno yogurt bianco con un ......*cucchiaio*...... di .... (1), una tazza di .... (2) con i cereali o il tè con dei .... (3)? Al posto dei cereali possiamo anche mangiare delle .... (4) con il burro oppure un .... (5). E per chi preferisce la colazione salata? Beh, può bere una .... (6) di arancia, mangiare un po' di frutta e un .... (7) con il prosciutto crudo.

14 Put the words in order to create sentences. Start with the highlighted words.

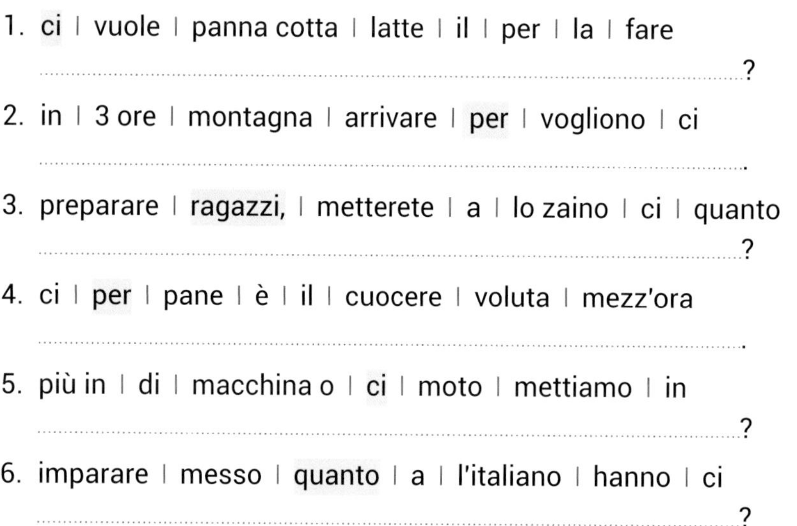

1. **ci** | vuole | panna cotta | latte | il | per | la | fare
   ....?
2. in | 3 ore | montagna | arrivare | **per** | vogliono | ci
   ....
3. preparare | **ragazzi,** | metterete | a | lo zaino | ci | quanto
   ....?
4. ci | **per** | pane | è | il | cuocere | voluta | mezz'ora
   ....
5. più in | di | macchina o | **ci** | moto | mettiamo | in
   ....?
6. imparare | messo | **quanto** | a | l'italiano | hanno | ci
   ....?

15 Complete with the correct form of *volerci* or *metterci*, as in the example. Pay attention to verb tense!

1. Per prendere l'autobus ......*ci vuole*...... il biglietto?
2. Ieri per tornare a casa .... due ore!
3. Avete trovato traffico? Perché .... tanto ad arrivare?
4. Per costruire il nuovo stadio hanno programmato che .... dieci anni.
5. Con tutte queste domande, i ragazzi domani .... più di tre ore per fare il test.
6. Se non ci sarà la fila alla cassa, ... solo 10 minuti.
7. Alla fine a che ora sei arrivata ieri? Quante ore .... in macchina?
8. Per fare gli gnocchi .... le patate giuste!

16 a Choose the correct answer.

1. In quello/quel bar fanno un cappuccino davvero buonissimo.
2. Ieri ho incontrato quel/quell' amico di Mario che lavora con Lucia, l'ex di Lorenzo.
3. Hai visto quei/quelle signori? Sono i miei vicini di casa.
4. Quel/Quella ragazza bionda è al corso di italiano con noi.
5. Quei/Quegli studenti vicino alla finestra sono inglesi.
6. Quel/Quell' piatto deve essere veramente buono.

b Complete with the correct form of *questo* or *quello*. Refer also to the *Approfondimento grammaticale* on page 183.

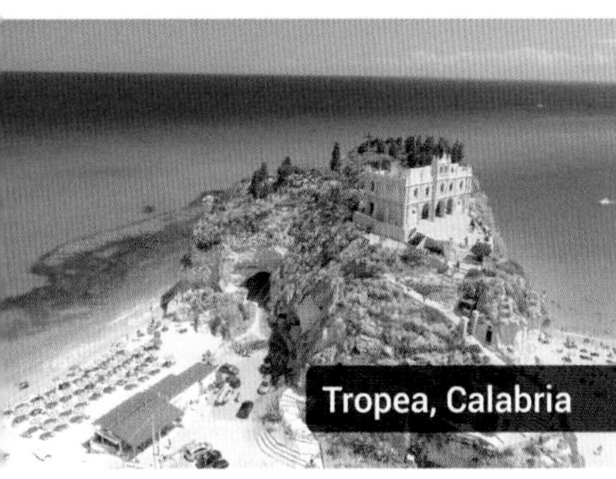
Tropea, Calabria

1. .... estate andremo in vacanza in Calabria!
2. Sai chi è di nuovo single? .... amica di Lucia che ti piace tanto!
3. Cosa facciamo .... fine settimana? Facciamo una gita?
4. Antonio, ... pizza è tua? Ha il pomodoro fresco.
5. Giulia e Bianca sono uscite con i ragazzi che hanno conosciuto a .... corso di yoga, ricordi?
6. .... ristorante è il mio preferito: ci vengo ogni settimana.

17 Complete with the words provided.

bel ♦ *begli* ♦ *quella* ♦ *bell'* ♦ *bella* ♦ *quel*

1. In piazza hanno messo un .... albero di Natale.
2. Preferisci l'acqua naturale o .... frizzante?
3. Maria ha comprato una .... casa vicino a Piazza Bologna.
4. .... amici che hai: sono andati via senza salutare!
5. Perché hai litigato con .... signore? Cos'è successo?
6. Ieri ho comprato un .... libro.

Duomo, Milano

18 Complete the chart with the words that are missing in the sentences below. In the green column, you will find the name of a dish made with tomatoes and mozzarella.

1. Per bere uso il ...
2. Tesoro, ... tu il formaggio per la pasta?
3. Nel menù le lasagne sono tra i ... piatti.
4. La frutta è ..., di stagione.
5. Faccio bollire l'acqua nella ...
6. Il cuoco ... il sugo con un grande cucchiaio.
7. Per friggere il pesce uso la ...

1			C						
	2								I
			3						
		4	F						
		5							
	6						L		
7						L			

19 Choose the correct preposition.

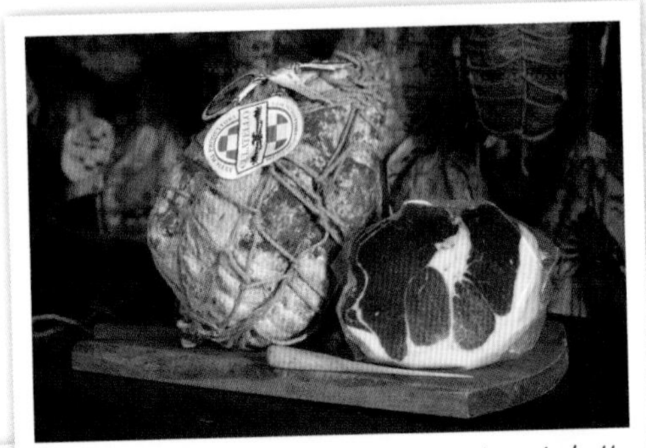
il culatello

la signora Miriam

Miriam Leonardi è la cuoca della trattoria "La Buca" che si trova vicino a/di (1) Zibello. Zibello, in provincia con/di (2) Parma, è un piccolo paese di duemila abitanti, famoso perché lì fanno il culatello più buono per l'/d' (3) Italia. «Non vado quasi mai in/di (4) vacanza. Cosa vado a fare nel/al (5) mare? Lì non sono importante. Invece qui vengono in tanti di/a (6) provare i miei piatti e la mia cucina», dice la signora Miriam, sempre gentile e allegra. Miriam prepara i piatti tradizionali di/per (7) sua nonna, piatti tra il/del (8) passato. Ma "La Buca", trattoria che esiste da/con (9) più di cento anni, è forse un ristorante lontano della/dalla (10) tecnologia? Non proprio, visto che sul/dal (11) menù trovate, oltre ai saporiti piatti della cuoca, due indirizzi e-mail e un sito internet...

adattato da *www.repubblica.it*

20 Complete with the correct prepositions.

Tra pochi giorni ci sarà all'*Arena* .... (1) Verona il concerto dei *Negramaro*, una .... (2) più importanti band del pop rock italiano. I *Negramaro* cominceranno .... (3) Verona il loro tour, che continuerà .... (4) tante altre città italiane: Genova, Livorno, Modena, Milano, Torino, Roma. Sono tanti i fan che aspettano la data .... (5) concerto di Verona perché, ... (6) un luogo come l'*Arena*, sarà un'esperienza speciale. Io e Lucia andremo .... (7) concerto e verranno .... (8) noi anche due nostri amici svizzeri molto simpatici.

I Negramaro

21 Possessives. Find and correct the 6 errors.

1. Nostro piatto preferito è la pasta al pesto! ....
2. Io e mia madre andremo qualche giorno a Madrid. ....
3. Per la festa del mio compleanno, sono venuti tutti miei cugini. ....
4. Loro sono Marta e Giulia. Loro mamma è insegnante di inglese. ....
5. Perché non ci andate con gli vostri zii? ....
6. Durante le loro vacanze è sempre piovuto. ....
7. In suo bar il caffè si beve in piedi. ....
8. La tua nonna è partita per l'America da bambina? ....
9. I tuoi nipoti sono molto simpatici. ....

A Complete the email with the correct possessives, with or without the article.

Carissima Eleonora,
che piacere avere .... (1) notizie! Ho appena letto .... (2) email e ho visto le foto delle vacanze... Che bella la Sardegna! E come è diventato grande .... (3) Giovanni! Quest'anno va in terza elementare, no? La .... (4) insegnante è sempre la stessa?
Io, Anna e Luca stiamo bene: .... (5) giornate sono più tranquille da quando abitiamo qui in paese. E voi? Come state? E come stanno .... (6) genitori? .... (7) madre? E .... (8) padre? È andato in pensione o lavora ancora?
Adesso ti saluto perché sono in classe e tra due minuti arriveranno .... (9) studenti... Se mi vedono con il cellulare in mano, prendono subito .... (10) smartphone e cominciano a scrivere messaggi agli amici...
Un abbraccio e a presto!
Alberto

B Choose the correct answer.

1. Come ...... (1) prendo un piatto di linguine al pesto e come ...... (2) un'insalata verde.

(1)		(2)	
	a. secondo		a. secondo
	b. primo		b. dolce
	c. antipasto		c. contorno

2. A che ora parte ...... (1) treno che ...... (2) tre ore da Milano a Roma?

(1)		(2)	
	a. quello		a. ci vuole
	b. quel		b. ci mette
	c. quella		c. ci vogliono

3. Per venire a lezione da casa nostra, di solito, ... (1) circa 20 minuti in auto, ma noi ...... (2) la metà del tempo in moto.

(1)		(2)	
	a. ci vuole		a. ci mettono
	b. ci vogliamo		b. ci mette
	c. ci vogliono		c. ci mettiamo

4. Io ...... (1) comprare un ...... (2) appartamento in centro.

(1)		(2)	
	a. ci voglio		a. bel
	b. vorrei		b. bell'
	c. volere		c. bello

5. Ho seguito la ricetta ...... (1) nonna per preparare ...... (2). Buonissima!

(1)		(2)	
	a. tua		a. la torta di mele
	b. della tua		b. la spremuta d'arancia
	c. di tua		c. il latte

6. Non .... (1) friggere, preferisco .... (2) leggero.

   (1) a. mi piaci b. mi piace c. mi piacciono
   (2) a. cucinare b. mangiare c. mescolare

7. .... (1) genitori andranno al mare a Ischia, anche se .... (2) madre non è molto d'accordo.

   (1) a. I suoi b. I nostri c. Nostri
   (2) a. la sua b. la nostra c. nostra

8. Mamma, per favore, puoi .... (1) ancora un po' di salame? È veramente .... (2).

   (1) a. tagliare b. mangiare c. grattugiare
   (2) a. salato b. buono c. cotto

C Solve the crossword.

						2							
		1	□	□	□	□	□	□	□	T	□	3	
		4				□						□	
	4	□	□	M	□	□	□	□	□	□		□	
		U				N						S	
	5	□	□	□	□	□	□	□	□			□	
		C				□				6		□	
		□				T				□		□	
		□		7	□	□	L	□	□	□	□	□	A
		□								□		□	
		I								□			
8	□	□	□	□	A				9	I	□	□	□
										□			
										□			
										□			

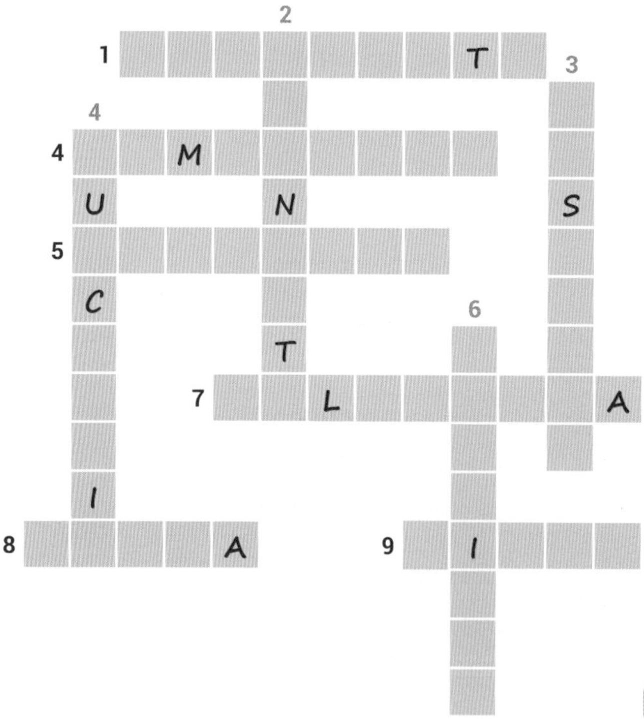

1 2  3 4 4 5 6 7 8 9

Risposte giuste: .... /35

All of the exercises are available
in an interactive format at www.i-d-e-e.it

Al cinema

Glossary p. 196

1 **a** Complete the matching exercise.

1. La domenica andava spesso a sciare con i suoi amici.
2. Da piccoli, non mangiavano mai le verdure.
3. Studiavamo insieme all'università.
4. Credevo di andare in vacanza a luglio...
5. Quella sera volevate andare al cinema.
6. Tutte le mattine andavi a correre.

a. tu
b. tu e Alfredo
c. io
d. Ada
e. io e Nicola
f. i nostri figli

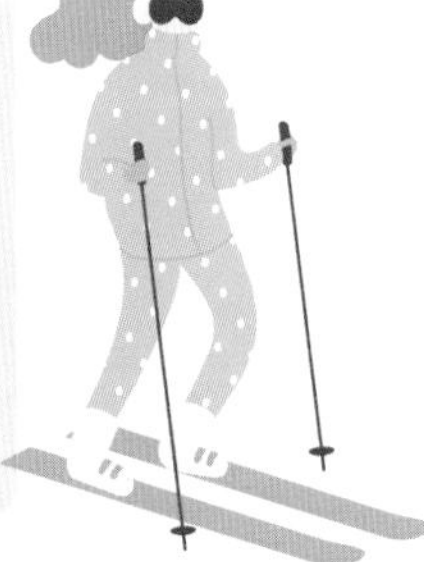

b Match the columns to complete the forms of the imperfect and complete the sentences.

1. Io da ragazzo gioc-
2. Tu, quando viv-
3. Luisa al liceo dorm-
4. Mario e io prend-
5. A scuola voi studi-
6. Ricordo che i miei nonni guard-

-av-
-ev-
-iv-

-o
-amo
-i
-a
-ate
-ano

a. anche il francese?
b. la televisione dopo cena.
c. a calcio molto bene.
d. spesso a casa di Elena.
e. a Genova, andavi sempre al mare?
f. sempre il caffè dopo pranzo.

2 Choose the correct option.

1. Mentre raccontava/raccontavi la sua storia, Valerio era così divertente che tutti ascoltavano/ascoltano senza dire una parola.
2. Ieri sera, mentre mangiavano/mangiavo, i bambini giocavi/giocavano nella loro camera.
3. Io non sapevamo/sapevo niente di questa storia!
4. Qualche anno fa Martina non uscivamo/usciva spesso, preferiva/preferivamo stare a casa a vedere un film o a leggere un buon libro.
5. Quando era giovane Marina portavi/portava la 44.
6. Luca e Sebastiano, alle sette meno un quarto, dormivate/dormivano ancora.
7. Sonia è uscita appena è finito il film: doveva/dovevi partire, non voleva/volevi perdere l'aereo!
8. Nella mia casa in Toscana, quando aprivo/aprivate la finestra, potevamo/potevo sentire il profumo dei fiori.

3 In a building on *via Margutta 32*, a painting has been stolen from an apartment. The police agent interrogates the neighbors: what were they doing at 2 o'clock in the afternoon? Study the images and complete the sentences.

1. Io .... il giornale in salotto.
2. Io .... perché la notte lavoro in ospedale.
3. Noi .... la tv: a quell'ora c'è il telegiornale.
4. Luca ....: fa il cameriere in un ristorante qui vicino.
5. Io .... la radio: a quell'ora c'è il mio programma preferito.
6. Io .... l'autobus: passa sempre alle due!

4 Complete the sentences with the verbs provided, as in the example in blue.

facevi ♦ *c'era* ♦ *faceva* ♦ *diceva* ♦ *traducevo* ♦ *veniva* ♦ *ero* ♦ *beveva* ♦ *stavamo*

1. Ieri ......*c'era*...... il sole e .... caldo.
2. Quando ho iniziato a studiare l'italiano .... tutto nella mia lingua.
3. .... in fila in banca quando è suonato il mio cellulare.
4. Solo adesso ho capito che Giulia non .... sempre la verità.
5. Prima di avere il bambino, lei .... molti caffè.
6. Quando io e Luca .... insieme, lui .... tutti i giorni a casa mia.
7. Durante l'università .... anche tu il cameriere nei fine settimana?

5 Fill in the blanks with the imperfect and then complete the matching exercise.

1. Ma Monique conosce l'italiano?
2. Che lavoro fa Giovanni?
3. Com'è andata al concerto ieri?
4. Signora, cosa prende? Un caffè?
5. Ieri sera hai telefonato a Marcella?
6. Sei sempre stato il più bravo della classe.

a. Sì, ma lei .... (essere) al cinema con Stefania.

b. Bene, anche se .... (esserci) molta gente e sono rimasto in piedi.

c. No, non è vero, il più bravo .... (essere) tu.

d. No, grazie. Prima .... (bere) molti caffè... ora, però, preferisco il tè.

e. Certo, parla l'italiano molto bene! Quando era giovane .... (tradurre) libri e racconti dall'italiano al francese.

f. So che prima .... (fare) l'attore; adesso non so.

6 Complete the paragraph with the imperfect form of the verbs.

L'estate scorsa .... (1. fare) molto caldo, io non .... (2. avere) nessuna voglia di restare in città, ma .... (3. dovere) scrivere la tesi. I miei amici certo non sono stati di grande aiuto... .... (4. essere) tutti insieme in campeggio e ogni sera, mentre (5. fare) .... l'autostop per andare in centro a ballare, ... (6. caricare) nella chat le foto della giornata: Ale che .... (7. prendere) il sole, i ragazzi che .... (8. giocare) a calcio, Luca che .... (9. fare) il bagno... Io, invece... .... (10. scrivere) la mia tesi!

7 Complete the dialogue with the imperfect form of the verbs and the words and expressions provided.

ci ♦ *non dimenticherò mai* ♦ *ricordo quella volta* ♦ *ti ricordi*

- .... (1) quando siamo andati in Italia?
- Certo che mi ricordo! Per poco non .... (2. perdere) l'aereo!
- Eh sì, tu non .... (3. trovare) il passaporto, quel giorno .... (4. esserci) un gran traffico e siamo arrivati in ritardo all'aeroporto...
- Beh, dai, poi è andato tutto bene! In Italia .... (5. fare) bel tempo e abbiamo visitato molte città.
- Sì, e poi abbiamo mangiato benissimo. .... (6) gli spaghetti che abbiamo mangiato a Napoli: .... (7. essere) proprio saporiti!
- .... (8) che abbiamo preso il treno e non abbiamo convalidato il biglietto: che ridere!
- È stato veramente un bel viaggio: .... (9. sembrare) tutto così romantico e divertente. Sì, ... (10) dobbiamo tornare!

8 **Roberto has moved out of the city center. Complete the sentences with the imperfect form of the highlighted verbs and find out how his life has changed.**

1. Prima, quando .... la giornata non .... voglia di lavorare. Ora quando inizio la giornata ho voglia di fare molte cose.
2. Prima ...., ... al bar o al cinema, ma non .... contento. Ora esco, vado a fare delle passeggiate con il mio cane e sono contento.
3. Prima .... sempre triste e non .... mai. Ora sono sempre allegro e rido spesso.
4. Prima .... poco i miei amici: qualche volta .... loro a casa mia, ma non .... mai molto tempo. Ora vedo i miei amici molto spesso: vengono loro a casa mia e abbiamo molto tempo per stare insieme.

9 **Fill in the blanks with the imperfect and then complete the matching exercise.**

1. Quando Paolo .... (preparare) la cena,
2. La sera, mentre io studiavo
3. Ascoltavo la radio tedesca...
4. .... (Guardare, noi) il film
5. Quando Marcella .... (dovere) dare un esame,
6. Quando voi .... (essere) piccoli,

a. ma non .... (capire) nulla!
b. studiava giorno e notte.
c. passavate l'estate a casa dei nonni.
d. poi non .... (lavare) mai le pentole e le padelle.
e. e .... (mangiare) pop corn.
f. i miei fratelli .... (ascoltare) musica.

10 **Complete the story with the imperfect form of the verbs.**

Molti anni fa, quando andavo all'università, ho fatto un corso di italiano. Tutti .... (1. dire) che l'italiano .... (2. essere) facile, ma per me non .... (3. essere) così: l'insegnante .... (4. parlare) sempre in italiano e io non .... (5. capire) molto. I miei compagni .... (6. riuscire) a parlare, ma io no perché .... (7. essere) agitato e non .... (8. volere) fare errori. Piano piano, però, ho iniziato a parlare anch'io. Non è stato facile, ma sono contento di avere imparato l'italiano.

11 **Choose the correct option.**

1. Quando studiavo/ho studiato all'università, il fine settimana uscivo sempre con i miei amici.
2. Ho ricevuto quell'offerta di lavoro mentre ero/sono stata in Italia.
3. Lavoravo/Ho lavorato tutta l'estate come cameriera per pagare i libri dell'università.
4. Ieri non facevo/ho fatto la doccia perché non c'era acqua calda.
5. Quando non abitava in città, faceva/ha fatto la spesa una volta al mese.
6. Stella diceva/ha detto che domani verrà a cena da noi.
7. Luciano ha detto/diceva sempre di volere un cane, ma alla fine ha preso/prendeva un gatto!

8. Ieri, mentre aspettavamo/abbiamo aspettato l'autobus, abbiamo conosciuto/conoscevamo una signora molto simpatica.
9. I miei figli studiavano/hanno studiato l'italiano per tre anni.

12 Fill in the blanks with the *imperfetto* or *passato prossimo*.

1. Lucia e Ilaria .... (andare) a Parigi l'autunno scorso.
2. Da piccoli i miei nipoti .... (volere) sempre andare al mare.
3. Ieri sera io .... (vedere) un film molto interessante.
4. Alla festa .... (esserci) molte cose da mangiare.
5. Alla festa noi .... (incontrare) Marta, la cugina di Lorenzo.
6. Quando andavo al liceo, ... (studiare) quattro ore al giorno.

13 Choose the correct option.

Giochi

1. Quando Paolo comprerà/compra/ha comprato una casa in Italia, sceglierà/avrà scelto/ha scelto una città tranquilla, Ferrara, ad esempio.
2. Monica, l'amica di Gabriella, è/è stata/era una ragazza dolce e simpatica. Domani siamo andati/andremo/andavamo insieme al cinema.
3. Ieri sono rimasta/rimanevo/rimango a casa tutto il giorno perché non ho avuto/avevo/ho voglia di uscire.
4. Questa mattina mentre venivo/sono venuto/vengo in ufficio avrò/avevo/ho avuto un problema con l'auto.
5. Ieri sera non usciamo/siamo usciti/uscivamo di casa perché fa/farà/faceva molto freddo.
6. Ieri sera i nostri colleghi hanno preso/prendevano/prenderanno un taxi perché non hanno saputo/sapevano/sapranno come arrivare al loro hotel a piedi!

Ferrara

14 Conjugate the verbs in blue in the *passato prossimo* and the highlighted verbs in the *imperfetto*, and fill in the red blanks with the words and expressions provided.

dopo un po' ♦ *alla fine* ♦ *all'inizio* ♦ *così*

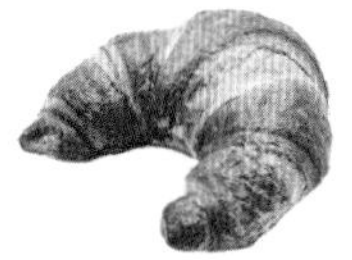

Ieri la mia giornata .... (1. cominciare) alle sette. .... (2. Fare) colazione al bar sotto casa: .... (3) ho ordinato solo un caffè, ma poi .... (4. prendere) anche un cornetto. Di solito vado al lavoro a piedi, ma ieri .... (5. piovere) molto e non .... (6. avere) l'ombrello, ... (7) sono andato alla fermata dell'autobus. .... (8. Aspettare) più di mezz'ora, ma l'autobus non .... (9. passare)... .... (10) ho telefonato al mio collega Luca e ho scoperto che .... (11. esserci) sciopero dei mezzi pubblici! .... (12) ho preso un taxi e .... (13. arrivare) in ufficio con due ore di ritardo!

15 Choose the correct sentences.

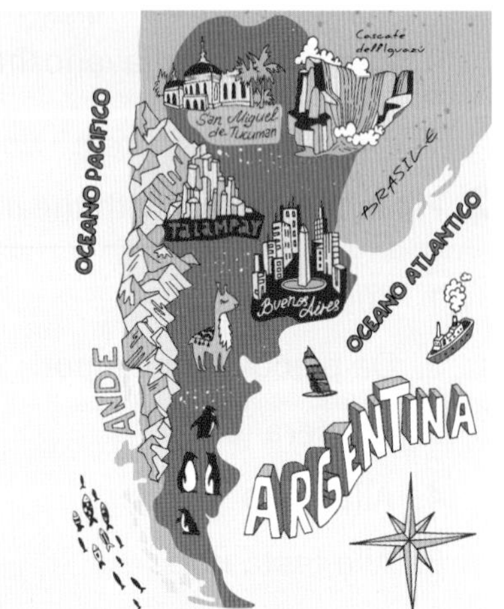

1. a. Gianni ha un fratello che ha vissuto 5 anni in Argentina.
   b. Gianni ha un fratello che viveva 5 anni in Argentina.
   c. Gianni aveva un fratello che viveva 5 anni in Argentina.
2. a. Quando ho telefonato, Marta ha già fatto la doccia.
   b. Quando ho telefonato, Marta faceva la doccia.
   c. Quando avevo telefonavo, Marta ha già fatto la doccia.
3. a. Ieri studiavo tutto il giorno e la sera sono stato molto stanco.
   b. Ieri studiavo tutto il giorno e la sera ero molto stanco.
   c. Ieri ho studiato tutto il giorno e la sera ero molto stanco.
4. a. Ho aspettato due ore e poi sono andato via.
   b. Aspettavo due ore e poi sono andato via.
   c. Ho aspettato due ore e poi andavo via.
5. a. Mentre ho aspettato l'autobus, ho visto Gina.
   b. Mentre aspettavo l'autobus, vedevo Gina.
   c. Mentre aspettavo l'autobus, ho visto Gina.

16 Fill in the blanks with the *imperfetto* or *passato prossimo*.

Sabato scorso .... (1. essere) una bella giornata e .... (2. esserci) il sole, così io e i miei amici .... (3. fare) una gita in montagna. .... (4. Essere) tutti allegri, ... (5. camminare) per circa due ore e .... (6. arrivare) vicino a un piccolo lago. Quando .... (7. decidere) di partire per tornare a casa, Enrico non .... (8. trovare) più le chiavi della macchina e senza le chiavi non .... (9. potere) tornare a casa, così .... (10. andare) a dormire in un albergo lì vicino.

17 Choose the correct answers. Refer also to the *Approfondimento grammaticale* on page 185.

1. Ieri, noi dovevamo/abbiamo dovuto prendere il treno delle 9, ma siamo arrivati tardi in stazione.
2. Ieri sera Lucia non voleva/è voluta uscire perché doveva finire un lavoro.
3. Negli anni scorsi, potevo/ho potuto viaggiare perché avevo molto tempo libero e abbastanza soldi.
4. Giacomo voleva/è voluto restare al lavoro per finire un progetto e non poteva/è potuto andare all'appuntamento con Katia.
5. Dario doveva/è dovuto andare a casa, ma alla fine è rimasto con noi.
6. Ma non dovevate/avete dovuto visitare il Duomo? Alla fine avete solo fatto spese, mi sembra!
7. Sono arrivate tardi a cena dalla zia perché, oltre al Museo del Cinema, volevano/hanno voluto visitare anche quello Egizio!
8. Ieri i ragazzi volevano/sono voluti andare a mangiare la pizza, ma alla fine hanno cucinato un buon risotto a casa!

18 Complete the matching exercise and fill in the blanks with the correct form of the verbs.

1. Angela .... (dovere) venire con noi
2. Ho preso un taxi
3. Noi .... (volere) passare le vacanze al mare
4. I signori Berni non .... (potere) venire
5. Non .... (volere, voi) uscire
6. Voi non .... (volere) cambiare lavoro perché
7. Marco, non sei potuto rimanere
8. .... (Dovere) andare a quella festa

a. ma alla fine siamo rimasti in città.
b. perché c'era il calcio in TV; per fortuna, però, avete cambiato idea.
c. ma ha cambiato idea e non è venuta.
d. perché .... (dovere) arrivare in ufficio per le sette.
e. ma ho preferito stare a casa e guardare un film.
f. perché avevano un appuntamento di lavoro.
g. non offrivano uno stipendio migliore.
h. perché .... (dovere) tornare a casa?

19 Answer the questions using the *trapassato prossimo*, as in the example.

- Vai ancora in palestra?
- No, ...*avevo iniziato*.... (iniziare) ad andare in palestra, ma ora vado in piscina.

1. • Sei riuscito a trovare un biglietto sul Torino-Roma?
   • Sì, perché .... (prenotare) un mese fa.
2. • Ma non avete comprato niente all'aeroporto?
   • No, perché .... (spendere) tutti i nostri soldi a Londra.
3. • Hai incontrato Marco e Francesco alla festa?
   • No, quando sono arrivata, loro .... (andare) via da un po'.
4. • Perché Emanuele non è venuto al mare con noi?
   • Perché .... (promettere) alla sua ragazza di andare in montagna.
5. • Perché non siete venuti a pranzo da Lucio?
   • Perché .... (invitare) la nonna a casa nostra: abbiamo mangiato tutti insieme per festeggiare il suo ottantesimo compleanno!
6. • Paola, ma cosa è successo ieri?
   • Sono rimasta chiusa fuori di casa perché .... (dimenticare) le chiavi sul tavolo della cucina.

20 Use the words provided to write sentences, as in the example. Be sure to use the correct tense!

1. ieri | libro | arrivare | ordinare | online | settimana scorsa
   Ieri è arrivato il libro che avevo ordinato online la settimana scorsa.
2. ieri sera | potere andare | spettacolo | non esserci più biglietti
   ....
3. quando | io chiamare | loro non rispondere | forse già uscire
   ....
4. noi invitare Claudio | ma | non potere venire
   ....
5. non potere venire | alla mostra ieri | avere preso | un altro impegno
   ....
6. l'anno scorso | Marta | trovare lavoro a Milano | non volere andarci
   ....

21 Fill in the blanks with the correct past tense.

1. Ieri alla radio .... (sentire, io) una canzone che .... (ascoltare) spesso tanti anni fa.
2. Quando .... (arrivare, noi) al cinema il film .... già .... (iniziare).
3. I bambini .... (essere) stanchi perché .... (giocare) a calcio tutto il pomeriggio.
4. Ieri .... appena .... (finire, io) di pulire la macchina del caffè quando .... (entrare) nel bar due signore!
5. Fabrizio non .... (avere) fame perché .... (mangiare) molto a colazione.
6. Quando Tiziana .... (tornare) dal suo viaggio in Africa, ... (raccontare) tutto quello che (vedere) ....
7. Ieri io e Giulio .... (andare) a fare spese e .... (incontrare) Stefania che non .... (vedere) da circa un anno.
8. Il signor Boldi .... (conoscere) sua moglie quando .... (andare) in vacanza in Australia.
9. Appena Lorenzo .... (salire) sull'autobus per l'aeroporto, ... (capire) che .... (dimenticare) il passaporto a casa!

22 Complete the paragraph with the *passato prossimo*, *imperfetto* or *trapassato*.

La prima volta che Roberta .... (1. uscire) di sera con suo fratello, più piccolo di lei, è stato a Sanremo, quando .... (2. essere, loro) in vacanza al Victory Morgana Bay. Non .... (3. scegliere) lei il locale, ma suo fratello, che .... (4. parlare) tre lingue, ... (5. essere) alto, alla moda ed elegante. ... . (6. Passare) tanti anni e non .... (7. essere) più i due ragazzi che per molto tempo .... (8. dormire) insieme nella stessa camera.

Sanremo

adattato da *Il mare in salita*, R. Postorino

23 Complete the dialogues with the expressions provided.

Sono d'accordo con Lei! ♦ *Hai ragione!*
Non lo so... ♦ *No, non è vero!*

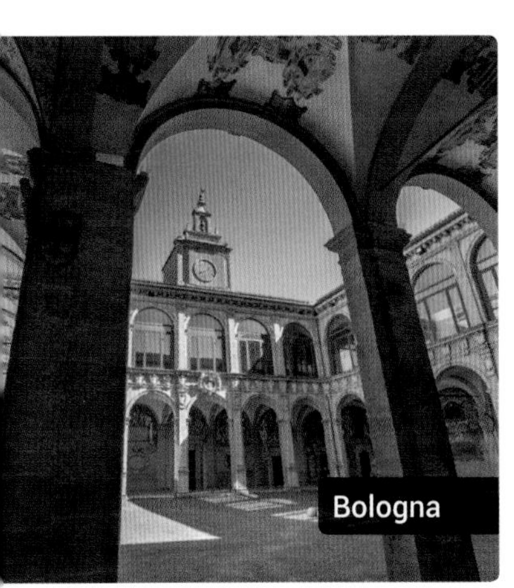
Bologna

1. • Qui dice che il locale preferito dagli italiani è il fast food...
   • .... Gli italiani non amano i fast food!
2. • Hai visitato Bologna? Non è veramente bella?
   • .... Anche a me è piaciuta tanto.
3. • Signor Gabbi, secondo me i giovani devono andare a vivere da soli prima dei trent'anni. È d'accordo?
   • .... Ma il problema è che prima devono trovare un lavoro!
4. • La carbonara è la pasta più buona!
   • .... Io preferisco la pasta alla Norma...

24 Complete the story with the prepositions.

Quando siamo arrivati .... (1) Firenze pioveva e .... (2) giro non c'era nessuno. Non avevo l'indirizzo .... (3) albergo perché avevo lasciato l'agenda .... (4) scrivania .... (5) mio ufficio.

Mentre cercavo .... (6) le mie carte, ho alzato la testa e ho visto proprio davanti .... (7) noi "Albergo Venezia": era il nostro! Siamo stati veramente fortunati. Abbiamo preso le valigie .... (8) macchina e siamo entrati. Non vedevamo l'ora di andare .... (9) camera .... (10) fare una bella doccia calda e riposare un po' prima di uscire a visitare la città sotto la pioggia!

25 Fill in the blue spaces with a preposition and the green spaces with the words provided.

sua ♦ suoi ♦ interpreta ♦ nonna ♦ vincerà

Anna Magnani nasce .... (1) Roma il 7 marzo 1908. Qualche mese dopo .... (2) madre va a vivere ad Alessandria d'Egitto .... (3) il nuovo marito. La piccola Anna rimane con la .... (4). A quindici anni va a vivere .... (5) un anno ad Alessandria, ma la nuova famiglia .... (6) madre non è la sua famiglia. Così torna a Roma e inizia .... (7) studiare teatro. .... (8) 1928 comincia a lavorare in teatro e poi nel cinema. Grazie .... (9) cinema, diventa famosa in tutto il mondo. Fra i .... (10) film più conosciuti, ricordiamo *Roma città aperta* e *La rosa tatuata*. Con quest'ultimo film .... (11) il Premio Oscar come migliore attrice protagonista nel 1956: è la prima attrice italiana a vincere questo premio! Un altro momento molto importante della sua carriera è il 1962 quando .... (12) la protagonista .... (13) film di Pier Paolo Pasolini *Mamma Roma*. Anna Magnani è una .... (14) più grandi attrici della storia del cinema italiano.

26 Listen to the dialogue and choose the correct answer.

39

1. Secondo Mario, l'ultimo film di Garrone
   a. è complicato
   b. non è niente di speciale
   c. è bellissimo

2. Carla non vuole vedere il film d'azione perché
   a. Scamarcio non recita bene
   b. ultimamente vedono sempre quelli
   c. non le piace DiCaprio

3. Il protagonista del film è
   a. DiCaprio
   b. Scamarcio
   c. geloso di Dino

4. Il film che hanno scelto
   a. ha una trama originale
   b. non ha recensioni molto buone
   c. è una commedia storica

A Complete the paragraph with the *imperfetto* or *passato prossimo*.

scoprire ♦ vivere ♦ vedere ♦ cercare ♦ rubare
esserci ♦ cadere ♦ succedere ♦ raccontare ♦ volere

Ieri sera .... (1) un film molto bello. .... (2) la storia di un ragazzo, Enzo, che .... (3) a Roma, in periferia, e per vivere .... (4). Un giorno, mentre la polizia .... (5) Enzo, lui .... (6) nel Tevere e lì... .... (7) qualcosa... Il giorno dopo Enzo .... (8) di avere dei poteri da supereroe! Naturalmente .... (9) anche un "cattivo" che .... (10) i poteri di Enzo... Vuoi sapere come va a finire? Puoi guardare anche tu il film!

B Choose the correct answer.

1. Anna .... (1) al lavoro in macchina quando .... (2) la notizia alla radio.

(1)	a. andrà	(2)	a. sentiva
	b. è andata		b. ha sentito
	c. andava		c. avrà sentito

2. Quando .... (1) ragazzi, in città .... (2) molto meno traffico.

(1)	a. siamo stati	(2)	a. era
	b. eravamo		b. era stato
	c. c'eravamo		c. c'era

3. A lezione, il professore di Amburgo .... (1) in tedesco e Luisa .... (2) in italiano.

(1)	a. ha spiegato	(2)	a. traduce
	b. spiegava		b. ha tradotto
	c. aveva spiegato		c. traduceva

4. I ragazzi non .... (1) raccontare la trama: non .... (2) il film.

(1)	a. potevano	(2)	a. vedranno
	b. volevate		b. vedono
	c. dovevamo		c. avevano visto

5. Se ricordi bene, l'anno scorso, Maria e Riccardo non .... (1) alla tua festa di compleanno perché non .... (2) l'invito.

(1)	a. sono venuti	(2)	a. ricevevano
	b. venivano		b. avevano ricevuto
	c. verranno		c. sono ricevuti

6. • Ho letto sul giornale che i bambini usano troppo gli smartphone e stanno troppe ore su internet. Tu .... (1) ne pensi, Paola, sei d'accordo?
   • .... (2)

(1)	a. dove	(2)	a. Sì, sono d'accordo.
	b. quanto		b. Sì, ha ragione!
	c. cosa		c. Sì, penso di no.

7. Non .... (1) fame, per questo non .... (2).
   - (1) a. avevano avuto / b. avevano / c. erano
   - (2) a. hanno mangiato / b. mangeranno / c. mangiano

8. Federico Fellini è stato un grande .... (1) ed .... (2) con Giulietta Masina, un'attrice italiana.
   - (1) a. comico / b. giornalista / c. regista
   - (2) a. è sposato / b. sposava / c. era sposato

C Solve the crossword.

Orizzontali

3. A Rita l'idea è piaciuta, ma vorrei sentire anche il tuo ...
6. Il personaggio principale di una storia.
8. Commedia, giallo, thriller sono ... cinematografici.
9. Il Frecciarossa è un treno ad alta ...

Verticali

1. Mi piace molto la ... di questo libro.
2. Tra il primo e il terzo.
4. Il lavoro di Sofia Loren.
5. Tipo di pasta che cuciniamo al forno.
7. Angelo non ha ancora parlato a quella ragazza perché è molto ...

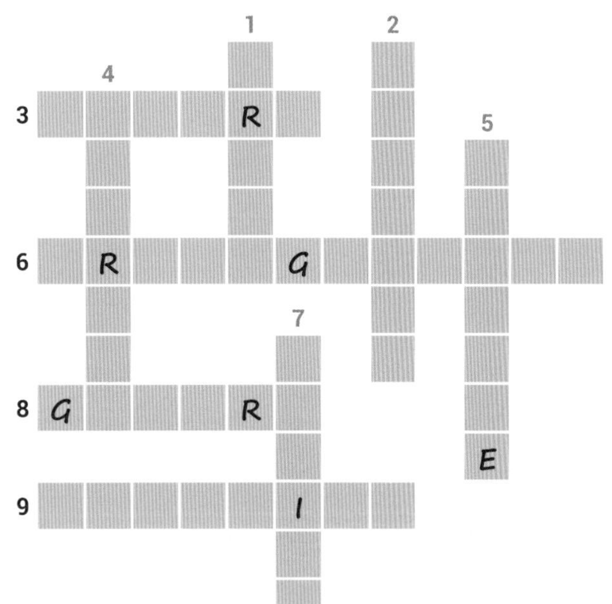

Risposte giuste: ..../35

All of the exercises are available in an interactive format at www.i-d-e-e.it

Fare la spesa

Glossary p. 197

1 Match each sentence with the correct word.

1. Lo bevo tutte le mattine prima di andare in ufficio.
2. Le compro perché a colazione bevo sempre una spremuta.
3. Li mangio a colazione con il latte.
4. La faccio alla cassa per pagare.
5. Lo leggo tutti i giorni.
6. Le uso per cucinare.
7. Li vedo tutti i giorni a lezione.
8. La dimentico sempre a casa!

a. le arance
b. il giornale
c. le pentole
d. il caffè
e. i miei compagni
f. la lista della spesa
g. i biscotti
h. la fila

2 Complete the matching exercise.

1. Ti piace la TV?
2. Sono certa che Leo, il mio gatto,
3. Voi conoscete Nadia e Cristina?
4. Perché hai preso il prosciutto?
5. Voi parlate, parlate...
6. C'è sciopero dei mezzi pubblici...
7. Se sarai a casa,

a. Sì, le conosciamo, sono molto simpatiche.
b. ti chiamerò stasera.
c. No, ma la guardo quando danno dei bei film.
d. ma nessuno vi ascolta!
e. Così lo mettiamo nei panini per la gita.
f. mi aspetta sulla porta di casa!
g. Ci porti tu allo stadio, zia?

3 Choose the correct direct object pronoun.

1. Grazie, questi fiori sono bellissimi, li/lo/vi metterò sul tavolo in salotto.
2. Ragazzi, li/ci/vi invito tutti alla mia festa.
3. Signor Rossi, cosa doveva dirmi? Lo/Le/La ascolto.
4. Non possiamo restare: i nostri figli ci/mi/vi aspettano per cena.
5. Giorgio parla due lingue, l'inglese e il tedesco, e lo/la/le parla molto bene.
6. Vedi quell'orologio? Ti/Lo/La regalerò a mia moglie.
7. La cioccolata calda mi piace, ma le/la/mi preferisco amara.
8. Che belli quegli stivali! Adesso entro e lo/le/li compro.

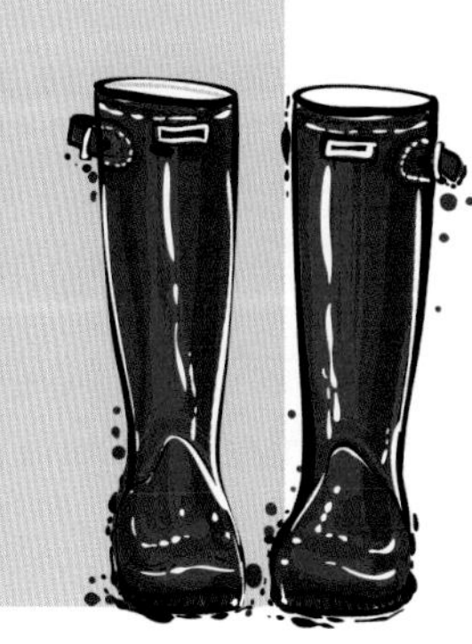

4 Fill in the blanks with the direct object pronouns.

1. Se siete d'accordo, ... aspetto davanti al cinema alle 7.
2. Ho dimenticato di scrivere l'email a Luca! .... puoi scrivere tu?
3. Hai fatto la pizza? .... mangio volentieri!
4. Lo zucchero e il caffè sono finiti. Chi .... va a comprare?
5. Massimo, ... aiuto a preparare la cena?
6. Signorina, quando avrà finito, ... prego di venire nel mio ufficio.
7. È vero, non leggo tanto, ma il libro di Paolo .... leggerò sicuramente!
8. Il corso di Storia è molto interessante: .... seguono più di 150 studenti!

5 Complete the answers with the pronoun *lo* and the correct form of the verb, as in the example.

- Sapete chi viene ad abitare nella casa accanto?
- Sì, *lo sappiamo*: arrivano due studenti americani.

1. • Quando saprete se partirete per Napoli il mese prossimo?
   • .... non appena avremo fatto i biglietti.
2. • Quando saprai se hai passato l'esame?
   • .... lunedì, credo.
3. • Sapete se Aldo e Caterina verranno a trovarci nel weekend?
   • Non .... ancora, decideranno domani.
4. • Scusi, sa da quale binario parte il treno per Roma?
   • No, ..., mi dispiace. Può chiedere al controllore.
5. • Ma i ragazzi sanno che a marzo ci sarà il concerto di Ligabue?
   • Sì, ... e hanno già comprato i biglietti!
6. • Ragazzi, lo sapevate che Lucia parte per l'Erasmus?
   • Sì, ... Lo ha postato su Facebook.

6 Choose the correct answer and complete the expression depicted in the illustration.

1. Hai saputo? Zia Luana viene a trovarci per la Befana! { Che bella notizia! M / Che bella idea! N }
2. Non posso venire al cinema con voi. Non sto bene. { Che fortuna! O / Accidenti! A }
3. No... Davvero hai perso il treno?! { Sì, per due minuti! Che rabbia! N / Sì, per due minuti! Che bello! M }
4. Organizziamo una festa sabato? { Sì, che bella idea! G / Sì, che fortuna! C }

.... N ...... A .... A!

5. Ho trovato l'ultimo iPhone con lo sconto del 35%! { Che brutta notizia! E / Che fortuna! G

6. Questa estate farò un viaggio in Italia, andrò a Roma. { Bene! Che bella giornata! G / Bene! Che bello! I

7 *Di che cosa*? Complete the matching exercise.

1. A giugno, ne darò quattro.
2. Ne mangio una al giorno.
3. Ne bevo uno dopo pranzo.
4. Ne compro un etto.
5. Ne leggo uno al mese.
6. Ne vorrei un chilo.

a. prosciutto crudo
b. libro
c. mela
d. pane
e. caffè
f. esami

8 Fill in the blanks, as in the example.

- Bevete tutto questo latte oggi?
- Sì, ...lo beviamo...... tutto. / No, ...ne beviamo...... solo un litro.

1. • Prendi tutti questi giornali?
   • Sì, ... tutti.
2. • Mangi tutta questa pasta?
   • No, ... solo un piatto.
3. • Conosci tutti i professori della scuola?
   • Sì, ... quasi tutti.
4. • Farai tutti questi esercizi?
   • No, ... solo alcuni.
5. • Inviterete tutte queste persone alla festa?
   • Sì, ... tutte.
6. • Perché preparate tutte queste torte?
   • .... tante perché alla festa verrà molta gente!
7. • Signora, quanti pomodori vuole? Due chili o tre chili?
   • .... solo un chilo, grazie.

9 Complete the past participles.

36TFF
SANTIAGO, ITALIA
UN FILM DI NANNI MORETTI

1. Bello il film di Nanni Moretti che mi hai regalato! L'ho vist...... ieri sera con Cristina, veramente bello.
2. Ti piace questo vestito? L'ho comprat...... nel negozio vicino alla banca.
3. Gli amici di Piero sono simpatici. Li ho conosciut...... alla sua festa.
4. Ti piacciono le mie scarpe? Le avevano regalat...... a mia sorella, ma lei non le metteva mai e le ha dat...... a me.
5. Marco, dove sono i regali per i bambini? Non li hai portat......?
6. L'email di Marta? Non l'ho ricevut......, quando l'ha mandat......?
7. Maria? L'ho vist...... ieri, ma non mi ha detto niente del suo nuovo lavoro.
8. Hai visto che bel mazzo di fiori? L'ho ricevut...... per il mio compleanno!
9. Non trovo le chiavi. Che strano, le avevo mess...... qui.

10 Re-write the part of the sentence in green, as in the example.

Non vedevo Mario da tanto tempo e ho incontrato Mario allo stadio.
Non vedevo Mario da tanto tempo *e l'ho incontrato allo stadio*.

1. Ho cercato i biscotti, ma non ho trovato i biscotti.
   Ho cercato i biscotti, ...
2. Non ho salutato Alice perché non ho visto Alice.
   Non ho salutato Alice ....
3. Ho scritto due email ma non ho spedito le email.
   Ho scritto due email ....
4. Abbiamo chiuso le finestre ma il vento ha aperto le finestre.
   Abbiamo chiuso le finestre ....
5. Ho comprato un nuovo libro ma ho dimenticato il libro da Lidia.
   Ho comprato un nuovo libro ....
6. Devo rifare il passaporto perché ho perso il passaporto.
   Devo rifare il passaporto ....

11 Complete the answers with *ne* and the *passato prossimo*.

1. • Avete visitato tutte le chiese di Roma?
   • No, siamo stati a Roma pochi giorni: ....
   solo tre o quattro, le più importanti.
2. • Hai invitato tutti i tuoi amici al matrimonio?
   • No, ... solo alcuni.
3. • Quanti caffè hai bevuto da stamattina?
   • .... solo due.
4. • Sofia, hai grattugiato il formaggio?
   • Non ho avuto molto tempo, ... solo un po'.
5. • Hai sentito l'ultima canzone di Mahmood?
   • .... molte, ma l'ultima non l'ho ancora sentita.
6. • Fabio, quante foto hai mandato ai tuoi compagni?
   • Veramente, ... nessuna.
7. • Hai incontrato i tuoi professori alla presentazione del libro?
   • .... solo uno, gli altri non sono potuti venire.
8. • Signor Gigli, ha fatto tutti gli esercizi di inglese?
   • No, ... un po', ma non li ho finiti.

12 Fill in the blanks with *lo*, *la*, *li*, *le* or *ne* and the *passato prossimo* forms of the verbs.

1. Di scarpe .... (comprare, io) molte, però queste sono le più comode.
2. Le ragazze, Natalia .... (incontrare) in biblioteca: erano andate lì per studiare.

3. Io, di cani, ... (avere) tre e .... (amare) molto.
4. I film di Benigni, ... (vedere) tutti, ma quello che mi piace di più è *La vita è bella*.
5. Belle canzoni a Sanremo, no? .... (sentire) molte e quella di Achille è la migliore!
6. Di gente simpatica, a quella festa, ... (conoscere) proprio poca!
7. Il tiramisù .... (mangiare) tutto i ragazzi, ma se vieni a pranzo da noi domenica ne faccio un altro.
8. Di case, io e Grazia .... (vedere) almeno dieci, ma erano tutte molto care.

13 **Fill in the blanks, as in the example. Be sure to use the correct tense!**

- Carlo ha cambiato casa? Quando?
- Un mese fa, *l'abbiamo saputo* da sua sorella.

1. • La settimana prossima c'è il concerto di Arisa!
   • ...., abbiamo già comprato i biglietti.
2. • Simpatica, no, la nuova professoressa d'italiano?
   • Sì, molto, ... ieri.
3. • Chi sono i signori Wolff?
   • Sono dei signori di Bonn, ...
   quando sono andato in vacanza alle Maldive.
4. • Anna, Francesco parte per gli Stati Uniti!
   • Davvero? Non ....! Tu quando l'hai saputo?
5. • Papà, ha chiamato il professor Perrone. Ma chi è?
   • Ah, ... molti anni fa a Torino, eravamo colleghi.
6. • Dovevate portare i documenti per l'abbonamento alla metro...
   • Davvero? Non .... Possiamo portarli lunedì?

14 **Complete the dialogue with the expressions below.**

cosa posso fare ♦ *sei molto gentile* ♦ *Mi puoi aiutare*
ti aiuto ♦ *ho bisogno del tuo aiuto* ♦ *Mi dispiace*

Kate: Ciao, Angelo, ... (1).
Angelo: Ciao Kate, ... (2) per te?
Kate: Sai, devo scrivere una mail alla scuola di italiano e non voglio fare errori. .... (3)?
Angelo: .... (4), ma adesso non posso. Possiamo scriverla oggi pomeriggio?
Kate: Credi che avrai abbastanza tempo?
Angelo: Certo, vedrai, non ci metteremo tanto.
Kate: Grazie, ... (5)
Angelo: Figurati, lo sai che se posso, ... (6) volentieri.

15 Complete the sentences as in the examples. Put the pronoun after the infinitive verbs in the odd-numbered sentences (1, 3, 5) and before the modal verbs in the even-numbered ones (2, 4, 6).

Se è finito lo zucchero / posso portare io un pacco di zucchero.
Se è finito lo zucchero, *posso portarne io un pacco.*
Se è finito lo zucchero, *ne posso portare io un pacco.*

1. Mi dispiace, il vestito che piace a Lei non c'è / Vuole vedere un altro vestito?
   Mi dispiace, il vestito che piace a Lei non c'è. ....?
2. I biscotti che ho comprato sono molto buoni / vuoi assaggiare un biscotto?
   I biscotti che ho comprato sono molto buoni, ...?
3. È finito il latte / puoi comprare il latte?
   È finito il latte, ...?
4. Ho già bevuto un bicchiere di vino / non voglio bere un altro bicchiere.
   Ho già bevuto un bicchiere di vino, ...
5. Ti è piaciuta la torta? / Vuoi mangiare un'altra fetta di torta?
   Ti è piaciuta la torta? ....?
6. Sono stato a Torino e / ho potuto visitare tutta Torino.
   Sono stato a Torino e ....

Piazza San Carlo, Torino

16 Change the highlighted parts in the email using the direct object pronouns or *ne*, as in the example.

Re: Arrivo!!!

A: Giulia

Ciao, come stai? Qui tutto bene. Quest'anno devo studiare veramente tanto, ho un sacco di esami da fare e, se voglio finire l'università l'anno prossimo, devo fare sette esami (1) questo mese. La settimana scorsa ho fatto un esame (2) importante, ma non so ancora se ho passato l'esame (3). Nella tua mail chiedevi di Aldo, ma sai che non vedo Aldo (4) da un paio di settimane? Sai chi ho visto ieri in centro? Camilla e Teresa. Erano con noi al corso di inglese, ricordi? Ho incontrato Camilla e Teresa (5) in un negozio: all'inizio non avevano riconosciuto me (6), poi ho salutato Camilla e Teresa (7) e abbiamo cominciato a parlare. Salutano te (8) tanto. Ho il loro numero di telefono. Se vuoi, puoi chiamare Camilla e Teresa (9) o possiamo uscire con loro quando arrivi... Sono proprio contenta che vieni! Aspetto te (10) la prossima settimana.
Un abbraccio, Piera

1.	*devo farne sette/ne devo fare sette*	6.	....
2.	....	7.	....
3.	....	8.	....
4.	....	9.	....
5.	....	10.	....

Invia

17 Complete the dialogue with the words/expressions provided.

vasetti ♦ *etti* ♦ *pacco* ♦ *scatolette* ♦ *in offerta* ♦ *lista della spesa*
al chilo ♦ *quanti ne vuole* ♦ *che cosa desidera* ♦ *vorrei*

- Buongiorno! Ho visto sulle Pagine Gialle che consegnate la spesa a casa. È vero?
- Certo, signora! Prego, ... (1)?
- Aspetti, ho fatto la .... (2). Allora: prosciutto...
- Abbiamo quello di Casa Modena .... (3).
- Ah, e quanto viene?
- 9 euro e 90 .... (4).
- Bene: ne prendo 2 .... (5). Poi .... (6) degli yogurt bianchi.
- .... (7)?
- Sei .... (8), grazie. Poi un .... (9) di biscotti e tre di penne integrali.
- Va bene. Qualcos'altro?
- No, basta così, grazie... Ah, dimenticavo... Silvio, il mio gatto! Tre .... (10) al pollo e due al pesce! Ecco... Adesso è tutto!
- Bene, allora passiamo all'indirizzo...

18 *I negozi.* Complete the chart. In the green column you will find the name of the most famous market in Venice.

1. Ci manda lì il dottore.
2. Vende pesce.
3. Vende anche cornetti.
4. Ci trovi l'ultimo best seller.
5. Ci compriamo i pomodori.
6. Ci andiamo anche per San Valentino!

19 a Choose the correct option.

1. • Noemi, hai la cartina della città di Napoli?
   • Sì, ce l'ho/ce l'abbiamo.
2. • Ragazzi, avete i libri?
   • No, non ce le abbiamo/ce li abbiamo.
3. • Tommaso, hai lo zucchero, per favore?
   • Sì, ce l'ho/ce l'ha!
4. • Professore, ha i risultati degli esami?
   • No, non ce l'ho/ce li ho ancora.
5. • Emanuela, è bellissima la tua borsa!
   • Grazie! Ce l'abbiamo/Ce l'ho da due anni.
6. • Marco, hai tu i fiori per la nonna?
   • No, ce l'hanno/ce li ha Alessia.

b Fill in the blanks, as in the example.

- C'è una tabaccheria in zona?
- Sì, ...*ce n'è*...... una proprio all'angolo.

1. - C'è una pizzeria qua vicino?
   - .... tante, ma la pizzeria "Bella Napoli" è la migliore.
2. - C'è il pane?
   - Sì, ... quasi un chilo.
3. - C'è una buona pasticceria qui vicino?
   - Sì, ... due. Una in via Piave e una in via Po.
4. - C'è un teatro in questa città?
   - Non .... solo uno, ma .... molti.
5. - Ci sono ancora quelle librerie che vendono libri di seconda mano vicino all'università?
   - No, non .... più. Hanno chiuso.
6. - C'è un fioraio vicino alla stazione? Vorrei prendere un mazzo di rose per Monica.
   - Sì, ... uno proprio dentro la stazione.

20 (43) Guido and Grazia are at the supermarket. Listen to the dialogue and mark the products they have purchased.

caffè ☐ crema idratante ☐ formaggio ☐ sugo barilla ☐ shampoo ☐

detersivo ☐ vino ☐ gel per capelli ☐ funghi ☐ dentifricio ☐ frutta ☐

olio ☐ olive ☐ sugo star ☐ mozzarella ☐ kinder allo yogurt ☐ latte ☐

21 Fill in the blanks with *ne*, *ci* and the direct object pronouns.

Chiara Tumi Ciao ragazzi! Mia zia mi ha regalato due biglietti per il concerto di Tiziano Ferro. A me non piace molto. Voi cosa .... (1) pensate?

Riccardo Spagnoli
Io .... (2) ho visto l'anno scorso: bravissimo! Secondo me, devi andare!

Giacomo Poloni
Tiziano Ferro non piace neppure a me. I biglietti, ... (3) puoi vendere on line!

Antonio Ruzza
Io, di concerti di Tiziano Ferro, ... (4) ho visti tre. Sono sicuro che, se vai, ti piacerà moltissimo.

Maura Dalto
Io, dei suoi concerti, ... (5) ho visti almeno 8! È fantastico. Se i biglietti .... (6) regali a me, ... (7) vado volentieri!

Elena Bergamin
Io, a un suo concerto, ... (8) sono andata l'anno scorso. C'era anche Carmen Consoli. Anche lei è bravissima! .... (9) ho sentita a quel concerto e poi ho comprato tutti i suoi vecchi CD!

22 Complete the text with the prepositions.

Che differenza c'è tra fare la spesa al mercato vicino ...... (1) casa e ...... (2) supermercato?

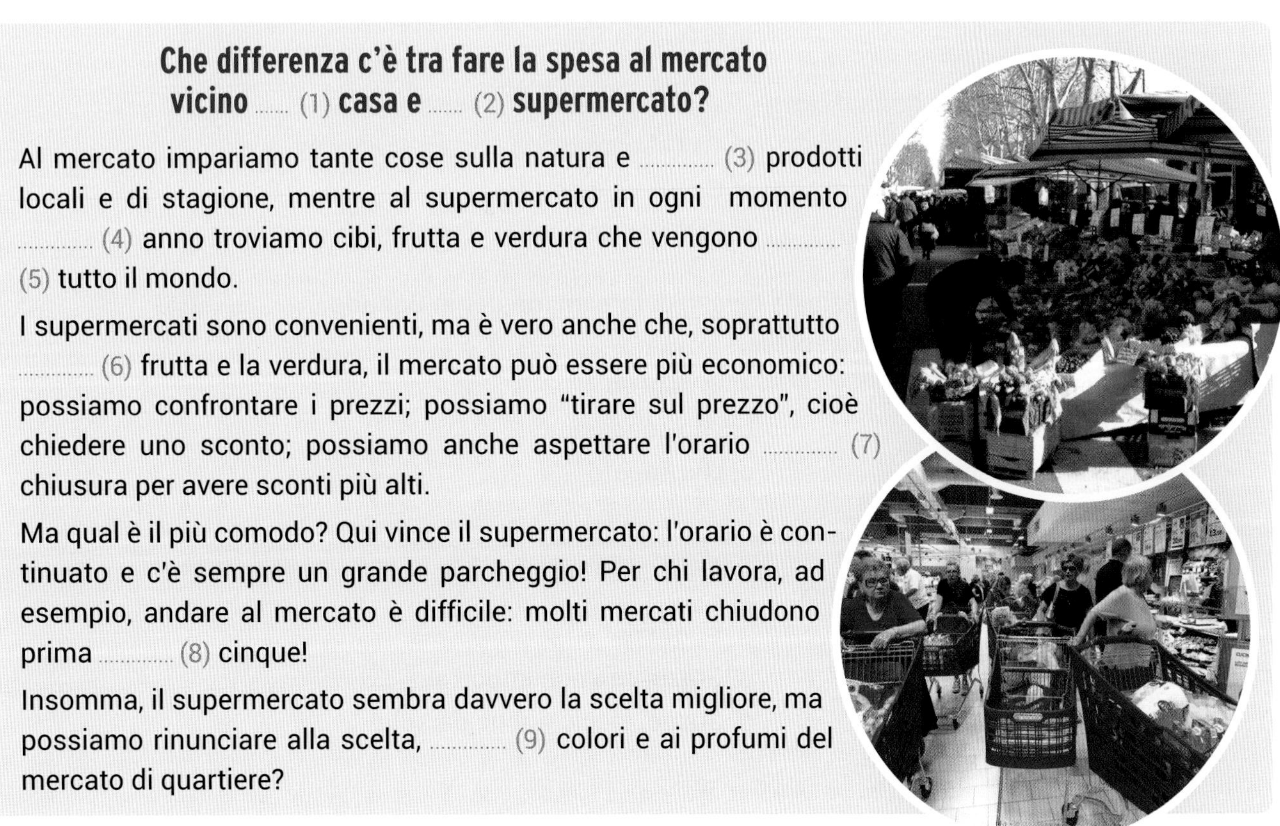

Al mercato impariamo tante cose sulla natura e .... (3) prodotti locali e di stagione, mentre al supermercato in ogni momento .... (4) anno troviamo cibi, frutta e verdura che vengono .... (5) tutto il mondo.

I supermercati sono convenienti, ma è vero anche che, soprattutto .... (6) frutta e la verdura, il mercato può essere più economico: possiamo confrontare i prezzi; possiamo "tirare sul prezzo", cioè chiedere uno sconto; possiamo anche aspettare l'orario .... (7) chiusura per avere sconti più alti.

Ma qual è il più comodo? Qui vince il supermercato: l'orario è continuato e c'è sempre un grande parcheggio! Per chi lavora, ad esempio, andare al mercato è difficile: molti mercati chiudono prima .... (8) cinque!

Insomma, il supermercato sembra davvero la scelta migliore, ma possiamo rinunciare alla scelta, ... (9) colori e ai profumi del mercato di quartiere?

1

Test finale

A Fill in the blue spaces with the direct object pronouns and *ne* and the red spaces with the correct prepositions.

Ho sempre desiderato un cane! .... (1) ho chiesto uno .... (2) miei genitori quando ho iniziato le scuole elementari, ma .... (3) quel periodo vivevamo in un piccolo appartamento in centro. Quando però siamo andati .... (4) vivere in periferia sono riuscito .... (5) convincere mio padre! Allora siamo andati al canile della città, dove ci sono molti cani abbandonati o nati per strada, e .... (6) abbiamo scelto uno. .... (7) ho trovato subito: piccolo, marrone, simpatico, Pablo! Pablo ama molto le giornate di sole e .... (8) passa a dormire in giardino. Il pomeriggio, quando torno da scuola, ... (9) aspetta sempre sulla porta! Due mesi fa, quando .... (10) abbiamo perso per cinque giorni, eravamo tutti disperati, anche mia sorella che dice sempre che non .... (11) vuole vedere! Insomma, Pablo è importante .... (12) tutta la nostra famiglia e quando .... (13) vediamo giocare, mangiare o correre, ... (14) fa stare tutti bene!

B Choose the correct answer.

1. Quel libro, ... (1) aveva regalato mio nonno a mia nonna. Se .... (2) prendi, devi stare molto attenta.

(1)	a. la	(2)	a. l'
	b. l'		b. ti
	c. le		c. lo

2. Di email .... (1) tre, ma non ho ricevuto nessuna risposta perché .... (2) a un indirizzo sbagliato.

(1)	a. ne ho spedite	(2)	a. vi ho spediti
	b. le ho spedite		b. ne ho spedite
	c. ne ho spediti		c. le ho spedite

3. Maria, che bella la tua gonna! Dove .... (1)? .... (2) anche in nero?

(1)	a. la compri	(2)	a. Ce l'abbiamo
	b. l'hai comprata		b. Ce lo avevano
	c. la compravi		c. Ce l'avevano

4. • Francesco, ... (1) che Patrizia ha deciso di fare un master in Canada?
   • Sì, ... (2) proprio ieri da sua sorella.

(1)	a. conoscevi	(2)	a. lo sapevo
	b. lo sapevi		b. l'ho conosciuto
	c. l'hai conosciuto		c. l'ho saputo

5. • .... (1), signora?
   • .... (2) Vorrei due chili di arance.

(1)	a. Ti posso aiutare	(2)	a. Sì, grazie!
	b. Vuoi una mano		b. Grazie, ma non importa!
	c. Ha bisogno di aiuto		c. Grazie, faccio anche da sola!

6. • .... (1) oggi perché domani sono molto occupata.
   • Va bene. A che ora .... (2) a prendermi?

(1)		(2)	
	a. Ho voluto vederti		a. vuoi passare
	b. Ti voglio vedere		b. sei voluto passare
	c. Ti vorrò vedere		c. vorrai passarmi

7. Ho comprato tre .... (1) di marmellata biologica in offerta speciale al .... (2).

(1)		(2)	
	a. vasetti		a. fruttivendolo
	b. chili		b. pasticceria
	c. pacchetti		c. supermercato

8. • Valeria, abbiamo preso tutto per la festa? Le bibite .... (1)?
   • Sì, ... (2) due bottiglie: una nella borsa rossa e un'altra in quella verde.

(1)		(2)	
	a. ce l'ho		a. ce ne sono
	b. ce le abbiamo		b. non c'è
	c. ce li avete		c. ce n'è

C Solve the crossword.

Orizzontali

3. Una cosa che non ti aspetti è una ... .
4. 100 grammi.
9. Hai studiato molto, ma non hai passato l'esame. Cosa dici?
10. Lo usiamo per lavare i denti.

Verticali

1. Un tuo amico vince la tombola di Natale. Cosa dici?
2. Lì prendiamo la torta per il compleanno di Antonio.
5. Per fare il pane servono acqua, farina, sale e ... .
6. 1000 grammi.
7. Un tuo amico doveva venire a trovarti, ma alla fine non verrà. Cosa dici?
8. Parte del corpo che "diamo" per offrire aiuto!

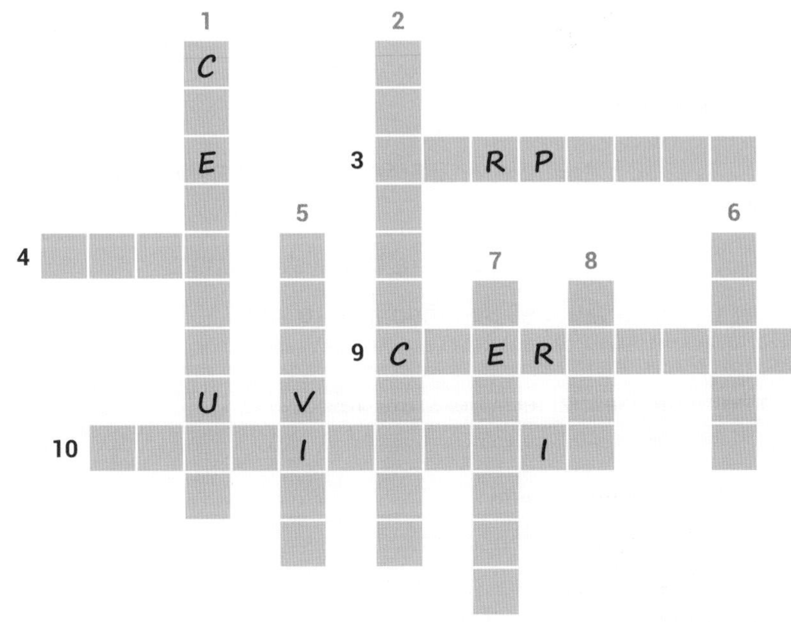

Risposte giuste: .... /40

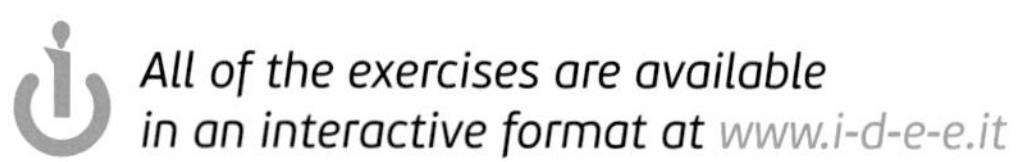

3° test di ricapitolazione

A Fill in the blanks with the articles and possessives.

1. Oddio! Ho dimenticato .... scarpe preferite a Roma!
2. Con Martina e Ennio vengono anche .... colleghi?
3. Dottor Ginetti, ecco .... insalata!
4. Sono questi .... occhiali da sole, signora?
5. Ragazzi, come si chiama .... gatta?
6. I signori Di Carlo hanno comprato una bella casa per .... figli.
7. Giovanni, abbiamo ricevuto .... invito, grazie!

.... /7

B Fill in the blanks with the possessives. Include the articles only if necessary.

1. Non abbiamo potuto chiamare Maria perché abbiamo perso .... numero di telefono.
2. Ha preso l'auto di .... padre perché .... moto non parte.
3. Fabrizio, come sta .... sorella? L'ho vista ieri al parco con .... bambini.
4. Valentina, è vero che sabato scorso era .... compleanno?
5. Lo stipendio di Roberto è molto basso, anche per questo non ama .... lavoro.
6. Dottor Pasquano, è arrivato .... figlio.
7. Noi abbiamo una sorella e un fratello: .... fratello si chiama Marco e .... sorella si chiama Cristina.

.... /10

C Fill in the blanks with the correct form of *volerci* or *metterci*.

1. Per andare a Milano in treno .... due ore con il Frecciarossa; il Regionale invece .... più di tre ore.
2. Non ho aspettato i ragazzi: .... troppo in palestra e io avevo fretta.
3. Nicola, quanto .... per fare il panettone? Secondo questo sito, ... solo tredici ore!
4. Lucia, quanto .... a finire gli esercizi ieri? Sei stata veloce!

.... /6

D Fill in the blanks with the correct form of *questo* and *quello*.

1. Con .... freddo è meglio accendere il camino.
2. .... signora seduta accanto a Maria è la moglie di Arturo.
3. Com'è bello .... orologio! È un regalo dei tuoi genitori?

4. Sono veramente comode .... sedie!
5. Vedi .... studenti vicino alla porta? Sono canadesi. .... /5

E Complete the answers with the correct pronoun and the *passato prossimo* form of the verb.

1. • Hai mai mangiato la caprese?
   • No, non .... mai .... E tu?
2. • Maria, quanti messaggi hai scritto a Luca?
   • .... solo tre!
3. • Avete preso il regalo per il compleanno di Cesare?
   • Sì, ... la settimana scorsa!
4. • Hai conosciuto gli amici di Matteo in vacanza?
   • Sì, ... Sono molto simpatici!
5. • Simona, hai visto le scarpe nuove di Giulia? Belle, eh?
   • Certo, ... sabato: lei .... per andare a teatro. Molto belle!
6. • Hai comprato la mozzarella?
   • No, non .... perché non era in offerta. .... /7

F Fill in the blanks with *mi piace*, *mi piacciono*, and *vorrei*.

1. .... Bologna! Secondo me, è una delle città più belle d'Italia.
2. .... andare all'estero, ma quando sono lì .... tornare a casa!
3. Non .... i ragazzi con i capelli lunghi.
4. Cameriere, ... un altro caffè, per favore.
5. I formaggi francesi .... molto! .... /6

G Complete the sentences with the correct form of the verbs.

1. incontrare/andare	Tu, prima, ... Paolo mentre .... in ufficio?
2. aspettare/andare	Ieri loro ti .... un po', ma poi .... via.
3. visitare/partire	Durante le vacanze andremo a Firenze e a Siena. Dopo che .... Firenze, ... per Siena.
4. fare/capire	Io ieri non .... i compiti perché non .... che cosa dovevo fare.
5. venire/avere	Domani io non .... perché .... da fare.
6. volere/lavorare	I miei genitori .... andare in vacanza, ma mio padre .... tutto il mese di agosto.
7. volere/trovare	Noi .... andare al concerto, ma non .... i biglietti.

.... /14

Risposte giuste: .... /55

Glossary p. 198

All of the exercises are available in an interactive format at www.i-d-e-e.it

Andiamo a fare spese

1 Fill in the blanks with the first-person present-tense forms of the reflexive verbs.

La mattina .... (1. svegliarsi) sempre presto, ... (2. alzarsi) con calma, ... (3. farsi) la doccia e .... (4. lavarsi) i denti. Poi .... (5. vestirsi) e faccio colazione.
Alle otto vado all'università e seguo le lezioni. Il pomeriggio studio e la sera di solito esco con i miei amici: andiamo in pizzeria o al bar. Con loro .... (6. trovarsi) bene e .... (7. divertirsi) molto.
Torno a casa sempre verso le undici, sto un po' su Internet e quando vado a letto .... (8. addormentarsi) subito.

2 Choose the correct option.

1. Giulia, prima di uscire, si guardava/guardava sempre le previsioni del tempo.
2. Tutte le mattine, prima di uscire, Giulia si guardava/guardava allo specchio.
3. Mario si sveglia/sveglia sempre alle sette.
4. Mario si sveglia/sveglia i suoi bambini alle otto.
5. Francesca si trova/trova molto bene con i nuovi colleghi.
6. Francesca non si trova/trova il suo cappotto rosso. Tu l'hai visto?
7. Come si chiama/chiama quel tuo amico francese?
8. Perché il tuo amico francese non si chiama/chiama il cinema per sapere gli orari degli spettacoli?

3 Fill in the blanks with the reflexive pronouns.

1. Io non .... pettino mai.
2. L'autobus .... ferma proprio sotto casa mia.
3. Fabio, la domenica .... svegli presto?
4. Stasera portiamo i bambini a casa di Francesca. Da lei .... divertono sempre tantissimo!
5. .... faccio la doccia e poi esco.
6. Lo sai che Riccardo .... laureerà a giugno? Finalmente!
7. Come .... chiamano i tuoi gatti?
8. Ragazzi, ... ricordate che abbiamo appuntamento alla stazione centrale alle 4, no?

4 Fill in the blanks with the reflexive verbs provided.

ti vesti ♦ mi alzo ♦ si mettono ♦ si trova ♦ ci divertiamo
mi arrabbio ♦ vi svegliate ♦ si addormentano

1. .... sempre tardi, per questo arrivate a lezione a quest'ora!
2. Debora e Fabrizio .... sempre i soliti vestiti.
3. Basta, Giorgio! Se continui così, ...!
4. Giulio .... in una situazione difficile, dobbiamo aiutarlo.
5. Quando usciamo con loro, ... sempre tanto: sono molto simpatici.
6. Quando vanno a letto, i bambini .... subito.
7. Perché .... in fretta? Sei in ritardo?
8. La mattina, appena ...., preparo il caffè.

5 Fill in the blanks with the correct form of the reflexive verbs.

1. Faccio una passeggiata nel parco e dopo .... (riposarsi).
2. Matteo non .... (addormentarsi) se la luce è accesa.
3. Sono sicuro che domani alla festa .... (divertirsi, voi) moltissimo.
4. .... (Ricordarsi, noi) di questo esame per tutta la vita: è stato veramente molto difficile.
5. I tuoi genitori non .... (preoccuparsi) se a quest'ora sei ancora fuori?
6. Da giovani, Anna e Lidia .... (vestirsi) sempre alla moda.
7. Quando abitava fuori città, Margherita .... (alzarsi) sempre molto presto.
8. Vedrai che Cesare, quando avrà conosciuto meglio i suoi colleghi, ... (trovarsi) benissimo a Bari, la sua nuova città.

6 Complete the sentences with the verbs provided. Note: there are two extra verbs!

vi parlate ♦ ci vediamo ♦ si mettono ♦ si sposano ♦ si conoscono
ci guardiamo ♦ ci sentiamo ♦ si lasciano ♦ vi scrivete

1. Marcello e Lisa .... perché non stanno più bene insieme.
2. Oggi le giovani coppie .... sempre di meno.
3. Perché tu e Vittoria non .... più? Avete litigato?
4. Mia madre e mio padre .... dai tempi dell'università.
5. Io e Manuel, il mio ex, ... domani!
6. Io e Fabiana .... spesso per telefono.
7. Lo sai che forse Elisabetta e Simone .... insieme?

7 Complete the answers to the questions.

1. • È vero che il mese prossimo Alberto si sposerà?
   • Sì, Alberto e Adele .... il 23 marzo.
2. • Riccardo, quando ti laureerai?
   • Ormai è sicuro, ... a ottobre.
3. • Silvia, ti ricordi di comprare i pantaloni per la montagna?
   • ...., stai tranquillo. Lo so che domenica abbiamo il trekking!
4. • Paola, ti presento Giulia. Vi conoscete già?
   • No, non ...., anche se abitiamo nello stesso palazzo.
5. • Eleonora, ti metti la giacca rossa?
   • No, ... la giacca nera con il vestito rosso: è più elegante.
6. • Davvero ogni giorno prendete il treno per Milano da Vicenza? Ma non vi stancate?
   • Certo che ...., ma non ci piace guidare.

8 Complete the past participles.

1. Certo che ci siamo sedut......... in metro! Alle 6 di mattina, quando la prendiamo noi, ci sono sempre posti liberi.
2. In albergo non c'era l'acqua calda e Marcella e io non ci siamo fatt......... la doccia!
3. Ragazzi, dove siete? Perché non siete ancora arrivati? Siamo preoccupat......... per voi!
4. Sara e Francesca si sono incontrat......... per caso sul treno per Milano.
5. Sono dovuto uscire in fretta e non mi sono fatt......... neppure la barba.
6. Mi sono stancat......... perché sono stato molte ore in piedi.
7. Angela si è laureat......... l'anno scorso.
8. Juan e Pedro si sono trovat......... molto bene in Italia.

9 Fill in the blanks with the correct tense of the verbs, as in the example in blue.

1. Se Lucia non ....*si sbrigherà*.......... (sbrigarsi), arriveremo in ritardo all'appuntamento.
2. Conosco il signor Rossi da molti anni: è molto simpatico e .... (darsi) del tu.
3. Non appena le ragazze .... (mettersi) il cappotto, usciranno a fare una passeggiata al parco.

4. Roberta e Claudio .... (guardarsi) per qualche minuto: non riuscivano a capire dove si erano già visti.
5. Andrea .... (innamorarsi) subito di Silvia, non appena l'ha vista.
6. • Perché ci hai messo tanto?
   • .... (Addormentarsi) sul divano dopo pranzo!
7. Io e Rosa, da piccole, a scuola .... (annoiarsi) così tanto che .... (addormentarsi)!
8. Patrizia, scusa tanto! .... (Dimenticarsi) dell'appuntamento!

10 Complete the sentences in the past tense.

1. Ogni volta che vado a raccogliere funghi mi perdo... Anche la settimana scorsa ....!
2. Luisa si trova bene qui a Roma? Ma come .... a Napoli l'anno scorso?
3. Ada si alza spesso durante la notte per bere un bicchiere d'acqua. Ieri notte .... tre volte.
4. Ci fermiamo pochi giorni in Italia perché .... più di una settimana dai miei in Francia.
5. Ogni volta che Lidia e Filippa vanno in palestra si sentono in forma. Ieri però .... male perché faceva troppo caldo.
6. Di solito, quando mi sveglio sono sempre positivo e tranquillo. Ieri, però, quando ...., ero molto agitato.

11 Complete the dialogue with the words and expressions provided below.

che taglia *molto elegante* *vetrina* *lo sconto* *desidera* *il camerino* *è un po' larga* *quanto costa*

commessa: Buongiorno. .... (1)?
Giovanna: Buongiorno, vorrei provare la gonna blu in .... (2).
commessa: Ah sì, è molto bella, ... (3)! .... (4) porta?
Giovanna: La 42.
commessa: Prego, ... (5) è in fondo a destra.
Come va la gonna?
Giovanna: .... (6)... Posso provare la taglia più piccola?
commessa: Sì, ma ce l'abbiamo solo in rosso.
Giovanna: Mmh... Bella anche in rosso! .... (7)?
commessa: 65 euro, ma con .... (8), vediamo... 58 euro.
Giovanna: Perfetto, la prendo!

12 Find the names of articles of clothing and accessories in the string of words below. Using the remaining letters, fill in the blank with the name of the type of hat worn by the men in the photo!

guanticappottoccinturacalzegiubbottooscarpe ppantalonigonnapoocchialilsciarpaacamicia

La .... è il classico cappello maschile da lavoro, molto popolare sia in America che in Europa agli inizi del ventesimo secolo. In Italia lo vedete in tantissime fotografie del secolo scorso ed è ancora molto diffuso in Sicilia, Calabria e Sardegna.

13 Answer the questions, as in the examples.

- A che ora devi alzarti per andare a scuola?
- *Mi devo alzare* alle sette. / • *Devo alzarmi* alle otto.

1. • Silvia, da cosa vuoi travestirti per la festa di Carnevale da Mario?
   • .... da Cleopatra!
   • Non ....! Preferisco non andare alla festa.
2. • Perché non vi volevate svegliare presto?
   • Non .... presto perché eravamo andati a letto tardi.
   • Noi non .... presto perché eravamo molto stanchi.
3. • Secondo te, mi devo preoccupare per Giorgia?
   • No, non ....: è una brava ragazza!
   • Secondo me, non ....: andrà tutto bene, vedrai!
4. • A che ora dovete incontrarvi tu e tuo cugino oggi?
   • .... alle 4 in piazza Bra.
   • Non .... oggi, ma domani.
5. • Sbaglio o io, te ed Elena ci dobbiamo vedere oggi?
   • Non sbagli, ... alle 9 per fare delle foto.
   • Infatti, ... per fare la pizza con i bambini!

14 Complete the sentences, as in the example. Put the pronoun before the modal verbs in the even-numbered sentences (2, 4, 6) and after the infinitive verbs in the odd-numbered ones (1, 3, 5).

doversi pettinare

Mi sono dovuto pettinare per andare a scuola! / *Ho dovuto pettinarmi* per andare a scuola!

1. **volersi svegliare**
   Io .... presto per andare a correre.
2. **doversi sbrigare**
   Noi .... per non perdere il treno.

3. **doversi fermare**
Anna e Luisa .... perché avevano sbagliato strada.

4. **potersi alzare**
Sono stato male e per una settimana non .... dal letto!

5. **volersi vestire**
I ragazzi .... con abiti sportivi anche per la loro laurea.

6. **volersi mettere**
Lia e Francesca .... le scarpe con il tacco per la festa di Giulia.

15 Silvia and Gioia go shopping together. Put the dialogue in order.

- [ ] *Silvia:* Beh, è così il modello! Vabbè, andiamo a vedere i vestiti. Ecco. Che te ne pare di questo? Ti piace? Va bene per il matrimonio di Eleonora, no?
- [ ] *Silvia:* Oh, ma oggi non ti piace proprio niente!?
- [1] *Silvia:* Gioia, la compro questa gonna? Che ne pensi? Ti piace?
- [5] *Silvia:* Mmh... Dici?
- [ ] *Gioia:* Non so... Forse non mi piace molto nemmeno il colore. Non c'è in grigio?
- [ ] *Gioia:* Veramente... Mi sembra un po' corta... Non c'è più lunga?
- [ ] *Gioia:* Mah... lo trovo un po' troppo... sportivo, per un matrimonio.

16 Change the sentences using the *si impersonale*.

Giochi

1. Quando uno è in vacanza, spende tanto. ➔ ....
2. Uno studia meglio con un amico. ➔ ....
3. Se uno cammina un'ora al giorno, sta bene. ➔ ....
4. In Italia la gente di solito pranza all'una. ➔ ....
5. Al ristorante "Da Pino" uno mangia bene. ➔ ....
6. Non scriviamo sui libri della biblioteca. ➔ ....

17 **a** Complete the sentences with the impersonal form of the verbs provided.

aiutarsi ♦ *darsi* ♦ *presentarsi*
sentirsi ♦ *svegliarsi* ♦ *vestirsi*

1. In Italia, si dà la mano quando ....
2. Quando si fa tardi la sera, ... con difficoltà.
3. Tra amici .... del tu.
4. Qualche volta, quando si ha fretta, ... male.
5. Tra colleghi .... sempre.
6. Dopo un lungo viaggio .... molto stanchi.

b What do people do during a beach vacation? Write a short sentence for each photograph. Use the *si impersonale*.

andare a ballare • *riposarsi* • *uscire con gli amici*
giocare con gli altri • *rilassarsi in spiaggia* • *alzarsi tardi*

18 Re-write the sentences, as in the example.

Quando uno sta bene, è felice. → *Quando si sta bene, si è felici.*

1. Con tutti questi social, uno non è mai sicuro di sapere la verità.
2. Dopo una bella passeggiata, mi sento più forte.
3. Quando uno lavora troppo, si stanca.
4. Se uno guarda un film di Verdone, ride!
5. Quando sono nervoso, non riesco a dormire.

19 Put the words in order to form a sentence. Start with the highlighted words.

1. tanto | preoccuparsi | per | è | inutile | niente
2. è | questo | impossibile | lavoro | prima | finire | di | domani.

3. leggere | per fare | questo | è | necessario | libro | l'esame

....

4. per trovare | vestiti | provare i | giusta | bisogna | la taglia

....

5. possibile | sconto | avere | è | un piccolo

....?

20 Find the word that doesn't belong.

1. stile | lana | cotone | seta
2. classico | sportivo | moderno | tessuto
3. prezzo | saldi | sconto | cappotto
4. a fiori | a righe | blu | stivali
5. stretto | indossare | largo | corto
6. borsa | jeans | cintura | occhiali da sole

21 Listen to the dialogue and choose the correct answer.

47

1. Il cliente cerca
   a. un paio di occhiali
   b. due paia di occhiali
   c. degli occhiali piccoli

2. Il ragazzo non compra il primo modello perché
   a. ha solo lenti da miopia
   b. la montatura è troppo leggera
   c. la montatura non è leggera

3. Il modello di Armani che prova costa
   a. 240 €, senza lo sconto
   b. 240 €, senza le lenti
   c. 270 €, comprese le lenti

4. Il ragazzo non compra i Dolce&Gabbana perché
   a. il prezzo è alto
   b. non gli piacciono
   c. si preoccupa della qualità

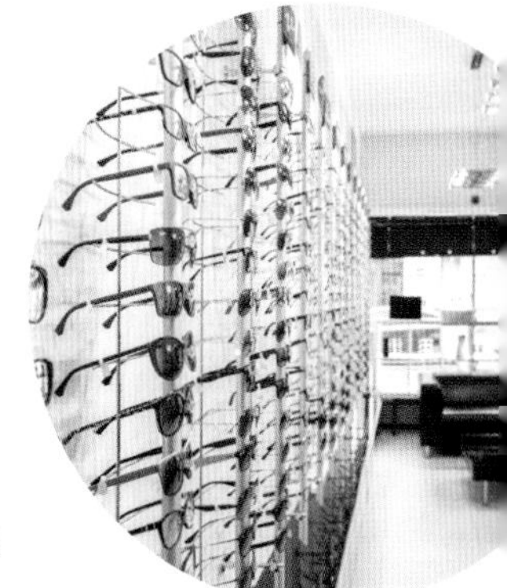

22 Complete the paragraph with the correct form of the verbs (blue spaces) and prepositions (green spaces).

L'operaio Arturo Massolari lavorava .... (1) notte e finiva .... (2) sei. Durante la bella stagione tornava a casa .... (3) bicicletta; in inverno, invece, in tram. Arrivava a casa .... (4) le sei e trequarti e le sette. Più o meno quando arrivava, ... (5. svegliarsi) sua moglie, Elide. La moglie .... (6. alzarsi) e andava in cucina, dove Arturo aveva già preparato il caffè. A volte lui entrava in camera e la svegliava, ... (7) la tazzina del caffè. A quell'ora, la casa era ancora un po' fredda, ma Elide .... (8. spogliarsi) e .... (9. lavarsi). Poi andava .... (10) camera e .... (11. vestirsi). Quando era pronta, ... (12. mettersi) il cappotto, apriva la porta e lei e Arturo .... (13. darsi) un bacio.

adattato da *Gli amori difficili*, I. Calvino

23 Shopping online. Sales are happening and Michela wants to buy some things. Help her choose the correct articles of clothing. Read the list and complete the matching exercise.

A Fill in the blanks with the correct form of the verbs.

Come ogni giorno, anche oggi Maddalena .... (1. svegliarsi) alle 7.30, ... (2. alzarsi) subito ed è andata in cucina a fare colazione. Dopo .... (3. farsi) la doccia e ha iniziato a .... (4. prepararsi). Oggi, però, è una giornata speciale perché Maddalena .... (5. incontrarsi) con Riccardo. Non .... (6. vedersi) da un anno, però negli ultimi mesi .... (7. sentirsi) spesso su Facebook. Maddalena guarda tutti i suoi vestiti, ma niente sembra adatto per l'appuntamento... Alla fine, già in ritardo, ... (8. vestirsi) in fretta: .... (9. mettersi) i soliti jeans, il suo maglione preferito ed esce di casa senza prendere il regalo che aveva comprato per Riccardo.

B Choose the correct answer.

1. Stamattina .... (1) tardi perché ieri sera sono andato in discoteca con Gianfranco: .... (2) un sacco!

(1)	a. mi sono alzato	(2)	a. ci divertivamo
	b. mi ero alzato		b. ci siamo divertite
	c. mi alzavo		c. ci siamo divertiti

2. Anche se .... (1) da un anno, Marisa e Mario continuano a .... (2) come due vecchi amici.

(1)	a. si lasceranno	(2)	a. vederli
	b. si sono lasciati		b. vederci
	c. si lasciavano		c. vedersi

3. Ogni volta che Gianni e io ci vedevamo non .... (1) perché eravamo in ritardo e non .... (2).

(1)	a. ci salutavamo	(2)	a. ci potremo fermare
	b. ci salutiamo		b. ci possiamo fermare
	c. ci saluteremo		c. ci potevamo fermare

4. Per favore, Francesco! Oggi non .... (1) perché .... (2) di buon umore.

(1)	a. voglio arrabbiarmi	(2)	a. mi ero svegliata
	b. mi voglio arrabbiato		b. mi sveglio
	c. volere arrabbiarmi		c. mi sono svegliata

5. .... (1) così elegante perché .... (2) con mio suocero.

(1)	a. Avevo dovuto vestire	(2)	a. ti devi incontrare
	b. Mi sono dovuto vestire		b. devo incontrarmi
	c. Sono dovutomi vestire		c. si dovrà incontrare

6. • Scusi, ... (1) questi pantaloni?
   • .... (2)

(1)	a. dov'è il camerino	(2)	a. Certo. Che taglia porta?
	b. quanto costano		b. Certo, c'è lo sconto.
	c. posso provare		c. Certo, non ci sono in nero.

7. • Ho comprato questo nuovo cappotto. .... (1) Ti piace?
   • Sì, anche se .... (2) troppo lungo.

(1)	a. Che ne pensi?	(2)	a. secondo te
	b. Secondo te?		b. lo trovo un po'
	c. D'accordo?		c. non lo vedo

8. In quel ristorante .... (1) molto bene, ma .... (2) prenotare un mese prima.

(1)	a. ci si mangia	(2)	a. è necessario
	b. si mangia		b. è possibile
	c. uno mangio		c. è bello

C Solve the crossword.

9 1 1 2 3 8 4 7 6 5

	1								2		
1							T				3
	N				4				C		
			5				6				
							T				
7						P					
			I								
			A	8						T	
9				P		T					
							O				

Risposte giuste: .... /35

Giochi

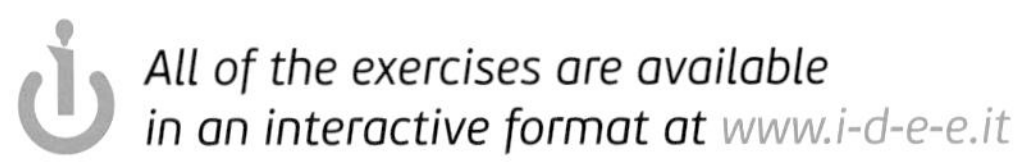

Che c'è stasera in TV?

Glossary p. 199

1 Complete the matching exercise.

1. Se ti piace questo vestito,
2. Fra poco verrà Antonio
3. Signor direttore,
4. Amiamo moltissimo la musica
5. Franco, Camilla,
6. Quando mi scrive Luca...
7. Quando vado da Giovanna,
8. Se vedi Umberto ed Emilio,

a. vi piacciono i documentari storici?
b. divento nervosa!
c. e gli chiederemo di accompagnarci con l'auto.
d. e ci piace soprattutto andare ai concerti.
e. le chiedo i suoi appunti di storia.
f. puoi prenderlo.
g. gli dici che voglio parlare con loro?
h. Le telefono appena arrivo in ufficio.

2 Fill in the blanks with the indirect object pronouns and the verb, as in the example.

1. Professore, *ci spiega* (spiega a noi) i pronomi indiretti?
2. Ho saputo che Aldo ha cambiato lavoro: stasera .... (telefonerò ad Aldo) per saperne di più.
3. Signora, se questa gonna non .... (piace a Lei), ne abbiamo una a fiori molto bella.
4. Ho letto questo libro e .... (a me è sembrato) molto interessante.
5. Tullio, ... (lascio a te) le chiavi sul tavolo della cucina!
6. Domani è il compleanno di Elena: cosa .... (regali a Elena)?
7. Pronto, Chiara? Mi senti? .... (spedirò a te e alla mamma) il pacco nei prossimi giorni.
8. Stasera, al bar, vedrò Sara e Gioia e .... (chiederò a Sara e a Gioia) come è andato il loro primo giorno di lavoro.

3 Choose the correct option.

1. Quando verrete, ti/vi/ci faremo vedere la nostra città.
2. Ragazzi, anche se sarete in vacanza, Le/gli/ci promettete di mandare almeno un messaggio al giorno? Lo sapete che io e la mamma ci preoccupiamo!
3. Marco non guarda la TV con noi perché non gli/ti/mi piacciono le soap opera!
4. Anna, Le/ti/le piace il mio nuovo cappotto?
5. Signora Rossetti, Le/ci/ti dispiace telefonare più tardi?
6. Scusi, di questi pantaloni c'è una taglia più grande? Ti/Le/Mi sembrano un po' stretti.
7. Domani è il compleanno di Luisa: gli/le/ti farò gli auguri.
8. Ragazzi, ti/mi/vi dispiace ma è finita anche l'aranciata. Da bere c'è solo l'acqua.

4 **Fill in the blanks with the indirect object pronouns.**

1. Il cinema? Non .... piace molto, preferiamo andare a teatro.
2. Mario, ... risponderò appena troverò un po' di tempo libero.
3. Signor Rossi, ... dispiace se apro la finestra?
4. Ragazzi, quando .... telefonerà il direttore per confermare l'appuntamento?
5. Non .... interessa vestirmi alla moda, anche se i capi di abbigliamento di alcuni stilisti italiani sono veramente belli.
6. È da tanto che non sentiamo Angela: domani .... scriviamo una mail.
7. La settimana prossima Maria e Piero faranno una festa: .... dobbiamo comprare un regalo.
8. Gianni non ha telefonato: forse non .... interessa venire in gita con noi.

5 **Complete the story with the direct (red spaces) and indirect (blue spaces) object pronouns.**

Ieri ho visto Paolo, ti ricordi, il nostro compagno del liceo. Non lo vedevo da anni! All'inizio non .... (1) aveva riconosciuto, poi .... (2) ho chiamato e abbiamo chiacchierato un po'. .... (3) ha raccontato che da più di due anni vive in Francia ed è qui solo per le vacanze. Dice che .... (4) piace vivere lì, ma vorrebbe tornare in Italia. in Francia, però, ha conosciuto una ragazza, Natalie. .... (5) parla spesso del nostro Paese e quando torna in Francia, dopo le vacanze, pensa di chieder............ (6) di tornare qui insieme a lui. .... (7) ha anche detto che possiamo andare a trovar............ (8) quando vogliamo!

6 **Fill in the blanks with the indirect object pronouns and the *passato prossimo* form of the verbs.**

1. Stefania, perché non .... (dire a noi) che volevi partecipare al talent show del sabato sera? Ti avremmo aiutata!
2. Non .... (inviare a te) le foto, perché ho perso il cellulare.

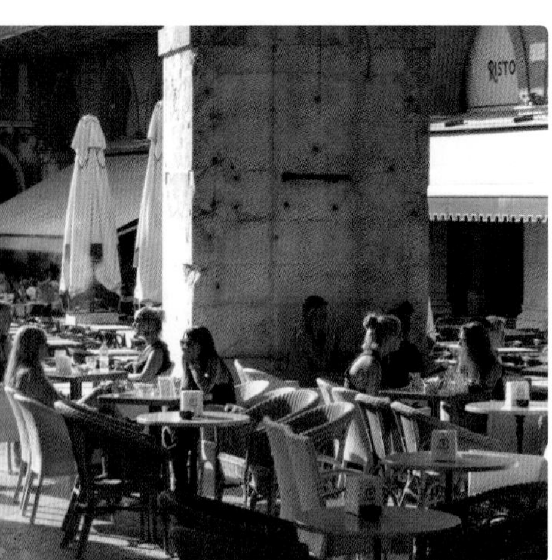

3. Quando Luigi e Giovanni sono arrivati, ... (presentare a loro) i miei amici.
4. Quella vacanza .... (fare a voi) veramente bene.
5. Maria .... (proporre a me) di andare ad abitare da lei.
6. Ho visto Maurizio, ma non .... (dire a lui) che la settimana prossima parto per gli Stati Uniti.
7. Hai parlato con Tiziana? E .... (chiedere a lei) se è libera sabato pomeriggio?
8. Abbiamo incontrato i signori Dardano in centro e .... (offrire a noi) un caffè.

7 **Fill in the blanks with the direct or indirect object pronoun and the *passato prossimo* form of the verbs.**

1. L'email al direttore? Certo, ... (ho mandato l'email) una settimana fa.
2. Ho ricevuto un messaggio da Valerio, ma non .... (ho risposto a lui).
3. Monica, la trasmissione di ieri sera .... (è piaciuta a te)?
4. Gli zii .... (hanno fatto a noi) gli auguri per telefono.
5. Le lasagne da Pino sono buonissime! .... (abbiamo mangiato le lasagne) sabato scorso.
6. Ragazze, ... (sono arrivati a voi) i file? .... (ho inviato i file) ieri.
7. Sono arrivato tardi e non .... (hanno lasciato me) entrare anche se lo spettacolo era iniziato da poco.
8. Signora, come .... (è sembrato a Lei) il nuovo vicino? .... (trova il vicino) simpatico?

8 **Fill in the blanks with the correct form of the verb *piacere* in the *passato prossimo*.**

1. La tua amatriciana era veramente buona. Mi .... tanto!
2. Siamo andati a vedere delle macchine elettriche. Ci .... molto, ne prenderemo una.
3. Vi .... i biscotti? Ne abbiamo comprato un altro pacco.
4. Ho regalato a mio fratello dei libri, ma mi ha detto che non gli ....
5. Ti .... lo spettacolo ieri sera? Io l'ho trovato interessante!
6. Non mi .... la festa di Ezio: c'era poca gente e non mi sono divertito per niente.

Pasta all'amatriciana

9 **Answer the question, as in the example: insert the pronoun (*diretto*, *indiretto*, *ci* or *ne*) before the modal verbs in the odd-numbered sentences and after the infinitive verbs in the even-numbered ones. Refer also to the *Approfondimento grammaticale* on page 190.**

- Vuoi assaggiare questo salame? • Sì, *lo voglio assaggiare.* / • Sì, *voglio assaggiarlo.*

1. • Potete dare questo libro a Lia? • No, ma .... a sua cugina.
2. • Devi scegliere un vestito da sera? • Sì, ... uno nero.
3. • Cosa vuoi dire a Giorgio? • .... che ha passato l'esame.
4. • Puoi aiutarmi con la ricerca di storia?
   • Mi dispiace, non ...., ho da fare.
5. • A che ora devi prendere il treno? • .... alle 18.
6. • Perché non vuoi invitare Laura? • Non .... perché mi è antipatica.
7. • Che documenti ci devi mandare per il viaggio? • .... la carta d'imbarco.
8. • Vuoi restare a Milano? • Certo che ....: è bellissima!

10 Complete the dialogues with the expressions provided.

mi sembrano ♦ *mi presti* ♦ *mi pare giusto*
mi dai una mano ♦ *puoi farmi un favore*

- Tesoro, ... (1)? Preparo la pizza per la festa di Marta...
- La pizza? Perché la prepari tu se la festa è di Marta?
- Perché abbiamo deciso che ognuno porta qualcosa!
- Ah, ok, ... (2)!

- Valerio, ciao, sono io, Chiara.
- Ehi Chiara!
- Senti, ... (3) i tuoi appunti di geografia? Ho quelli di Lorenzo, ma non .... (4) completi...
- Certo, non c'è problema. Se vuoi, ci possiamo incontrare domani all'università.
- Ok! Ah, senti... .... (5)?
- Certo!
- Non dire niente a Lorenzo...

11 Complete the dialogue with the words provided.

intrattenimento ♦ *quiz televisivi* ♦ *documentario* ♦ *spettatori*
onda ♦ *fiction* ♦ *l'abbonamento* ♦ *puntate* ♦ *trasmissioni*

- Che fai? Guardi la TV?
- Sì, è per il corso di italiano: devo leggere la guida ai programmi tv... Ma non capisco molto...
- Dai, ti do una mano... Anche se da quando ho fatto .... (1) a *Timvision* non guardo più la tv... Vedo solo le .... (2) sportive... Comunque cos'è che non capisci?
- Beh, stasera, ad esempio, va in .... (3) *Le Iene*... Ma cos'è? Un documentario?
- Ahaha! No, è un programma di .... (4) molto intelligente!
- Ah! Poi... vediamo... su Canale 5 dice "Mike Bongiorno", ma non è un film, è una .... (5). Cioè?
- È una specie di serie tv, ma più breve, di solito sono solo due .... (6)... Anche questa vale la pena vederla: Mike Bongiorno è stato uno dei più grandi conduttori di .... (7) del ventesimo secolo e ha avuto una vita piena di avventure!
- Allora guardiamo questo stasera!
- Eh no, guarda, stasera c'è un .... (8) di Alberto Angela! Mostra sempre i posti più belli d'Italia e lo seguono milioni di .... (9)! Guardiamo questo! Accidenti! Altro che film in streaming... Alla fine la TV non è male!

12 Complete the second-person singular (*tu*) form of the imperative and discover 8 rules for a healthy lifestyle.

1. Mangi...... molta frutta e verdura.
2. Bev...... almeno un litro e mezzo di acqua al giorno.
3. Dorm...... almeno otto ore al giorno.
4. Cerc...... di fare passeggiate nella natura.
5. Scegl...... uno sport da praticare.

Una mela al giorno
toglie il medico di torno

6. Cammin...... almeno quaranta minuti al giorno.
7. Evit...... di fumare e bere alcolici.
8. Rid...... spesso, fa bene!

13 Fill in the blanks with the imperative forms of the verbs.

1. Piero, se vai alla posta, per favore, ... (spedire) questo pacco a mia madre!
2. Ragazzi, ... (entrare), vi aspettavamo!
3. Lavorate troppo! .... (Prendere) qualche giorno di ferie!
4. .... (Andare, noi) a fare un giro al mare!
5. Silvia e Maria, ... (guardare) questo video su YouTube, è veramente divertente!
6. Non possiamo stare sempre in casa, ... (uscire) un po'!
7. Roberto, questa sera .... (venire) a cena da noi!
8. Teresa, Giulio, ... (aspettare)! Vengo con voi.

Giochi

14 Fill in the blanks with the imperatives provided.

ascoltate *spegnere* *prendiamo* *uscire* *abbiate* *aiutiamo*

1. Non .... paura!
2. Non .... nessuno!
3. Mauro, non .... senza cappotto!
4. Giulio, per favore, non .... la TV!
5. Non .... l'auto! Andiamo in metro!
6. Ragazzi, non .... sempre questa musica!

15 Fill in the blanks with the imperative forms of the reflexive verbs.

1. Ragazzi, ... (ricordarsi) di comprare il pane!
2. Andate in vacanza? .... (Divertirsi)!
3. Devi lavorare tutto il giorno? Non .... (stancarsi) troppo!
4. Bambini, ... (lavarsi) i denti e andate a letto!
5. È tutto il giorno che stai in giro: .... (riposarsi) un po'!
6. Simona, guarda, c'è una sedia, ... (sedersi) lì.

16 Answer the questions, as in the example.

- Esco, devo comprare il caffè? • Sì, *compralo*.

1. • Quanti inviti spediamo?
   • .... duecento.
2. • Dove ti aspettiamo?
   • .... al bar!
3. • Dove posso lasciare la borsa?
   • .... sul divano!
4. • A che ora vi chiamo?
   • .... alle nove!
5. • Posso guardare questa trasmissione?
   • Certo, ... pure!
6. • Quanto latte compriamo?
   • .... due litri!

17 Fill in the blanks with the imperative and the indirect object pronouns.

1. • Non so cosa mandare agli zii per Natale...
   • .... un biglietto di auguri e due vasetti di questo miele biologico.
2. Cosa potete regalare a vostro figlio? Beh, ... una vacanza-studio!
3. • Cosa offriamo a Giacomo?
   • .... un aperitivo!
4. • Non so cosa comprare a mia moglie.
   • .... un bel mazzo di fiori!
5. • Vi telefono in ufficio?
   • No, ... a casa!
6. • Quando devo rispondere ai nostri clienti, oggi?
   • No, ... domani!
7. • Chi parlerà al direttore?
   • .... tu!
8. • Cosa portiamo a Ornella per la sua festa?
   • .... una torta!

18 The horoscope. Fill in the blanks with the second-person plural (*voi*) form of the imperative, as in the example in blue.

Dedicarsi ♦ *riposarsi* ♦ *dimenticarsi* ♦ *Mettersi* ♦ *Avere* ♦ *prendersi*
iscriversi ♦ *Essere* ♦ *Calmarsi* ♦ *sentirsi* ♦ *fargli* ♦ *mandargli*

♈ Lavorate troppo. Trovate un po' di tempo per voi e .... (1)!

♉ Avrete successo nel lavoro. .... (2) pazienza e tutto andrà bene!

♊ Su, dai! Non .... (3) tristi! Avete molti amici che vi vogliono bene.

♋ Presto sarà il compleanno di un vostro amico. Se volete vederlo contento, ... (4) un bel regalo!

♌ Vi sentite pieni di energia: .... (5) in palestra o a un corso di lingua!

♍ Se farete un viaggio, non .... (6) di condividere qualche foto con gli amici!

♎ I vostri amici aspettano vostre notizie: .... (7) un messaggio!

♏ Attenzione alla salute! Dedicatevi (8) allo sport e alle attività che vi rilassano!

♐ Vi inviteranno a una festa. .... (9) quel vestito che vi sta tanto bene!

♑ Siete un po' nervosi, cercate di essere più tranquilli, ... (10) o gli altri inizieranno a stancarsi di voi!

♒ Avete lavorato molto: .... (11) una vacanza!

♓ Passate un periodo difficile. La situazione cambierà, ... (12) positivi!

19 Fill in the blanks with the imperative forms of the irregular verbs.

1. Mario, ... (essere) gentile, cambia canale! Questa trasmissione è proprio noiosa!
2. Perché non parli? .... (Dire) qualcosa!
3. Quando guidi, ... (fare) attenzione ai motorini!
4. Piera, ... (stare) tranquilla: l'esame andrà benissimo.
5. Dai, Luca, ... (avere) pazienza! Finisce la pubblicità e comincia il film.
6. Luisa, ... (dire) ai bambini di non stare troppo al computer!
7. Matteo, per favore, ... (andare) in cucina e .... (dare) una mano a tuo fratello!

20 Complete the sentences, as in the example. Refer also to the *Approfondimento grammaticale* on page 191.

Se non sei d'accordo, ...dimmi...... (dire a me) la verità!

1. Al supermercato ci sono andato io ieri, oggi .... (andare al supermercato) tu!
2. Riccardo, per favore, ... (dare al nonno) quel libro che è sul tavolo!
3. Vincenza, basta fare zapping, ... (fare a me) vedere il talk show!
4. Filippo, ... (stare a me) a sentire: non parlare sempre tu!
5. Paolo, ... (dare a noi) una mano a finire questo lavoro.
6. Elda, su, ... (dire a tua madre) che cosa hai!

21 Simone and Andrea are going to the movies tonight. Complete the message with the prepositions (red spaces) and expressions provided (blue spaces).

Simone! Sono contento .... (1) vederti questa sera! Allora... per arrivare a casa mia prendi l'autobus 60 .... (2) piazza Indipendenza e scendi .... (3), in via Mazzini. Dopo .... (4) fino all'incrocio con Corso Europa e lì .... (5) in via Ponzi. Al numero 59, accanto .... (6) tabaccheria, c'è casa mia. Io esco .... (7) ufficio alle sette e sarò a casa verso le sette e mezza. Se arrivi prima .... (8) me, aspettami! Il cinema non è lontano e ci possiamo .... (9). Ci vediamo dopo!

andare a piedi
va' dritto
alla quarta fermata
gira a destra

22 Streaming or traditional TV? Complete the paragraph: choose one of the options (A, B, C).

Il mercato italiano dell' ...... (1) è cambiato con l'arrivo di Netflix: da allora ...... (2) molte piattaforme, anche italiane, di TV *on demand* e la TV tradizionale ...... (3) dal 16 al 30% degli spettatori.
Questi dati parlano ...... (4) un cambiamento che non riguarda solo ...... (5) del pubblico: è vero che i giovani non ...... (6) più con i soliti programmi, ma anche ...... (7) più anziani, tra i 45 e i 65 anni, più interessati all'...... (8), hanno scoperto le meraviglie dell'*on demand*. Ma che cosa ha fatto cambiare idea agli italiani? Innanzitutto i contenuti sono sempre disponibili, anche in "mobilità", cioè quando non ...... (9) a casa; poi online non c'è il fastidio della pubblicità; infine la tecnologia: internet è sempre più ...... (10)! Insomma, ... (11): come abbiamo lasciato le cassette (...... (12) ricordate?!) per i CD e come il cinema ha preso il posto dell'Opera, così lasciamo la TV classica per lo streaming!

	A	B	C
1.	intrattenimento	moda	attualità
2.	nascevano	sono nate	nascono
3.	ha perso	ha vinto	ha corso
4.	a	per	di
5.	l'età	la paura	la cultura
6.	ci si diverte	si divertono	divertiranno
7.	i conduttori	gli spettatori	le trasmissioni
8.	documentari	storia	attualità
9.	si è	andiamo	sono
10.	utile	veloce	lento
11.	è difficile	è chiaro	bisogna
12.	ci	li	le

23 Fill in the blanks with the appropriate prepositions.

Tra una settimana finirò .... (1) lavorare e andrò ....(2) vacanza con la mia famiglia. Partiremo .... (3) il mare: andremo ....(4) un piccolo paese della Liguria. Come .... (5) solito, partiremo la mattina prima .... (6) sei, per non trovare traffico; poi, verso le otto ci fermeremo .... (7) fare colazione all'*Autogrill*. .... (8) una saremo arrivati, credo. Andremo subito .... (9) mangiare del pesce al ristorante , poi all'appartamento .... (10) lasciare tutte le nostre cose e poi, finalmente, andremo .... (11) fare il bagno! Non vedo l'ora!

24 **a** Listen to the dialogue and mark the statements that are present.

53

1. ☐ La ragazza chiede all'insegnante alcune riviste in prestito.
2. ☐ La ragazza chiede dei consigli su cosa leggere.
3. ☐ L'insegnante trova l'idea ottima.
4. ☐ Il professore lavora per un settimanale.
5. ☐ Secondo l'insegnante, la ragazza non riuscirà a capire tutto.
6. ☐ L'insegnante le consiglia solo riviste che parlano di politica.

b Listen to the dialogue again. What topics do the magazines discuss? Complete the matching exercise, as in the examples in blue. Note: some topics apply to all of the magazines.

Contenuti

a. attualità, TV
b. moda, costume, attualità
c. attualità, politica, economia
d. gossip, personaggi famosi, attualità

1 ☐ L'Espresso
2 ☐ PANORAMA
3 *c* il venerdì
4 ☐ SETTIMANALE DIPIÙ
5 ☐ OGGI
6 ☐ GENTE
7 *b* DONNA MODERNA
8 ☐ iO donna
9 ☐ GRAZIA.IT
10 ☐ sorrisi e canzoni TV

A Complete the paragraph with the indirect object pronouns.

Fabrizio oggi ha litigato con la sua migliore amica, Stefania, e questo .... (1) dispiace moltissimo. Quando torna a casa, sua madre non .... (2) chiede niente, anche se lo vede triste. Fabrizio si siede sul divano e legge una rivista che .... (3) ha prestato Mauro. Tra le lettere alla direttrice, una gli sembra interessante: un ragazzo .... (4) scrive che ha litigato con alcuni amici perché .... (5) aveva raccontato delle cose non vere... Proprio quello che aveva fatto lui a Stefania: non .... (6) aveva detto la verità! Allora prende il cellulare per telefonar.............. (7) e trova un messaggio di Stefania che .... (8) chiede di uscire!

B Choose the correct answer.

1. Signora Minni, ho deciso di .... (1) perché non ho ricevuto nessuna risposta all'email che .... (2).

(1)		(2)	
	a. telefonarti		a. aveva inviatoLe
	b. telefonarLe		b. Le avevo inviato
	c. telefonarci		c. La aveva inviato

2. Il film che abbiamo visto .... (1) tanto, ma .... (2) di avere un libro con una trama simile.

(1)		(2)	
	a. mi è piaciuto		a. ti sembrava
	b. mi è piaciuta		b. gli è sembrato
	c. ci siamo piaciuti		c. mi sembra

3. Ragazzi, ... (1) una mano, per favore? .... (2) giusto ridere e scherzare mentre io lavoro?

(1)		(2)	
	a. possono dare		a. Vi pare
	b. ti possiamo dare		b. Ti pare
	c. potete darmi		c. Si pare

4. Luisa, hai visto ieri la prima .... (1) del nuovo .... (2) della domenica? Cosa ne pensi?

(1)		(2)	
	a. puntata		a. telegiornale
	b. rete		b. programma
	c. serie		c. telecomando

5. Teresa, ... (1) sempre sui social, ... (2) il libro che .... (3) ho regalato.

(1)		(2)		(3)	
	a. non stai		a. legge		a. le
	b. non state		b. leggi		b. ti
	c. non stare		c. leggere		c. ci

6. • Vado al supermercato, devo comprare della frutta?
   • No, ... (1), ... (2) prima quella che abbiamo!

(1)		(2)	
	a. non la prendere		a. finiamone
	b. non li prendi		b. finiamo
	c. non prenderlo		c. finiamole

7. .... (1) la verità, ... (2) nel dubbio.
   (1) a. Dimmi (2) a. non mi lascia
   b. Dire b. non mi lasci
   c. Non dirmi c. non lasciarmi

8. .... (1) come vuoi, io ti consiglio di prendere .... (2).
   (1) a. Facci (2) a. sempre dritto
   b. Fa' b. al primo incrocio
   c. Fatti c. la prima a destra

9. Gabriele ci .... (1) il suo telecomando, ma non funziona con il nostro .... (2).
   (1) a. ha prestata (2) a. programma
   b. ha prestato b. conduttore
   c. ha prestati c. televisore

C Solve the crossword.

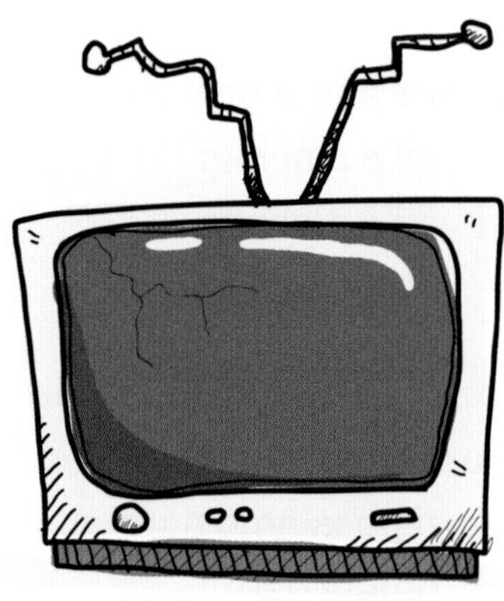

Orizzontali

5. Quello di *Nuovissimo Progetto italiano* si chiama "Lo so io".
6. Lo guardiamo per sapere cosa succede in Italia e nel mondo.
7. Sinonimo di rete televisiva.
8. Genere televisivo che basa la storia su fatti e personaggi reali o di fantasia.

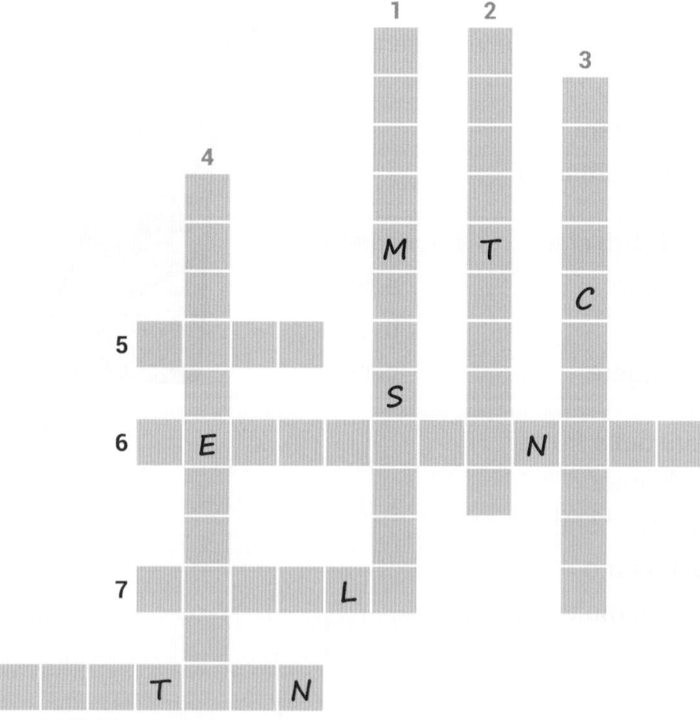

Verticali

1. Sinonimo di programma televisivo.
2. Le persone che seguono un programma alla televisione.
3. Serve a fare zapping.
4. Sono molto famosi quelli di Alberto Angela sui luoghi più belli d'Italia.

Risposte giuste: .... /35

All of the exercises are available in an interactive format at www.i-d-e-e.it

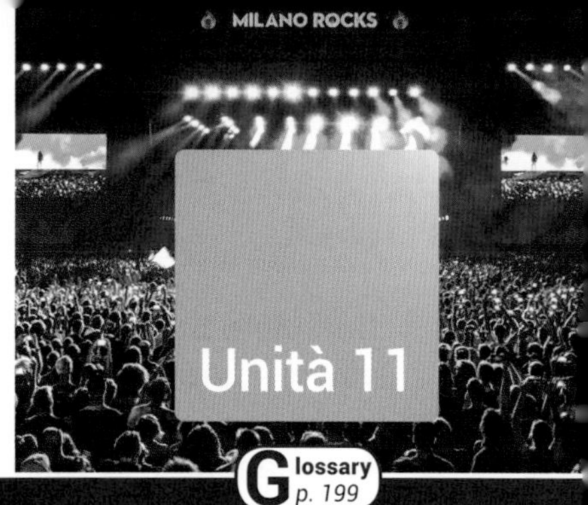

A ritmo di musica

Quaderno degli esercizi

Glossary p. 199

1 Choose the correct option.

1. Comprerei/Compreremmo anche noi un biglietto per il concerto, ma è troppo caro.
2. Ti accompagnerei/accompagnereste volentieri, ma veramente non posso.
3. Chi crederesti/crederebbe mai alla sua storia? Non dice mai la verità!
4. Secondo te, questa canzone potresti/potrebbe diventare un successo?
5. Friggeremmo/Friggereste le patate, ma abbiamo finito l'olio.
6. Silvia mi metterei/si metterebbe il vestito giallo per la laurea, ma è troppo corto!
7. Lo so: vi fermereste/si fermerebbero ancora qualche giorno, ma per voi le vacanze sono finite.
8. Signora, Le dispiacerebbe/dispiacereste lasciare aperta la porta?

2 Fill in the blanks with the verbs provided.

grattugeresti ♦ *suonereste* ♦ *guardereste* ♦ *ti divertiresti* ♦ *mi pettinerei*
accompagnerebbe ♦ *comprerebbe* ♦ *preferirebbero*

1. .... un film stasera? All'*Ariston* il martedì il biglietto costa 5 euro.
2. Ragazzi, ... questa canzone alla festa della scuola?
3. Per loro è difficile trovare parcheggio in centro: .... venire in autobus.
4. Tesoro, ... le carote per l'insalata?
5. .... come quel cantante famoso, ma ho i capelli troppo corti.
6. Perché non vuoi venire alla festa di Sonia? .... un sacco!
7. Signora Maria, va in farmacia? .... le medicine anche per me?
8. Michele ci ...., ma ha una macchina a due posti!

3 Fill in the blanks with the conditional form of the verbs.

1. Vi .... (proporre, io) di ascoltare un vecchio successo della Pausini.
2. .... (Preferire, noi) ascoltare le nuove tendenze musicali italiane.
3. .... (Dovere, loro) controllare di più i social media!
4. Al tuo posto, non .... (sapere, io) proprio cosa fare.
5. Ragazzi, non .... (avere) voglia di fare una passeggiata?
6. In queste foto siamo sempre poco naturali... Ne .... (volere) una spontanea.
7. Enrico e Nicol .... (essere) felici di ospitarci nella loro villa al mare.

4 Complete the chart with the conditional form of the verbs. In the purple column you will find the name of the Roman musician in the photo.

1. *rimanere*, 1ª persona singolare
2. *dare*, 3ª persona plurale
3. *andare*, 2ª persona sing.
4. *mangiare*, 1ª persona sing.
5. *essere*, 1ª persona plur.
6. *venire*, 2ª persona plur.
7. *vivere*, 2ª persona plur.
8. *cucinare*, 1ª persona sing.
9. *potere*, 2ª persona sing.

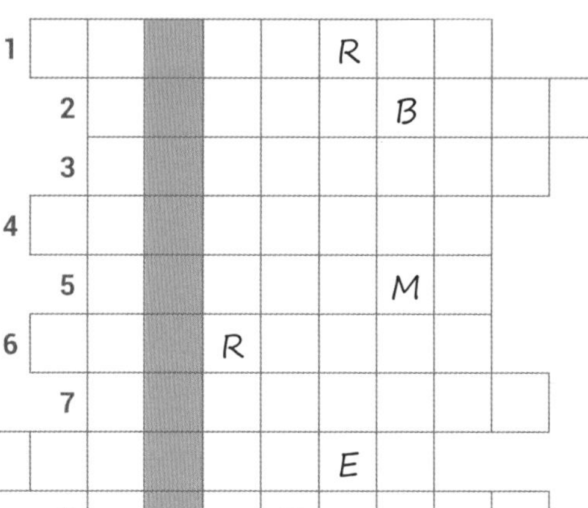

5 Fill in the blanks with the conditional form of the verbs. Note: there are two extra verbs!

preferire ♦ *bere* ♦ *tradurre* ♦ *ricordarsi* ♦ *andare* ♦ *tornare*
venire ♦ *cadere* ♦ *prendere* ♦ *stare* ♦ *essere*

1. .... tu questo articolo? Io proprio non ho tempo...
2. No, sono sicura, non l'ho mai incontrato... .... un ragazzo così carino!

3. Chiara non si sente bene e dice che .... volentieri a casa oggi.
4. .... felice di rivedere il tuo ragazzo? Al posto tuo, ... subito un treno per andare da lui!
5. Clizia .... un bicchiere di vino, ma deve guidare.
6. Mia madre .... volentieri in vacanza a Lisbona, ma mio padre non è d'accordo!
7. Sara .... a trovarci a Palermo, ma non ha molti giorni di ferie.
8. Ma che dite?! .... davvero vivere in una grande città? In mezzo allo smog? Nooo!

6 What is the function of these sentences? Complete the matching activity and then underline the verbs in the conditional. Note: there are two extra sentences.

1. Farei volentieri un viaggio.
2. Mi passeresti il sale?
3. Chiederò una mano a Luca.
4. Dovresti provare le penne "Antonio"! Buonissime!
5. Accompagnami al mare!
6. Faresti bene a prendere lezioni di matematica!
7. Ti dispiacerebbe portare Marta a tennis?

a Chiedere qualcosa in modo gentile

b Esprimere un desiderio

c Dare un consiglio

7 Complete the matching exercise and then complete the list of desires using the first-person singular (*io*) conditional forms of the verbs provided.

1 ☐

2 ☐

3 ☐

4 ☐

5 ☐

6 ☐

a. .... tutto il pomeriggio!
b. Non .... più a casa!
c. .... conoscere il mio giocatore preferito...
d. .... in tutto il mondo!
e. Non .... più di giocare!
f. .... una torta intera!

leggere
volere
mangiare
smettere
tornare
viaggiare

8 Ask the questions politely, as in the example.

Non mi sento bene. (accompagnare me, dottore) → *Mi accompagneresti dal dottore?*

1. Aspetto un pacco molto importante. (chiamare me, quando arrivare)
   Signora Maria, ...?
2. Questo caffè è troppo amaro. (passare a me, zucchero)
   Massimo, ...?
3. Devo studiare. (spegnere radio)
   Sofia, ...?
4. Non capisco questa parola. (prestare a me, tuo dizionario)
   Anna, ...?
5. Telefono a casa di Lia. (potere parlare, Lia, per favore)
   Buongiorno, ...?
6. Non conosco bene la città. (sapere dove essere Duomo)
   Buongiorno, ...?

Duomo, Orvieto

9 Complete the list of suggestions (a-f) with the conditional forms of the verbs and match them with the sentences (1-6), as in the example.

1. Siamo appassionati di chitarra. (*c*)
2. Abbiamo un esame difficilissimo.
3. Ho litigato con la mia ragazza.
4. Ho molto freddo!
5. Non sto bene, ho 38 di febbre.
6. Alba mi ha invitato al cinema, ma non ho voglia di uscire.

a. .... (Dovere) metterti un maglione pesante.
b. Al posto tuo, le .... (proporre) di vedere un film a casa.
c. *Potreste* (Potere) prendere lezioni.
d. .... (Fare) bene a chiederle scusa.
e. Un'idea .... (essere) iniziare subito a studiare. Cosa ne dite?
f. Io, al posto tuo, ... (bere) un tè caldo e .... (andare) a dormire.

10 Read the titles of the newspaper articles and share the news, as in the example in blue.

1 L'ATTORE ARRIVERÀ AL FESTIVAL DOMANI.

2 MARATONA: CI SARÀ PIÙ TRAFFICO NEL WEEK-END

3 IL MINISTRO SPOSERÀ LA SUA COMPAGNA

4 FINISCONO I BIGLIETTI PER IL CONCERTO DI FEDEZ!

5 Laura girerà il suo prossimo video al Colosseo!

Secondo la stampa...

1. *l'attore arriverebbe al Festival domani.*
2. .... nel week-end a causa della maratona.
3. .... ad aprile.
4. .... per il concerto di Fedez.
5. la famosa cantante ....!

11 The ideal holiday. Complete the paragraph with the present conditional form of the verbs.

Qual è la migliore vacanza per te? Dipende dal lavoro che fai!

Secondo uno studio dell'associazione EURODAP, ogni lavoro .... (1. avere) la sua vacanza ideale. Infatti, da momento di relax e riposo, se non scegliamo quella giusta per noi, la vacanza .... (2. potere) diventare molto stressante! Vediamo qualche suggerimento.
Un manager, ad esempio, ... (3. dovere) passare l'estate su una spiaggia poco frequentata; l'ideale per l'impiegato, invece, ... (4. essere) divertirsi in un villaggio che propone molte attività diverse. Perché? In questo modo il manager .... (5. scegliere) liberamente cosa fare, senza pensare a cosa .... (6. dovere) fare gli altri; le attività del villaggio turistico, invece, ... (7. offrire) occasioni per conoscere nuovi amici e provare nuovi sport a chi, durante l'anno, fa una vita un po' noiosa.

E per commessi e casalinghe? I primi .... (8. stare) meglio nella natura, lontano dai saldi di fine stagione; per le seconde .... (9. consigliare, loro) un albergo all inclusive, magari con la SPA!

adattato da *www.lastampa.it*

12 Complete the matching exercise.

1. Avrebbero partecipato al programma,
2. I ragazzi sarebbero venuti alla partita,
3. Carlo avrebbe visitato il museo,
4. Enrico si sarebbe trasferito in Canada,
5. Lo so, avreste fatto un altro giro,
6. È vero, mi ricordo: avresti comprato quello zaino,

a. ma non ha trovato lavoro.
b. ma eri rimasto senza soldi.
c. ma non hanno trovato biglietti.
d. ma il lunedì è chiuso.
e. ma non li hanno presi.
f. ma non avevate tempo.

13 Match the sentences with the photos and then fill in the blanks with the past conditional.

a. .... (fare, loro) il bagno, ma il tempo era brutto!

b. .... (parcheggiare, loro) meglio, ma avevano fretta.

c. .... (festeggiare) con tanti amici, ma sono rimasto in ufficio fino a tardi.

d. L' .... (mangiare), ma era a dieta.

e. Non .... (fermarsi), ma mi faceva male il ginocchio.

f. .... (arrivare, voi) in orario, ma c'era troppo traffico!

g. .... (preferire, io) un regalo diverso...

14 Answer the questions using the present or past conditional forms of the verbs in blue.

1. • Hai avuto paura in moto? • Ne ...., ma Federico andava piano.
2. • Alla fine, l'hai comprato il vestito? • L'.................................., ma non ho soldi.
3. • Perché non hai spento il computer? • L'.................................., ma aspettavo un'email.
4. • Perché non hai invitato Silvia a ballare? • L'.................................., ma non so ballare.
5. • Alla fine andrete in Sardegna? • Ci ...., ma c'è lo sciopero delle navi.

15 Fill in the blanks with the past conditional forms of the verbs.

1. Domenica .... (volere) uscire, ma ho dovuto pulire il balcone.
2. .... (Vedere) volentieri la partita, ma ci siamo addormentati sul divano.
3. Al cinema .... (venire) anche mia sorella, ma aveva già visto questo film.
4. Mi .... (piacere) andare ad Amsterdam con gli zii.
5. Vi .... (aspettare), ma era già molto tardi e siamo andati via.
6. Le ragazze .... (cucinare) volentieri, ma non hanno avuto tempo.
7. Buona la torta, no? Lo so: ne .... (mangiare) volentieri un'altra fetta!
8. Secondo i giornali, il ladro .... (entrare) dalla finestra del bagno.

16 Which conditional? Choose the appropriate tense.

1. È un periodo stressante, sono così stanco che vorrei/sarei voluto partire subito per le vacanze.
2. Secondo te, sarebbe/sarebbe stata questa la canzone più bella del momento?
3. Mi piacerebbe/Mi sarebbe piaciuto vedere il film della Comencini, ma non lo davano più al cinema.
4. L'altro ieri dovrei/sarei dovuta andare a un incontro di lavoro importante.
5. Mi date una mano? Con il vostro aiuto finirei/avrei finito prima.
6. Io prenderei/avrei preso un altro gelato. Lo volete anche voi?

17 Answer the questions with the present or past conditional, as in the example.

- Perché non hai comprato il libro di Camilleri?
- *L'avrei comprato, ma non l'ho trovato* (non trovare).

1. • Come mai siete andati via così tardi?
   • .... (prima, divertirsi molto)!
2. • Alla fine, hai incontrato Tiziana a Milano?
   • .... (lei essere molto occupata).
3. • Hai guardato il nuovo programma della Rai ieri sera?
   • ....
   (non accendersi TV).
4. • Inviterai Ermanno alla tua laurea?
   • ....
   (noi avere litigato).
5. • Vendrinelli giocherà la partita di domani?
   • ....
   (farsi male).
6. • Quando devi girare il video per il tuo blog di cucina?
   • ....
   (oggi pomeriggio).

18 **From the future to the future in the past. Complete the sentences, as in the example.**

So che Daniela lo farà. → Sapevo che Daniela *l'avrebbe fatto*, mi fido di lei.

1. Sono certo che realizzerai il tuo sogno!
   Ero certo che .... il tuo sogno!
2. So che vi dimenticherete di chiamarci!
   Sapevo che .... di chiamarci!
3. Chissà se lo rivedrò!
   Mi chiedevo se ....
4. Sono sicura che da grandi diventeranno medici!
   Ero sicura che i miei figli .... medici!
5. Le ragazze arriveranno in ritardo, come al solito.
   Sapevo che le ragazze .... in ritardo, ma non dopo tre ore!
6. Sono certo che Alfonso mi darà una mano con la ricerca!
   Uffa! Credevo che Alfonso mi .... una mano...

19 **Complete the sentences with the past conditional forms of the verbs provided.**

iniziare ♦ *farsi* ♦ *sposarsi* ♦ *mandare (loro)*
arrivare (voi) ♦ *andare* ♦ *venire* ♦ *chiedere*

1. Vi avevo promesso che .... in gita, ma purtroppo oggi devo lavorare.
2. Te l'avevo detto che con la metro .... prima!
3. Abbiamo deciso che .... un anno fa.
4. Il nuovo reality .... a luglio, ma ci sono stati problemi con i protagonisti.
5. La sposa non ha riconosciuto subito lo sposo: non sapeva che .... la barba per il matrimonio! Che ridere!
6. Non sapevo che .... anche tu stasera... ti .... di accompagnarmi!
7. Ho sentito che .... in onda il concerto del Primo Maggio su Rai3.

20 **Complete the paragraph: insert the prepositions in the red spaces and the words provided in the blue spaces.**

gruppi ♦ *spettacolo* ♦ *televisione* ♦ *attualità* ♦ *microfono* ♦ *cantante*

.... (1) 1990 nel giorno della Festa dei Lavoratori si svolge .... (2) Roma, ... (3) piazza San Giovanni, il Concerto del Primo Maggio. .... (4) evento partecipano molti .... (5) italiani della scena musicale indipendente e qualche .... (6) internazionale. Ogni artista canta tre o quattro delle sue canzoni più famose e poi lascia il .... (7) al successivo. Il "Concertone" del primo maggio non è solo un concerto dove ascoltare i propri cantanti preferiti, ma è un'occasione per parlare .... (8) temi di .... (9): la pace, il terrorismo, i diritti umani e i diritti dei lavoratori. La .... (10) manda in onda tutto lo .... (11), dalle due del pomeriggio alle undici .... (12) sera.

adattato da *www.regioni-italiane.com*

21 Indicative or conditional? Choose the correct option.

1. Vorrei/Ho voluto scrivere un'email a Franco, ma non ho mai tempo.
2. Ti avrei invitato/avevo invitato da me, ma ho appena cambiato casa ed è tutto sottosopra!
3. Piero non ha dovuto/avrebbe dovuto lavorare tanto ieri sera: si è svegliato con il mal di testa.
4. Ero sicura che Marta sarebbe rimasta/rimarrà a cena! Ho fatto il tiramisù!
5. Siamo andati/Saremmo andati a vedere lo spettacolo di Maurizio Crozza. Davvero divertente!
6. Tania, faresti/facevi un caffè, per favore?
7. Da piccoli ci piacerebbe/ci piaceva nuotare.

22 Choose the appropriate phrase and complete the dialogues with the past conditional. Be careful with the placement of the pronouns!

piacerti i primi ♦ *rimanerci un'altra settimana*
metterla lo stesso ♦ *prendere il treno* ♦ *sapere cosa rispondere*

1. • Quando arriva Teresa?
   • Tra poco, credo. Ha detto che .... delle sette.
2. • Non ho messo la camicia gialla perché non è abbastanza elegante.
   • Io, al posto tuo, ...!
3. • Quella domanda era molto difficile.
   • È vero, io non ....
4. • Come è andata ieri sera la cena al ristorante?
   • Bene! ....! La prossima volta ci andiamo insieme.
5. • Come ti sei trovata a Roma?
   • Benissimo, Roma è una città bellissima. Io ....!

23 Maze. Follow only the verbs in the conditional to escape from the maze.

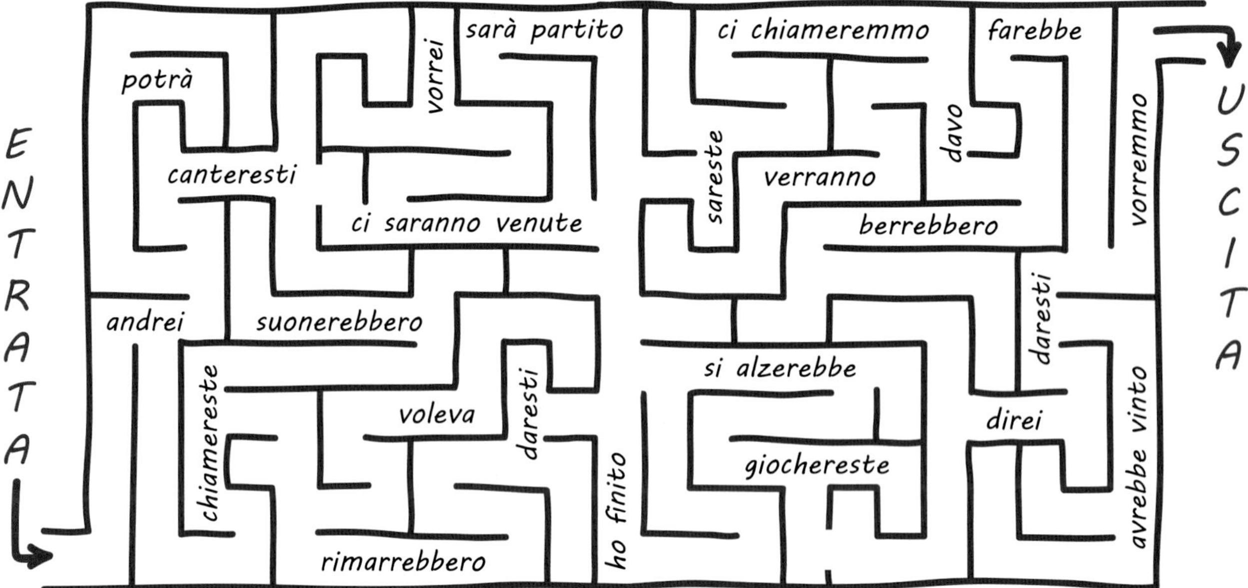

24 Complete the email with the present or past conditional.

Caro Giovanni,

.... (1. volere, io) salutarti meglio prima della tua partenza! .... (2. Potere, tu) iniziare una settimana dopo, no? Così .... (3. avere, tu) più tempo per prepararti... Ho sempre pensato che per te .... (4. arrivare) un'occasione così! Complimenti! Certo che il Canada è lontano! Non tutti al posto tuo .... (5. accettare) un lavoro lì! Mi .... (6. piacere) venire a trovarti, magari in primavera! Che ne dici? .... (7. Essere) bellissimo! .... (8. Potere, tu) prendere dei giorni di vacanza e .... (9. visitare) insieme il Paese!
Che cosa ne pensi? Intanto buon viaggio e buon inizio!

Un abbraccio, Valeria

25 Unique jobs. Complete the paragraph with the present conditional.

Indeed, sito numero uno al mondo per chi cerca e offre lavoro, ha fatto la classifica dei 10 lavori più originali di questo mese.
Secondo il sito, al primo posto .... (1. esserci) il manager di ciclovia, cioè di una strada per biciclette; .... (2. seguire) un altro lavoro particolare: insegnante di *manga*, il fumetto giapponese. A Villanova, in Friuli, poi, ... (3. cercare, loro) guide turistiche per la famosa grotta; mentre a Firenze .... (4. trovare) lavoro gli orologiai, cioè chi sa fare gli orologi.
Nella classifica non .... (5. mancare) i lavori "evergreen" come barbiere, cioè chi taglia la barba e i capelli agli uomini, e barista, ma .... (6. trovare, noi) anche gli artisti: .... (7. cercare, loro), infatti, "Houdini artist"... .... (8. volere, voi) sapere cosa sono, eh?
.... (9. Dovere, noi) chiederlo a loro, ma è impossibile trovarli!

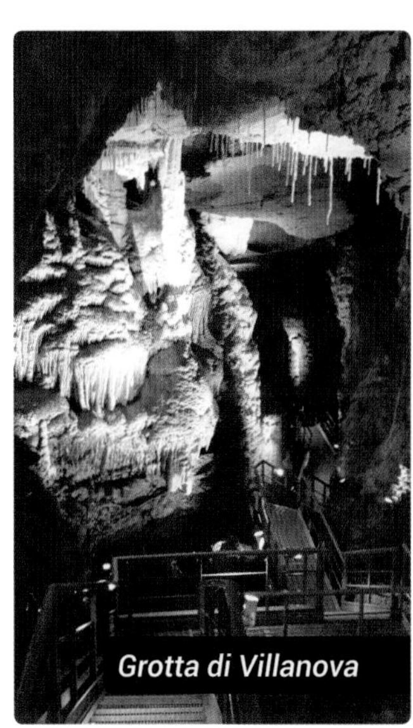
Grotta di Villanova

26 **a** Listen and choose the correct answer.

1. All'inizio la figlia ascolta musica
   a. alla radio | b. con le cuffie | c. alla TV
2. Per il padre, la figlia ascolta canzoni che
   a. hanno melodia | b. sono brutte | c. sono tutte uguali
3. Le canzoni che piacciono al padre, alla figlia
   a. piacciono | b. non piacciono per niente
   c. non ricordano nulla
4. Di Vasco Rossi alla figlia piacciono
   a. i versi | b. il ritmo | c. i versi e la musica
5. Padre e figlia ballavano assieme
   a. *Vita spericolata* | b. *Vedo nero*
   c. *Guerriero*

b Listen again and complete the chart.

ARTISTA		CANZONE
.... (1)	→	.... (2) *Vita spericolata*
Ligabue	→	*Piccola stella senza cielo* .... (3)
883	→	.... (4)
Lucio Battisti	→	.... (5)
.... (6)	→	*Vedo nero*
Mengoni	→	.... (7)

Test finale

A Fill in the blanks using the present and past conditional.

Secondo una ricerca, le vendite dei CD .... (1. continuare) a calare. Infatti, ... (2. essere) molte di più le persone che .... (3. cercare) le canzoni dei loro cantanti preferiti su YouTube o che .... (4. fare) abbonamenti a servizi di musica online. Se in passato la causa .... (5. poter essere) l'alto costo dei CD, da diversi anni non è più così. Infatti, le persone .... (6. ascoltare) musica in streaming soprattutto per altri due motivi: il supporto e la mobilità. Ormai la cosa più importante .... (7. sembrare) essere la possibilità di ascoltare la musica ovunque. Ma c'è anche un altro motivo: non possiamo più rinunciare all'abitudine di commentare le canzoni e condividerle sui social media.

B Choose the correct answer.

1. • ...... (1) venire al cinema stasera?
   • Preferirei un'altra volta, oggi sono molto stanco e ...... (2) in sala.
   (1) a. Ti piacerebbe — (2) a. si addormenterebbero
   b. Andresti a — b. mi addormenterebbe
   c. Sarebbe bello — c. mi addormenterei

2. • ...... (1) più tardi? Sono in ufficio
   • Certo! Va bene alle 8? Oppure ...... (2) più tardi?
   (1) a. Ci vorremmo telefonare — (2) a. preferiresti
   b. Potresti telefonarmi — b. preferirei
   c. Dovresti telefonarmi — c. avrei preferito

3. • Luca, ... (1) un po' di ginnastica... Un'altra idea ...... (2) andare in piscina. Cosa ne pensi?
   (1) a. farei — (2) a. sarebbe
   b. faresti — b. avrebbe
   c. dovresti fare — c. potrebbe

4. Secondo la stampa, il ministro ...... (1) un viaggio all'estero dove ...... (2) un collega americano.
   (1) a. avrebbe fatto — (2) a. sarebbe incontrato
   b. sarebbe fatto — b. avrebbe incontrato
   c. farebbe — c. incontrerebbero

5. Roberto, stamattina dal supermercato ...... (1) il caffè, ma l'ho dimenticato. ...... (2) tu a comprarlo?
   (1) a. comprerei — (2) a. Potrebbe passare
   b. l'avrei comprato — b. Passeresti
   c. avrei dovuto comprare — c. Saresti potuto passare

6. E chi ...... (1) i computer all'università? Luigi?! No! Come ...... (2)? È stato tutto il giorno con Nina, la sua ragazza...
   (1) a. ruberebbe — (2) a. sarebbe fatto
   b. avrebbe rubato — b. avrebbe fatto
   c. ruberebbero — c. farebbe

7. .... (1) a prendere, ma quando .... (2) in ufficio mi hanno detto che eri già uscito.

(1)	a. Ti passerei	(2)	a. avrei telefonato
	b. Ti sarei passato		b. telefonerei
	c. Ti vorresti passare		c. ho telefonato

8. .... (1) andare in Cina l'anno prossimo! Sono sicuro che .... (2) il tempo a mangiare e a fare foto!

(1)	a. Sarà stato bello	(2)	a. avrò passato
	b. Sarebbe bello		b. avrei passato
	c. È stato bello		c. passerei

9. L'ideale .... (1) andare in Sud America a Natale: mentre qui fa freddo lì .... (2) 25 gradi!

(1)	a. sarebbe	(2)	a. dovrebbero esserli
	b. è stato		b. ci dovrebbero essere
	c. sarà		c. ci sono stati

10. • Papà, mi avevi promesso che .... (1) la bicicletta nuova. Ma quando andiamo al negozio?
• Sì, hai ragione! Che .... (2) di andarci domani?

(1)	a. mi compreresti	(2)	a. si direbbe
	b. dovresti comprarmi		b. ne diresti
	c. mi avresti comprato		c. ci diresti

C Solve the crossword.

Verticali

1. Uno strumento musicale che comincia per *B*.
3. Il più famoso festival di musica leggera italiana.
4. Spettacolo musicale a teatro o allo stadio.
6. Pop, rock, jazz, rap: sono ... musicali.

Orizzontali

2. Il verbo degli strumenti musicali.
5. Lo usiamo per far sentire meglio la voce.
7. Una persona che sa molte cose su un argomento.
8. Chi scrive testi: libri, canzoni...

Risposte giuste: .... /35

Unità
9, 10 e 11

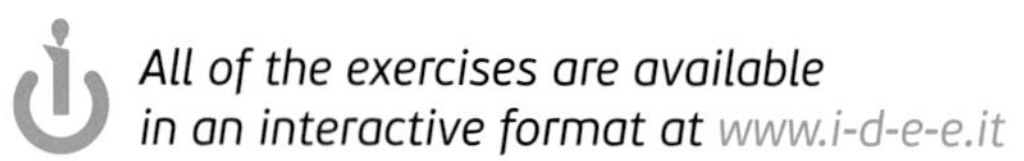

All of the exercises are available in an interactive format at www.i-d-e-e.it

4° test di ricapitolazione

A Fill in the blanks with the correct form of the verbs provided. Be sure to use the appropriate tense!

1. Quando .... (conoscersi) tu e tuo marito?
2. Signorina, ... (trovarsi) bene a Matera? Le piace stare qui?
3. Che cosa hai? .... (Sentirsi) male?
4. Domani .... (alzarsi) presto anche se non lavoro.
5. Dottoressa, se .... (coprirsi) bene, non avrà freddo.
6. .... (Annoiarsi) quando non abbiamo niente da fare.
7. Paolo e Mario studiavano insieme e .... (aiutarsi) molto.
8. Saremmo andati allo spettacolo delle dieci e mezzo, ma i ragazzi .... (addormentarsi) sul divano.

.... /8

B Fill in the blanks with the present tense of the verbs provided.

1. Quando vado a lezione, ... (dovere svegliarsi) alle 6.
2. Per il matrimonio tu e Paolo .... (potere vestirsi) eleganti?
3. .... (volere sbrigarsi)? Sei in ritardo!
4. Se finiscono gli esami, i ragazzi .... (potere laurearsi) a maggio.
5. .... (dovere farsi) la barba perché ho un appuntamento di lavoro.

.... /5

C Fill in the blanks with the *passato prossimo* forms of the verbs.

1. Eva .... (volere vestirsi) in modo elegante.
2. Le ragazze non .... (potere farsi) la doccia.
3. I ragazzi .... (dovere mettersi) la cravatta!
4. Lucia, perché .... (dovere svegliarsi) presto oggi?
5. Io e Luca .... (dovere farsi) la barba.

.... /5

D Fill in the blanks with the imperative.

1. Ragazzi, ... (mettere) in ordine la vostra camera!
2. Se mi vuoi aiutare, ... (prendere) una penna e .... (scrivere)!
3. Signori, ... (entrare), vi prego!

4. Per favore, quando esci, ... (chiudere) la porta e .... (spegnere) il pc!
5. Marcella, non .... (bere) altro caffè, ... (bere) un'aranciata.
6. Antonio, ti prego, non .... (mangiare) troppo la sera!
7. Bambini, non .... (fare) arrabbiare la zia!

........../10

E Answer the questions using the indirect object pronouns.

1. • Cosa ha portato il cameriere a quel signore?
   • .... il tiramisù.
2. • Perché non mi rispondi all'email?
   • Non .... perché non ho tempo!
3. • Che cosa vi hanno portato i vostri amici dalla Spagna?
   • .... una maglietta!
4. • Ti hanno telefonato per partecipare al talent show?
   • No, non ancora: .... sicuramente la settimana prossima!
5. • Andrea, puoi dare una mano a tua madre?
   • No, non .... dare una mano perché devo studiare.
6. • Hai telefonato a Vincenzo?
   • .... tre volte, ma non risponde.

........../6

F Fill in the blanks with the impersonal form of the verbs provided.

1. La prima domenica del mese .... (entrare) gratis nei musei.
2. Quando si fa tardi la sera, ... (dormire) male.
3. Al ristorante "Il balcone fiorito" .... (mangiare) molto bene!
4. Qualche volta, quando si ha fretta, ... (vestirsi) male.
5. Se .... (divertirsi), il tempo passa in fretta!

........../5

G Which conditional? Choose the appropriate tense.

1. Partirei/Sarei partito subito per le vacanze, ma non ho finito di scrivere il libro.
2. Secondo te, sarebbe/sarebbe stata questa la rivista più letta in Italia in questo momento?
3. Mi piacerebbe/Mi sarebbe piaciuto mangiare un'altra fetta della sua torta... ma ero a dieta!
4. Mi aiuteresti/Mi avresti aiutato a fare le pulizie? La mamma arriva alle 3 e sono quasi le 2!
5. L'altro giorno andrei/sarei andata a bere il caffè con Greta, ma lei non poteva.
6. Dareste/Avreste dato una mano alla nonna? Se la aiuterete, vi farà una torta!

........../6

Risposte giuste: ..../45

All of the exercises are available in an interactive format at www.i-d-e-e.it

Test generale finale

A Read the sentences, look at the images and complete the matching activity. Note: there are 3 extra images.

1. Il segreto per stare bene ed essere felici? Fare sport!
2. Migliaia di canali e tanti contenuti nuovi. Per vedere la TV non serve più il televisore!
3. I locali più romantici ed eleganti di Milano per la cena di San Valentino con il tuo ragazzo!
4. Aperta la nuova linea della metro! Finalmente sarà possibile arrivare in centro senza prendere la macchina!
5. Basta fare la fila alla posta e in banca! Ai tuoi documenti ci pensiamo noi!

........../5

B Match the questions with the appropriate answers. Note: there are 4 extra answers.

1. Posso offrirti un caffè?
2. Dov'è Lucia?
3. Perché non siete venuti a lezione?
4. Bella la tua borsa!
5. Matteo, quando finirai gli esami?
6. Mi scusi, per andare in centro?
7. Hai comprato il latte?
8. Sei straniera?

a. Mi dispiace, era chiuso.
b. Se tutto va bene, a marzo.
c. Siamo dovuti andare dal dottore.
d. No! L'ho dimenticato! Accidenti!
e. Deve andare sempre dritto.
f. Ti piace? L'ho presa in un negozio in centro!
g. Mah, starà dormendo!
h. Sì, sono francese. E tu?
i. L'autobus numero 40 è in ritardo.
j. Grazie, ma ne ho già preso uno.
k. Sì, vivo in via Panfili.
l. Sì, c'era anche di cotone!

........../8

C Read the text and answer the questions. It is not necessary to understand each word.

Famiglie a Villa Borghese

Questo itinerario ci porta alla scoperta di una grande area verde ideale per tutta la famiglia: Villa Borghese. Situata nella parte nord di Roma, la villa accoglie ogni giorno un numero enorme di romani e turisti grazie alla presenza di attrazioni diversificate che soddisfano i gusti di tutti. Per rendere la visita alla villa più piacevole e per godere a pieno di tutte le attrazioni presenti, vi consigliamo di programmare in anticipo le giornate e di affittare delle biciclette per gli spostamenti interni.
Come prima tappa, probabilmente più amata dai genitori che dai figli, sceglieremmo la splendida Galleria Borghese. La Galleria ospita una delle più grandi pinacoteche di Roma e una collezione di sculture del Bernini da non perdere! Vi ricordiamo che, se non volete fare la fila in biglietteria, potete prenotare la visita online qualche giorno prima!
La mattinata all'insegna della cultura e della storia dell'arte è stata probabilmente impegnativa. Per bilanciare, il pomeriggio sarà dedicato allo svago e al divertimento... Nei pressi di piazza di Siena trovate la ludoteca "Casina di Raffaello": qui il personale specializzato intratterrà i bambini con dei laboratori creativi. Mentre i piccoli sono impegnati, i genitori possono rilassarsi e gustare un caffè nella caffetteria della Casa del Cinema poco distante.
Se, invece, i vostri bambini sono amanti degli animali suggeriamo una bella passeggiata all'interno del Bioparco. Il giardino zoologico di Roma è di solito una meta molto amata da tutti i bambini!
Infine, se la giornata volge al brutto tempo, è possibile ripiegare sul "Cinema dei Piccoli": il pomeriggio il cinema propone una programmazione dedicata ai bambini.

adattato da *www.060608.it*

1. Villa Borghese è
   a. un grande parco tematico per bambini
   b. un'area verde a nord di Roma per turisti
   c. un parco per turisti e non

2. Per visitare Villa Borghese
   a. è necessario più di un giorno
   b. bisognerebbe amare la scultura
   c. si consiglia di affittare delle biciclette

3. La Galleria Borghese
   a. è un'attrazione indicata per i bambini
   b. è uno dei musei più grandi di Roma
   c. è aperta solo la mattina

4. Alla "Casina di Raffaello"
   a. i bambini fanno attività creative
   b. i bambini possono giocare coi genitori
   c. si beve il caffè mentre si guarda un film

5. Il "Cinema dei Piccoli"
   a. è l'unica attrazione aperta quando piove
   b. offre dei film per bambini
   c. è un'alternativa per chi ama gli animali

........../5

D Fill in the blanks with the correct form of the verbs in parentheses.

1. Signor Basile, vedo che non .... (sentirsi) bene, perché non va a casa?
2. Ragazzi, ... (annoiarsi) a lezione? A me succede spesso!
3. Ieri sera siamo andati in un nuovo locale e .... (divertirsi) un sacco!
4. Manuela ha detto che .... (tagliarsi) i capelli, ma non l'ha ancora fatto.
5. Per una coppia è importante .... (passare) le vacanze insieme.

6. Quando .... (stancarsi, tu), potrai smettere di lavorare.
7. Luca e la sua ragazza .... (lasciarsi) dopo sette anni.
8. Ma non .... (potersi, voi) mettere d'accordo prima?!

.... /8

E Complete the paragraph: choose one of the options (A, B, C).

I giochi di una volta

Il primo parco giochi vietato agli smartphone ...... (1) in Sicilia, nei prossimi mesi, il primo parco giochi dove non ...... (2) gli smartphone! Divieto di chattare, ... (3) sui social e navigare in internet!
L'idea ...... (4) di un gruppo di genitori. Secondo il quotidiano locale, il progetto ...... (5) circa 80mila euro e ...... (6) avrebbero trovato già la metà.
All' ...... (7) dovrete lasciare i vostri dispositivi elettronici in un piccolo armadio e un cronometro ...... (8) i minuti che passerete ...... (9) la tecnologia. «È un modo per tornare a stare insieme, a parlare con gli altri», spiegano i genitori, «ormai è sempre così: alla fermata ...... (10) autobus, a casa, a una festa, stanno al telefono! ...... (11) regalare un mondo nuovo ai nostri figli».

	A	B	C
1.	nascerà	sarà nato	è nato
2.	entravano	entreranno	saranno entrati
3.	stare	guardare	ascoltare
4.	aveva	sarà	è stata
5.	costavano	costerebbe	costerebbero
6.	l'	ne	ci
7.	inizio	uscita	entrata
8.	conterà	ha contato	avrà contato
9.	con	meno	senza
10.	dell'	di	sull'
11.	Vorrà	Vorremmo	Avremmo voluto

.... /11

F Complete the answers using the pronouns.

1. • Quando hai visto Gianna?
   • .... ieri.
2. • Hai comprato quella maglietta blu?
   • No, ... una rossa.
3. • Avete cercato i miei occhiali?
   • ...., ma non ci sono in salotto!
4. • Signorina, mi hanno chiamato da casa?
   • Sì, direttore, ... Suo figlio.
5. • Mi puoi accompagnare in macchina?
   • No, non ...., ho da fare.

6. • Quante magliette posso comprare con 50 euro?
   • .... almeno tre.
7. • A chi devo consegnare questo pacco?
   • .... a Maurizio.
8. • Quali libri ti devo portare?
   • .... solo il libro di storia.

.... /8

Risposte giuste: .... /45

Game Instructions

Units 0-11 Game, *Gioco dell'oca*, page 180

Play in groups of 3 or in 3 small teams. The player or team who rolls the highest number on the dice will go first. Take turns rolling the dice and completing the suggested activities.

If you answer incorrectly, move back two spaces. Then, it is the next player's turn. The first player or team to arrive at the space marked Arrivo, after space 37, wins!

Pay attention to the colored spaces: if you land on a green space, roll the dice again; if you land on a red space, move back 2, 3, or 4 spaces, depending on the number in the space.

Gioco unità 0-11

1

2

2 quotidiani italiani e 1 rivista!

14

Un tuo amico ha vinto 100mila euro: cosa gli dici?

15

Come è vestito quest'uomo?

16

2 primi, 2 secondi e 1 contorno!

17

2 prodotti tipici italiani e 2 città che hanno un mercato storico!

18

Esprimi un desiderio realizzabile usando il condizionale.

19

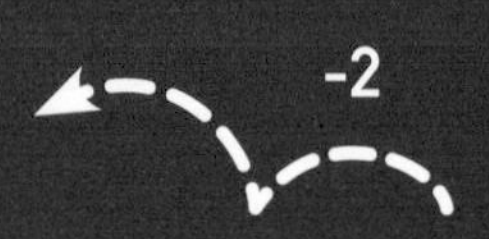

20

Chiedi qualcosa ad un compagno. Usa l'imperativo.

21

22

Cosa guarderanno? Immagina il dialogo.

23

Cosa hai fatto stamattina prima di uscire? (almeno 2 azioni)

31

32

-4

33

Da piccolo/a... continua la frase! (almeno 2 azioni)

34

Rispondi: "A Luca piacciono le mele rosse?" (sì, molto)

35

2 attori italiani e 2 titoli di film!

36

Vuoi comprare un mazzo di fiori: dove vai?

3

4 cose che trovi sopra il tavolo del ristorante!

I tuoi amici ti invitano al mare. Cosa rispondi?

5

Chiedi aiuto ad un /una compagno/a per un problema che hai.

6

Telefona ad un ristorante e prenota un tavolo per due.

24

I nomi delle stagioni!

25

-3

26

L'ultimo film che hai visto: cosa succedeva? Chi erano gli attori? Ti è piaciuto? Hai 1 minuto e mezzo!

7

-2

37

In vetrina c'è qualcosa che ti piace. Cosa dici al commesso?

ARRIVO!

27

Quanti tramezzini hai mangiato?

8

2 cose che beviamo e 2 cose che mangiamo a colazione!

30

Fai il plurale: "C'è un libro sul tavolo".

29

Conoscerai il tuo/la tua cantante preferito/a. 2 domande per lui/lei!

28

Sei al cinema, davanti a te dei ragazzi parlano a voce alta: cosa dici?

9

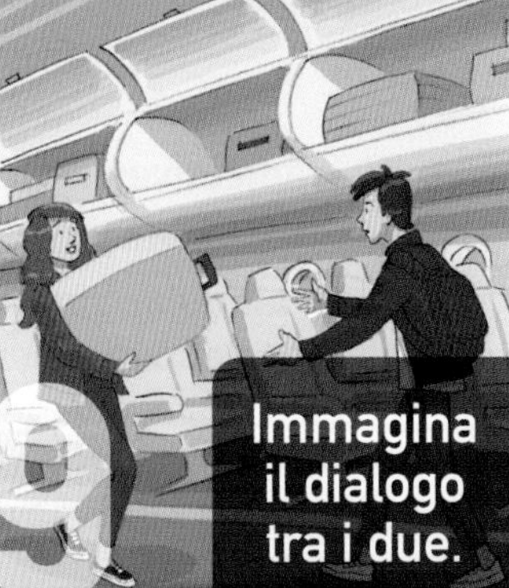

Immagina il dialogo tra i due.

3

-3

12

Quanti caffè hai bevuto? (3 tazzine)

11

10

in + l' = ? Fai 2 frasi con questa preposizione articolata!

Possessives

	masculine singular	masculine plural	feminine singular	feminine plural
io	(il) mio	(i) miei	(la) mia	(le) mie
tu	(il) tuo	(i) tuoi	(la) tua	(le) tue
lui	(il) suo	(i) suoi	(la) sua	(le) sue
lei	(il) suo	(i) suoi	(la) sua	(le) sue
Lei	(il) Suo	(i) Suoi	(la) Sua	(le) Sue
noi	(il) nostro	(i) nostri	(la) nostra	(le) nostre
voi	(il) vostro	(i) vostri	(la) vostra	(le) vostre
loro	(il) loro	(i) loro	(la) loro	(le) loro

- The possessives express a relationship of ownership between a person and an object, or a relationship between people or between people and things: *Questi sono i nostri libri. / Roberta è la vostra nuova compagna di classe.*
- Possessives agree in gender (masculine or feminine) and number (singular or plural) with the object that they describe or replace, aside from loro, which is invariable: *i libri di Maria* → *i suoi libri / le amiche di Paolo* → *le sue amiche / la loro professoressa, il loro professore.*
- Possessive adjectives usually precede the noun and require the article: *i loro libri / i vostri quaderni.* With the word *casa*, they go after: *Ci vediamo sotto casa vostra?*
- Possessive pronouns are always used on their own because they replace the noun: *La casa dei signori Bianchi è grande, la nostra è piccola.*
- When possessive pronouns follow the verb *essere*, we can also leave the article out: *- Queste penne sono (le) vostre? - No, non sono (le) nostre.*

Possessive adjectives with family members

In the **singular**, possessive adjectives do not take the definite article: *mia sorella, suo marito, tua moglie, nostra figlia, vostra cugina, sua zia, mio nonno, mia madre, suo padre, tuo fratello, nostro nipote, tua nipote.*

In the **plural**, they do require the definite article: *le mie sorelle, le nostre figlie, le vostre cugine, i miei zii, le sue zie, le nostre nonne, i miei nonni, i tuoi fratelli, i nostri nipoti, le tue nipoti.*

Note: The possessive adjective loro always takes the definite article: *i loro mariti, le loro mogli, la loro figlia/le loro figlie, la loro cugina/le loro cugine, il loro zio/i loro zii, la loro madre, il loro padre, il loro fratello/i loro fratelli, la loro nipote/le loro nipoti.*

In some cases, possessive adjectives do take the article in the singular forms:

a. when the names of family members are qualified by an adjective or complement that describes them (*la mia dolce nipote, il nostro fratello maggiore, la mia zia preferita*);

b. with the affectionate family names *mamma, babbo, papà, figliolo/a* (*la mia mamma, il tuo babbo, il suo papà, il/la nostro/a figliolo/*a);

c. with modified family names (*la tua sorellina, il nostro nipotino, il mio fratellone*).

Vorrei

Vorrei is the first-person singular form of the verb volere in the present conditional. We use vorrei to make polite requests: *Vorrei un bicchiere d'acqua, per favore*.

Mi piace and *mi piacciono*

We use the verb piacere mainly:

- in the third-person singular, mi piace, with singular nouns (*mi piace la pasta*) and with infinitive verbs (*mi piace giocare a calcio*);
- in the third-person plural, mi piacciono, with plural nouns: *mi piacciono i dolci*.

Volerci

- Volerci indicates the general amount of time needed to do something. The third-person singular ci vuole is used with singular time expressions, while the third-person plural ci vogliono is used with plural time expressions:

  - Quanto tempo ci vuole per andare da casa tua alla stazione?
  - Ci vuole circa mezz'ora. / - Ci vogliono circa trenta minuti.

- Volerci can also be used to mean "something is needed":

  - Per andare in Spagna ci vuole il passaporto? - No, non ci vuole. Basta la carta d'identità.
  Per fare l'iscrizione a scuola ci vogliono alcuni documenti.

Metterci

Metterci indicates the amount of time a person requires to do something. The verb is conjugated in the present indicative: *io ci metto, tu ci metti, lui/lei/Lei ci mette, noi ci mettiamo, voi ci mettete, loro ci mettono*. As you can see, it is formed by the conjugated forms of mettere preceded by ci.
Here are some examples:
- Quanto tempo ci metti per andare da casa tua a scuola? - Non ci metto molto, dieci minuti.
- Ma quanto tempo ci ha messo tua sorella a vestirsi? - Di solito ci mette anche di più.

Quello e bello

The adjectives quello and bello change depending on the noun they follow and are modified in the same way as the masculine definite articles:

il ristorante → *quel/bel ristorante* → *quei/bei ristoranti*
lo spettacolo → *quello/bello spettacolo* → *quegli/begli spettacoli*
l'uomo → *quell'/bell'uomo* → *quegli/begli uomini*

Note: Quello and bello do not change when they follow a noun: *È un uomo* bello.
Quello doesn't change when it is pronoun: *Gianna ha comprato questo libro, Lorenzo ha comprato* quello.

Unità 7

The Imperfect Indicative

	1st conjugation (-are)	2nd conjugation (-ere)	3rd conjugation (-ire)
	parlare	**leggere**	**dormire**
io	parlavo	leggevo	dormivo
tu	parlavi	leggevi	dormivi
lui/lei/Lei	parlava	leggeva	dormiva
noi	parlavamo	leggevamo	dormivamo
voi	parlavate	leggevate	dormivate
loro	parlavano	leggevano	dormivano

The imperfect indicative is used to describe incomplete or ongoing actions in the past.

We use the imperfect indicative

- in descriptions: *Vent'anni fa nella nostra città c'era molto più verde.*
- to describe habitual actions in the past: *Ogni domenica Carlo andava al cinema o a teatro.*
- to indicate two or more actions that were happening at the same time in the past: *Giulia studiava e ascoltava la radio. / Giulia studiava e sua sorella guardava la TV.*
- to ask politely for something: *Volevo una pizza margherita.* In this case, in spoken Italian, we use the imperfect instead of the conditional (*Vorrei due pizze...*).
- in journalistic language, stories, and fables: *C'era una volta un burattino di nome Pinocchio... / Ieri, all'incontro tra i paesi europei partecipava anche...*

Irregular verbs in the imperfect indicative

essere	bere	dire	fare	porre	tradurre	trarre
ero	bevevo	dicevo	facevo	ponevo	traducevo	traevo
eri	bevevi	dicevi	facevi	ponevi	traducevi	traevi
era	beveva	diceva	faceva	poneva	traduceva	traeva
eravamo	bevevamo	dicevamo	facevamo	ponevamo	traducevamo	traevamo
eravate	bevevate	dicevate	facevate	ponevate	traducevate	traevate
erano	bevevano	dicevano	facevano	ponevano	traducevano	traevano

The function of the *imperfetto* and *passato prossimo* (and the differences with the modal verbs *potere, volere, dovere*)

To express past actions:

a. the **imperfetto** is used to describe habits or qualities of people or objects in the past (*Da bambina ero molto tranquilla*) or to describe simultaneous actions in the past (*Mentre camminava, parlava al telefono*).
The modal verbs are used in the *imperfetto* (*Luigi doveva andare dal dentista*) to describe **uncertain actions**, or actions that were not completed (i.e., Luigi was supposed to go to the dentist, but we do not know if he went or not).

b. the **passato prossimo** is used to describe completed actions in the past (*Ieri, Giulia ha chattato fino a mezzanotte*), completed actions that happened in succession (*Prima ho mangiato e poi ho guardato la TV*) or to describe an action that interrupted another action (*Mentre camminavo, ho incontrato Dino*).
The modal verbs are used in the *passato prossimo* (*Luigi è dovuto andare dal dentista*) to describe a **completed action** that clearly expresses what happened (i.e., Luigi had to go to the dentist, and he definitely went).

The Past Perfect

imperfect of the auxiliary verb essere or avere + **the past participle** of the verb

The past perfect (*trapassato prossimo*) is used to express a past action that occurred before another past action, which is expressed with the *passato prossimo* or *imperfetto*:

Francesca ha detto che l'anno scorso non era andata in vacanza. / Mio nonno parlava sempre dei viaggi che aveva fatto.

Direct Object Pronouns

Pronouns always replace the name of someone or something, a person, an animal, or an object. Direct object pronouns (which answer the question "Who?" or "What?") replace the direct object (which is never preceded by a preposition):
Leggo il giornale (verbo + nome, oggetto diretto). = *Lo (pronome diretto + verbo) leggo.*

Direct object pronouns have two forms, tonic and atonic.

atonic pronouns	tonic pronouns
mi	me
ti	te
lo, la, La	lui, lei, Lei
ci	noi
vi	voi
li, le	loro
In the atonic form, the direct object pronouns always precede the verb (pronoun + verb): *Carlo mi saluta ogni volta che mi vede.*	In the tonic form, the direct object pronouns always follows the verb (verb + pronoun): *Carlo saluta me ogni volta che ci vede.*

- When we use the polite form, we always use the third-person singular direct object pronoun (La/Lei): *Signora, La posso aiutare?*
- When we want to create emphasis, we use both the object and the direct object pronoun: *Sergio le mele verdi non le mangia.*
- The direct object pronoun lo followed by the verb sapere can substitute an entire phrase: *- A che ora comincia la partita? - Non lo so (lo = a che ora comincia la partita). / - Quest'anno la nostra scuola organizza delle lezioni di educazione ambientale. - Sì, l'ho saputo e mi sembra un'ottima idea (l'= che la nostra scuola organizza delle lezioni di educazione ambientale). / - Sapevi che Flavia era partita? - No, non lo sapevo (lo = che Flavia era partita).*

The partitive pronoun *ne*

We use the partitive pronoun ne to indicate a part of the whole:
- La mangi tutta la pizza? - No, ne mangio solo un pezzo (ne = di tutta la pizza).

We use the direct object pronouns lo, la, li, le to indicate the whole: *- La mangi tutta la pizza? - Sì, la mangio tutta (la = la pizza). / - Hai mangiato tu i cioccolatini che erano sul tavolino? - Sì, li ho mangiati io (li = tutti i cioccolatini).*

In the *passato prossimo*, and in all compound tenses, the past participle must agree in number and gender when ne is used: *- Vuoi un caffè? - No, grazie, ne ho già bevuti due. / La torta era buonissima, ne ho mangiate due fette. / - Mamma, hai comprato le mele? - Sì, ne ho comprati due chili.*

Direct object pronouns with compound tenses

In the *passato prossimo*, and in all compound tenses, agreement with the past participle is:

required with the atonic direct object pronouns lo, la, li, le.	**optional** with the atonic direct object pronouns mi, ti, ci, vi.
- Hai visto l'ultimo film di Moretti? - Sì, l'ho visto. *- Dove hai comprato questa camicetta? - L'ho comprata a Roma.* *Avete visto i ragazzi, per caso? - Sì, li abbiamo incontrati ieri al bar.* *- Hai visto le mie chiavi di casa? - Le hai messe accanto al telefono.*	*- Giulia, come sei andata alla stazione? - Mi ha accompagnato/a mia madre.* *Chiara, chi ti ha accompagnato/a?* *Lo so che ci avete aspettato/i per un'ora, ma non siamo riusciti a venire prima.* *Ragazze, vi ho già invitato/e alla mia festa?*

Note: The direct object pronouns lo and la take an apostrophe before the verb avere (*ho, hai, ha, abbiamo, avete, hanno*) and, usually, before verbs that start with a vowel:

- Avete preso la chitarra? - Sì, l'ho presa io. / - Hai ascoltato l'ultima canzone di Vasco? - L'ascolto proprio ora.

Conoscere* and *sapere

a. We use *conoscere* and *sapere* in the ***imperfetto*** to say that we already knew someone (*Questa sera, alla festa, Luca mi ha presentato Franco e Giulia che conoscevo già*) or something (*- Lo sapevi che da giovane il padre di Carlo faceva il cantante? - Sì, lo sapevo*).

b. We use *conoscere* and *sapere* in the ***passato prossimo*** to say that we met someone for the first time (*Stefania, l'ho conosciuta alla festa di Carla*) or that we have found something out or learned something from someone else (*- Hai saputo che hanno aperto un nuovo centro commerciale un po' fuori città? - Sì, l'ho saputo da mia madre*).

Direct object pronouns with modal and phrasal verbs

With modal verbs (dovere, volere, potere) and phrasal verbs (cominciare a, finire di, sapere, stare per), which are followed by an infinitive verb, atonic direct object pronouns (mi, ti, lo, la, La, ci, vi, li, le) can be placed either in front of the verb or attached to the end of the infinitive:
Questa gonna è troppo cara, non la posso comprare. = Questa gonna è troppo cara, non posso comprarla.
La cena non è pronta! La comincio a preparare subito. = La cena non è pronta! Comincio a prepararla subito.

Reflexive and reciprocal verbs in the present indicative

Reflexive verbs describe an action that a subject does to himself/herself. Thus, in a sentence with a reflexive verb, the subject and the object are the same person: *Maria si lava. = Maria lava se stessa.*

	1st conjugation (-arsi)	2nd conjugation (-ersi)	3rd conjugation (-irsi)
	alzarsi	**vedersi**	**divertirsi**
io	mi alzo	mi vedo	mi diverto
tu	ti alzi	ti vedi	ti diverti
lui/lei/Lei	si alza	si vede	si diverte
noi	ci alziamo	ci vediamo	ci divertiamo
voi	vi alzate	vi vedete	vi divertite
loro	si alzano	si vedono	si divertono

We conjugate reflexive verbs the same way as all other verbs, but with a reflexive pronoun (mi, ti, si, ci, vi, si) in front of the verb. The pronoun attaches to the end of the verb only with the informal imperative, infinitive verbs, the gerund, and past participles.

Reciprocal verbs describe reciprocal actions between two or more people: *Andrea e Alessia si amano. = Andrea ama Alessia e Alessia ama Andrea.*

Reflexive verbs with compound tenses

The auxiliary verb essere is always used to form a compound tense with a reflexive verb:
Ieri, Alberto si è alzato tardi. / Ieri, Chiara si è alzata tardi. / Ieri, Alberto e Chiara si sono alzati tardi. / Ieri, Chiara e Giovanna si sono alzate tardi.

Thus, there is always agreement with the past participle.

Reflexive verbs with modal and phrasal verbs

With modal verbs (dovere, volere, potere) and phrasal verbs (cominciare a, finire di, sapere, stare per), which are followed by an infinitive verb, the reflexive pronoun precedes the verb or attaches to the end of the infinitive:

Domani mi devo svegliare presto.	*Domani devo svegliarmi presto.*
Mi finisco di lavare e vengo.	*Finisco di lavarmi e vengo.*

With modal verbs (dovere, volere, potere) in compound tenses, the auxiliary verb *essere* is used if the reflexive pronoun precedes the modal verb, but *avere* is used if the reflexive pronoun attaches to the infinitive:

Non mi sono potuto svegliare alle 8 perché ieri sera ho dormito poco.	*Non ho potuto svegliarmi alle 8 perché ieri sera ho dormito poco.*

The impersonal form

To construct the impersonal form, we use: si + the third-person singular form of the verb (*In quel ristorante si mangia bene*) or uno + the third-person singular form of the verb (*In quel ristorante uno mangia bene*).

To construct the impersonal form of reflexive verbs, since the pronoun si is already present (*si diverte*), we change the impersonal si to the particle ci (*ci si diverte*):
In discoteca uno si diverte. / In discoteca ci si diverte.
With compound tenses, impersonal verbs always take the auxiliary verb essere: *Ieri, si è andati al cinema*.
Adjectives that follow the impersonal form are always in the plural: *si è felici, si è ottimisti, si è ottimiste*.

Impersonal verbs and expressions

Verbs that indicate weather conditions (*piovere, nevicare, grandinare* ecc.), are impersonal and thus are only conjugated in the third-person singular form.

Some other impersonal expressions:

Bisogna + infinitive verb (*Bisogna studiare di più se vogliamo superare l'esame*);
Essere + adjective:
È necessario / È possibile / È giusto / È facile / È difficile / È utile / È inutile / È bello (*È bello viaggiare. / È possibile prenotare un posto sul treno per Roma?*);
Essere + adverb: È meglio (*È meglio mangiare fuori stasera*).

Unità 10

Indirect object pronouns

An indirect object pronoun substitutes a noun that is an indirect object (indirect because it is preceded by the preposition *a* and answers the question *"To whom?" or "To what?"*):
Telefono a Carla (verb + noun, indirect object) *più tardi.* = *Le* (indirect object pronoun + verb) *telefono più tardi.*

Indirect object pronouns have two forms: atonic and tonic.

atonic pronouns	tonic pronouns
mi	a me
ti	a te
gli, le, Le	a lui, a lei, a Lei
ci	a noi
vi	a voi
gli	a loro

When we use the atonic form, the indirect object pronoun always goes before the verb (pronoun + verb):
Gli amici, per il mio compleanno, mi hanno regalato un libro.
The pronoun attaches to the end of the verb only with the informal imperative, infinitive verbs, the gerund, and the past participles.

- With the polite form, we always use the indirect object pronoun in the third-person singular (*Le/a Lei*): *Signora, Le piace questa camicetta?*
- The third-person plural atonic indirect object pronoun has two different forms: gli and loro. The pronoun loro is less common and is used only after the verb: *Ho detto a Laura e Alberto di incontrarci nel pomeriggio. = Gli ho detto di incontrarci nel pomeriggio. = Ho detto loro di incontrarci nel pomeriggio.*

Indirect object pronouns with compound tenses

- When we use an indirect object pronoun with a compound tense, there is no agreement with the past participle:

Lo sapevo, Valeria non ha detto bugie a Carla. = Lo sapevo, Valeria non le ha detto bugie. / Ho scritto un'e-mail a Francesca e a Giulia per invitarle alla mia festa di compleanno. = Gli ho scritto un'e-mail per invitarle alla mia festa di compleanno.

Indirect object pronouns with modal and phrasal verbs

With modal verbs (dovere, volere, potere) and phrasal verbs (*cominciare a, finire di, sapere, stare per*), which are followed by an infinitive verb, atonic indirect object pronouns (*mi, ti, gli, le, Le, ci, vi, gli*) are placed before the verb or are attached to the end of the infinitive:

Voglio comprare un regalo a mia madre. = Le voglio comprare un regalo. = Voglio comprarle un regalo.
Professor Ferri, Le posso parlare? = Professor Ferri, posso parlarLe?

The verb *piacere* with the *passato prossimo*

In the *passato prossimo*, the verb *piacere*, like all verbs that take essere as the auxiliary verb, must agree in gender and number with the subject:

Mi è sempre piaciuta la cioccolata.
Non ti è piaciuto il tiramisù del ristorante?
Le/Gli sono piaciute molto le scarpe nuove.
Ci sono piaciuti tutti i libri letti finora.
Vi è piaciuta l'ultima puntata del "Commissario Montalbano"?
Non gli è mai piaciuto andare a sciare.

The informal imperative

We use the imperative to give commands or advice. The informal imperative refers to the second-person singular tu, the first-person plural noi, and the second-person plural voi.

	1st conjugation (-are)	2nd conjugation (-ere)	3rd conjugation (-ire)	
	guardare	**leggere**	**aprire**	**finire**
tu	guarda!	leggi!	apri!	finisci!
noi	guardiamo!	leggiamo!	apriamo!	finiamo!
voi	guardate!	leggete!	aprite!	finite!

As we can see, the conjugation of the informal imperative is identical to that of the present indicative except that for -are verbs, the second-person singular tu ends with -a instead of -i:
Lucio, mangia la frutta! / Alessia, guarda che bel disegno ho fatto! / Gianni, ascolta questa canzone!

The negative informal imperative

The negative form of the informal imperative in the first-person plural (noi) and second-person plural (voi) is identical to that of the present indicative of the affirmative imperative, but with non added before the verb:
Non dimentichiamo **i cd!** / *Non prendiamo* **l'autobus!** / *Non partiamo* **oggi!** / *Non mangiate* **più dolci!** / *Non scrivete* **altri sms!** / *Non aprite* **la finestra!**

To form the negative imperative in the second-person singular (tu), we use non + infinitive verb:
Non mangiare **altri dolci!** / *Non scrivere* **altri sms!** / *Non aprire* **la finestra!**

	1st conjugation (-are)	2nd conjugation (-ere)	3rd conjugation (-ire)	
	guardare	**leggere**	**aprire**	**finire**
tu	non guardare!	non leggere!	non aprire!	non finire!
noi	non guardiamo!	non leggiamo!	non apriamo!	non finiamo!
voi	non guardate!	non leggete!	non aprite!	non finite!

Irregular verbs in the informal imperative

	essere		avere		sapere
	affirmative form	**negative form**	**affirmative form**	**negative form**	**affirmative form**
tu	sii!	non essere!	abbi!	non avere!	sappi!
noi	siamo!	non siamo!	abbiamo!	non abbiamo!	sappiamo!
voi	siate!	non siate!	abbiate!	non abbiate!	sappiate!

	andare	dare	dire	fare	stare
tu	va'! (vai!)	da'! (dai!)	di'!	fa'! (fai!)	sta'! (stai!)
noi	andiamo!	diamo!	diciamo!	facciamo!	stiamo!
voi	andate!	date!	dite!	fate!	state!

The imperative with pronouns

- Indirect and direct object pronouns and the particles ci and ne attach to the end of the imperative as a single word: *Scrivila subito! / Regaliamogli un orologio! / Prendetene solo tre!*
- With the negative form of the imperative, the pronouns can be placed either before the verb or attached to the end of verb as a single word: *Non le telefonare ora! = Non telefonarle ora!*
- To construct a negative imperative with the irregular verbs in the second-person singular *tu* (*va' / da' / fa' / sta' / di'*), the first consonant of the pronoun is doubled: *Va' a Roma! = Vacci! / Da' questo libro a tuo padre! = Dallo a tuo padre! / Fa' quello che ti dico! = Fallo! / Sta' accanto a Stefania! = Stalle accanto! / Di' a me la verità! = Dimmi la verità!*

  The only exception is the pronoun gli: *Da' il libro a Riccardo! = Dagli il libro!*

The Present Conditional

	1st conjugation (-are)	2nd conjugation (-ere)	3rd conjugation (-ire)
	parlare	**leggere**	**preferire**
io	parlerei	leggerei	preferirei
tu	parleresti	leggeresti	preferiresti
lui/lei/Lei	parlerebbe	leggerebbe	preferirebbe
noi	parleremmo	leggeremmo	preferiremmo
voi	parlereste	leggereste	preferireste
loro	parlerebbero	leggerebbero	preferirebbero

As with the simple future, the conjugations of -are and -ere verbs are identical.

Unique features of *-are* verbs

a. Verbs that end in -care and -gare take an -h- between the stem and the conditional ending: cercare → cercherei, cercheresti, cercherebbe, cercheremmo, cerchereste, cercherebbero; spiegare → spiegherei, spiegheresti, spiegherebbe, spiegheremmo, spieghereste, spiegherebbero.

b. Verbs that end in -ciare and -giare lose the -i between the stem and the conditional ending: cominciare → comincerei, cominceresti, comincerebbe, cominceremmo, comincereste, comincerebbero; mangiare → mangerei, mangeresti, mangerebbe, mangeremmo, mangereste, mangerebbero.

Irregular verbs in the present conditional

Conditional verbs have the same irregular stems as the simple future:

Infinitive	Conditional	Infinitive	Conditional	Infinitive	Conditional
essere	sarei	sapere	saprei	tenere	terrei
avere	avrei	vedere	vedrei	trarre	trarrei
stare	starei	vivere	vivrei	spiegare	spiegherei
dare	darei	volere	vorrei	pagare	pagherei
fare	farei	rimanere	rimarrei	cercare	cercherei
andare	andrei	bere	berrei	dimenticare	dimenticherei
cadere	cadrei	porre	porrei	mangiare	mangerei
dovere	dovrei	venire	verrei	cominciare	comincerei
potere	potrei	tradurre	tradurrei		

Function of the present conditional

We use the present conditional to express:

- a desire:
  Come sarebbe bello comprare un'auto nuova! / Mi piacerebbe tanto venire con voi al mare.
- a polite request:
  Signora, per favore, potrebbe dirmi dov'è Piazza Firenze? / Mi daresti il sale, per favore?
- a piece of advice:
  Faresti bene a studiare di più per l'esame. / Io, al posto tuo non andrei più a casa di Filippo.
- an opinion or hypothesis:
  Potremmo fare un giro in barca prima di andare a mangiare. / Luca dovrebbe tornare per le 5.
- a fact or piece of news that has not been confirmed:
  Secondo alcuni medici, i bambini non dovrebbero guardare la TV per più di un'ora al giorno.

Past Conditional

present conditional of the auxiliary verb essere or avere + **past participle** of the verb

We use the past conditional in the same situations as the present conditional. However, it is important to note that the past conditional expresses:

- an unfulfilled desire:
  Mi sarebbe piaciuto venire con voi, ma non potevo lasciare l'ufficio.
- advice (in reference to a situation in the past):
  Avresti dovuto telefonarmi in quel momento e non il giorno dopo.
- a fact or piece of news that has not been confirmed:
  L'incidente sarebbe accaduto a causa della pioggia.
- the future in the past:
  Ero sicuro che Matteo mi avrebbe detto di no. / Non ho mai pensato che saresti partita senza salutarmi.

Abbreviations

avv.	adverb
f.	feminine
inf.	infinitive
m.	masculine
part. pass.	past participle
pl.	plural
sing.	singular

This glossary includes all the new words found in the 6 units of the Student's Book and Workbook. The words marked with an asterisk refer to the texts of the audio tracks.

New words from the *Attività video* and *Autovalutazione* sections can be found in the online multilingual Glossary on www.edilingua.it.

Unità 6
A cena fuori

romantica, (*f.*) (*m.* romantico): romantic
***come mai?**: how come?
***discreta**, (*f.*) (*m.* discreto): discreet
***risotto alla milanese**, il (*m.*): milanese risotto (*a typical way of making risotto in Milan*)
***secondo (piatto)**, il (*m.*): main course
***cotoletta alla milanese**, la (*f.*): milanese breaded cutlet
***antipasto**, l' (*m.*): appetizer, starter
***bruschette**, le (*f.*): bruschette (*toasted bread with toppings*)
***per caso**: by chance
madre, la (*f.*): mother
macché: as if
moglie, la (*f.*): wife
adoro, *inf.* adorare: I adore
ha dimenticato, *inf.* dimenticare: you forgot / you have forgotten (formal you)
sciarpa, la (*f.*): scarf
volo, il (*m.*): flight
avete programmato, *inf.* programmare: you planned / you have planned
cucciolo, il (*m.*): kitten ("cucciolo" *can also be used to refer to any baby animal*)
vivaci, (*m.* e *f.*) (*sing.* vivace): lively
sale, il (*m.*): salt
salati, (*m.*) (*sing.* salato): salty
arrabbiatissima, (*f.*) (*m.* arrabbiatissimo): really angry
discutere di: talk about, discuss
politica, la (*f.*): politics
padre, il (*m.*): father
povera te, (*f.*): poor you
nipote, il/la (*m.* e *f.*): niece / nephew (*It can also be used to refer to grandson or granddaughter*)
in braccio alla sua mamma: in her mum's arms
intendiamo, *inf.* intendere: we mean
rapporti di parentela, i (*m.*) (*sing.* il rapporto di parentela): different relationships
coniugi, i (*m.*): spouses
misto, (*m.*): mixed
linguine, le (*f.*): linguine are a type of pasta, similar to flat spaghetti
spaghetti alla carbonara, gli (*m.*): spaghetti with egg and a special kind of bacon
penne all'arrabbiata, le (*f.*): short penne pasta in a spicy tomato sauce
pollo all'aglio, il (*m.*): garlic chicken
bistecca ai ferri, la (*f.*): grilled steak
cotoletta alla milanese, la (*f.*): breaded fried cutlet
vitello alle verdure, il (*m.*): veal with vegetables
involtini alla romana, gli (*m.*): roman style veal roulade
torta di mele, la (*f.*): apple cake
panna cotta, la (*f.*): panna cotta
contorni, i (*m.*): side dishes
verdure grigliate, le (*f.*): grilled vegetables
patate al forno, le (*f.*): roast potatoes
funghi, i (*m.*) (*sing.* il fungo): mushrooms
vini, i (*m.*) (*sing.* il vino): wines
***ben cotta, per favore!**: well done, please!
***acqua minerale frizzante**, l' (*f.*): sparkling mineral water
saporito, (*m.*): tasty, full of flavour
pasta al dente, la (*f.*): pasta al dente (*pasta that is not overcooked and soggy, nor undercooked and hard, meaning it is firm when you bite it*)
affatto, *avv.*: at all
carne, la (*f.*): meat
spuntino, lo (*m.*): snack
biscotti al cioccolato, i (*m.*) (*sing.* il biscotto al cioccolato): chocolate biscuits
siccome: because, seeing as
ho sempre fretta: I'm always in a hurry
fretta, la (*f.*): hurry
al massimo: at the most
fette biscottate, le (*f.*): melba toasts
burro, il (*m.*): butter
miele, il (*m.*): honey
salto sempre la cena: I always skip dinner
merenda, la (*f.*): snack
sono a posto: I'm sorted
in ogni caso: in any case
cereali, i (*m.*): cereals
cuocere, *inf.*: to cook
cottura, la (*f.*): cooking
passaporto, il (*m.*): passport
tovaglia, la (*f.*): tablecloth
tovagliolo, il (*m.*): serviette
forchetta, la (*f.*): fork
pepe, il (*m.*): pepper
coltello, il (*m.*): knife
sugo, il (*m.*): sauce
salame, il (*m.*): salami
tagliare, *inf.*: to cut
friggere, *inf.*: to fry
mescolare, *inf.*: to stir
grattugiare, *inf.*: to grate
pentola, la (*f.*): saucepan
grattugia, la (*f.*): grater
tagliere, il (*m.*): chopping board
padella, la (*f.*): frying pan
mestolo, il (*m.*): ladle
colapasta, il (*m.*): colander
somiglianze, le (*f.*): similarities
notizia, la (*f.*): news
economico, (*m.*): not expensive
grazie in anticipo: thanks in advance
arabi, gli (*m.*) (*sing.* l'arabo): Arabs
austriaci, gli (*m.*) (*sing.* l'austriaco): Austrians
ricette, le (*f.*) (*sing.* la ricetta): recipes
leggenda, la (*f.*): legend
in realtà: actually
secoli, i (*m.*) (*sing.* il secolo): centuries
Greci, i (*m.*): Greeks
Etruschi, gli (*m.*): Etruscans
una specie di...: a kind of
preparate, (*f.*) (*sing.* preparata): prepared
introdurre, *inf.*: to introduce
siciliana, (*f.*) (*m.* siciliano): Sicilian
commerci marittimi, i (*m.*): maritime trade
piano piano: gradually
antichissima, (*f.*) (*m.* antichissimo): ancient
pietre, le (*f.*) (*sing.* la pietra): stones
focaccia, la (*f.*): focaccia bread
sottili fette di pane, le (*f.*): thin slices of bread
aggiunta, l' (*f.*): addition

ingredienti, gli (*m.*) (*sing.* l'ingrediente): ingredients
e non solo: and not only
re, il (*m.*): King
regina, la (*f.*): Queen
corte, la (*f.*): court
pizzaiolo, il (*m.*): pizza chef
assaggiare, *inf.*: to taste
tricolore, (*m.* e *f.*): three coloured
bandiera, la (*f.*): flag
basilico, il (*m.*): basil
in onore di...: in honour of
conquista, *inf.* conquistare: it conquers
racconto fantastico, il (*m.*): imaginary story
singoli prodotti, i (*m.*): individual products
parecchie, (*f.*) (*sing.* parecchia): many
consumare, *inf.*: to eat
troppo, (*m.*): too
costosa, (*f.*) (*m.* costoso): expensive
frequentata, (*f.*) (*m.* frequentato): frequented
varietà, la (*f.*): variety
regionali, (*m.* e *f.*) (*sing.* regionale): regional
ambiente, l' (*m.*): environment, atmosphere
gustare, *inf.*: to taste
raffinati, (*m.*) (*sing.* raffinato): refined
per mancanza di tempo: for lack of time
ricercato, (*m.*): sought after

Quaderno degli esercizi Unità 6

benissimo, *avv.*: really well
ti sei laureata, *inf.* laurearsi: you graduated / you've graduated
occhiata, l' (*f.*): look
dare un'occhiata a...: to have a look
pizzeria, la (*f.*): pizzeria
litiga, *inf.* litigare: he\she argues
terribile, (*m.* e *f.*): terrible
rumorosi, (*m.*) (*sing.* rumoroso): noisy
pesanti, (*m.* e *f.*) (*sing.* pesante): heavy
spaghetti al pesto, gli (*m.*): spaghetti with pesto
lasagne alla bolognese, le (*f.*): lasagne
architetto, l' (*m.*): architect
divertente, (*m.* e *f.*): fun
ma cosa mettere in tavola?: what to put on the table?
cucchiaio, il (*m.*): spoon
gnocchi, gli (*m.*): potato gnocchi
bollire, *inf.*: to boil
cuoco, il (*m.*): cook
trattoria, la (*f.*): traditional restaurant
culatello, il (*m.*): culatello (a richly cured ham)
in piedi: standing up
va in terza elementare: he goes/he's going to the third year of primary school

Unità 7 *Al cinema*

giallo/poliziesco, (*m.*): mystery/police
orrore, l' (*m.*): horror
***visto che...**: seeing as
***febbre**, la (*f.*): temperature
***innanzitutto**, *avv.*: firstly
***confuso**, (*m.*): confused
***in che senso?**: in what way?
***complicata**, (*f.*) (*m.* complicato): complicated
***commenti**, i (*m.*) (*sing.* il commento): comments
***strano**, (*m.*): weird
***metà**, la (*f.*): half
***innamorata**, (*f.*) (*m.* innamorato): in love with
***fantasma**, il (*m.*): ghost
***assassino**, l' (*m.*): murderer
silenzio, il (*m.*): silence
ogni tanto: now and again
felice, (*m.* e *f.*): happy
mentre: while
oddio: Oh my God
mazzo di fiori, il (*m.*): a bunch of flowers
vabbè: you're right but
chissà: who knows
abitudini, le (*m.*) (*sing.* l'abitudine): habits
azione non conclusa in un momento preciso, l' (*f.*): an unfinished action in a precise moment
azioni contemporanee al passato, le (*f.*): actions happening at the same time in the past
azione conclusa, l' (*f.*): finished action
azioni successive concluse, le (*f.*): a sequence of completed actions
azione passata interrotta da un'altra azione passata, l' (*f.*): a past action interrupted by another past action
in cerchio: in a circle
buia, (*f.*) (*m.* buio): dark
piovosa, (*f.*) (*m.* piovoso): rainy
fa girare la bottiglia: spin the bottle
pennarello, il (*m.*): marker pen
indicato, (*m.*): indicated
va avanti: continues
ho notato, *inf.* notare: I noticed
pantaloni, i (*m.*): trousers
maglietta, la (*f.*): t-shirt
nervoso, (*m.*): anxious
non c'era molta gente in giro: there weren't many people around
deserta, (*f.*) (*m.* deserto): deserted
impazienti, (*m.* e *f.*) (*sing.* impaziente): impatient
Torre pendente, la (*f.*): Leaning Tower of Pisa
***tragedia**, la (*f.*): disaster
***quindi**: so
***qualche giorno prima**: a few days before
***non era un granché**: it wasn't that good
***allora niente film?**: so you didn't watch a film?
***neppure**: even
***eppure**: yet
***critiche**, le (*f.*) (*sing.* la critica): reviews
ormai, *avv.*: by now
recensioni, le (*f.*) (*sing.* la recensione): reviews
Come si forma?, *inf.* formarsi: How do you make?
***bravissimo**, (*m.*): very good
***miglior regia**, la (*f.*): best director
***hai ragione**: you're right
***attrice** l' (*f.*): actress
sicuramente, *avv.*: certainly
Perfetti Sconosciuti, i (*m.*): Perfect Strangers
titolo, il (*m.*): title
trama, la (*f.*): plot
stampa, la (*f.*): press
pubblicità, la (*f.*): advertising
emozionanti, (*m.* e *f.*) (*sing.* emozionante): moving
presentati, (*m.*) (*sing.* presentato): introduced
apprezzati, (*m.*) (*sing.* apprezzato): appreciated
Neorealismo, il (*m.*): Neorealism
Seconda guerra mondiale, la (*f.*): Second World War
periodo, il (*m.*): period
cinematografico, (*m.*): film
Commedia all'italiana, la (*f.*): Italian-style comedy (film genre)
comiche, (*f.*) (*sing.* comica): comic
ironia, l' (*f.*): irony
nei confronti di...: with respect to
società, la (*f.*): society
interpretati, (*m.*) (*sing.* interpretato): played
accompagnati, (*m.*) (*sing.* accompagnato): accompanied
compositore, il (*m.*): composer
noto, (*m.*): famous
premiati, (*m.*) (*sing.* premiato): award winning
poetiche, (*f.*) (*sing.* poetica): poetic
malinconiche, (*f.*) (*sing.* malinconica): melancholic
tratto, (*m.*): based on
romanzo, il (*m.*): novel
ammirati, (*m.*) (*sing.* ammirato): respected
carriera, la (*f.*): career
capolavori, i (*m.*) (*sing.* il capolavoro): masterpieces
rappresenta, *inf.* rappresentare: he represents

cinema d'autore, il (*m.*): art cinema
autore, l' (*m.*): author
interpreti, gli/le (*m.* e *f.*) (*sing.* l' interprete): actors
talento, il (*m.*): talent
comici, i (*m.*) (*sing.* il comico): comedians
principe, il (*m.*): prince
risata: laughs
italiano medio, l' (*m.*): average Italian
pregi, i (*m.*) (*sing.* il pregio): virtues
difetti, i (*m.*) (*sing.* il difetto): shortcomings
professionalmente, *avv.*: professionally
caratteristiche, le (*f.*) (*sing.* la caratteristica): characteristics
positive, (*f.*) (*sing.* positiva): positive
negative, (*f.*) (*sing.* negativa): negative
citate, *inf.* citare: name
drammatici, (*m.*) (*sing.* drammatico): drama
attraversavo la strada: I was crossing the road
attraversavo, *inf.* attraversare: I was crossing
cosa danno all'Ariston?: what's on at the Ariston
mi ha investito una bicicletta: a bicycle knocked me over

Quaderno degli esercizi Unità 7

profumo, il (*m.*): smell
ospedale, l' (*m.*): hospital
telegiornale, il (*m.*): tv news
è suonato, *inf.* suonare: it rang
scrivere la tesi: write your dissertation
prendere il sole: to sunbathe
per poco: almost
lavare, *inf.*: to wash
errori, gli (*m.*) (*sing.* l'errore): mistakes
promettere, *inf.*: to promise
recita, *inf.* recitare: he acts
ultimamente, *avv.*: recently
***non ne vale la pena**: it's not worth it
***attimo**, l' (*m.*): moment
***basta**, *inf.* bastare: enough
***geloso**, (*m.*): jealous
***originale**, (*m.* e *f.*): original
è caduto, *inf.* cadere: he/she/it fell
poteri da supereroe, i (*m.*) (*sing.* il potere): superhero powers
supereroe, il (*m.*): superhero

Unità 8 *Fare la spesa*

yogurt, lo (*m.*): yoghurt
mele, le (*f.*) (*sing.* la mela): apples
***uguale**, (*m.* e *f.*): the same
***di meno**: less
***pere**, le (*f.*) (*sing.* la pera): pears
***banane**, le (*f.*) (*sing.* la banana): bananas
***calorie**, le (*f.*) (*sing.* la caloria): calories
***al limone**: lemon flavoured
***eccola qui**: here it is
***penne integrali**, le (*f.*): wholemeal penne pasta
uova, le (*f.*) (*sing.* l'uovo): eggs
confezioni, le (*f.*) (*sing.* la confezione): packs, packets
sacchetti, i (*m.*) (*sing.* il sacchetto): plastic bags
meno male: thank goodness
a memoria: from memory
mi ha convinto, *inf.* convincere: she convinced me
rivedrete, *inf.* rivedere: you will see again
accompagna, *inf.* accompagnare: he/she accompanies, takes
fumare, *inf.*: to smoke
litro, il (*m.*): litre
***che rabbia**: how annoying!
***accidenti!**: damn!
sorpresa, la (*f.*): surprise
mannaggia: bother!
borsa di studio, la (*f.*): scholarship
desidera, *inf.* desiderare: What would you like? *(used in formal situations in shops and or restaurants)*
etti, gli (*m.*) (*sing.* l'etto): hectograms
almeno, *avv.*: at least
chilo, il (*m.*): kilo
un paio: a couple
dozzina, la (*f.*): a dozen
unica, (*f.*) (*m.* unico): the only one
matrimonio, il (*m.*): wedding
Spagna, la (*f.*): Spain
una decisione del genere: a decision of that sort
decisione, la (*f.*): decision
resto, il (*m.*): rest
sa tutto di tutti: she knows everything about everyone
aiutare, *inf.*: to help
***consegnare**, *inf.*: to have a deadline
***traduzione**, la (*f.*): translation
***ti vedo un po' giù**: you look a bit down
***umore**, l' (*m.*): mood
***vuoi un passaggio?**: do you want a lift?
collaborazione, la (*f.*): collaboration, help
vuoi una mano?: do you want a hand?
posso essere d'aiuto?: can I be of any help?
hai bisogno di...: do you need..?
teatrale, (*m.* e *f.*): theatre
angolo, l' (*m.*): corner
occupata, (*f.*) (*m.* occupato): busy
assolutamente, *avv.*: absolutely
ah, già: oh, that's right
compito, il (*m.*): homework
pesce alla griglia, il (*m.*): grilled fish
parcheggiare, *inf.*: to park
fruttivendolo, il (*m.*): greengrocer's
mazzo di rose, il (*m.*): bunch of roses
medicina, la (*f.*): medicine
fioraio, il (*m.*): florist
pescivendolo, il (*m.*): fishmonger
panetteria, la (*f.*): bakery
tubetto, il (*m.*): tube
vasetto, il (*m.*): jar
scatoletta, la (*f.*): tin
pacco, il (*m.*): packet
dentifricio, il (*m.*): toothpaste
marmellata, la (*f.*): jam
tonno, il (*m.*): tuna
farina, la (*f.*): flour
lievito, il (*m.*): raising agent
bustina, la (*f.*): sachet
olio, l' (*m.*): oil
frigorifero, il (*m.*): fridge
formaggio grattugiato, il (*m.*): grated cheese
cavolo, il (*m.*): cabbage
lattuga, la (*f.*): lettuce
carta igienica, la (*f.*): toilet paper
alimenti, gli (*m.*): food
orientale, (*m.* e *f.*): oriental
acciughe, le (*f.*) (*sing.* l'acciuga): anchovies
erbe aromatiche, le (*f.*): aromatic herbs
piante profumate, le (*f.*): fragrant plants
palermitani, i (*m.*): palermitan, people of Palermo
mercati all'aperto, i (*m.*): street markets
abbigliamento, l' (*m.*): clothing
calzature, le (*f.*): footwear
casalinghi, i (*m.*): household goods
tranne: except
coloratissimo, (*m.*): colourful
veneziani, i (*m.*): venetians, people from Venice
frequentano, *inf.* frequentare: they go to
ti interessa, *inf.* interessare: you are interested in
riconoscimento DOP, il (*m.*): recognition of Protected Designation of Origin
denominazione di origine protetta: Protected Designation of Origin *(is the name of an area, a specific place used as a designation for an agricultural product or foodstuff whose production, processing and preparation take place within that geographical area)*

Unione Europea, l' (*f.*): European Union
conosciuti, (*m.*) (*sing.* conosciuto): well-known
pianura padana, la (*f.*): plain of the Po
Decameron di Boccaccio, il (*m.*): Boccaccio's *Decameron (a literary masterpiece dating back to the mid 14th century)*
delicato, (*m.*): delicate
gustoso, (*m.*): tasty
piacevole, (*m.* e *f.*): pleasant
allo stesso tempo: at the same time
preziosissimo, (*m.*): very precious
energetico, (*m.*): providing calories
dovuto, (*m.*): due to
processo, il (*m.*): process
stagionatura, la (*f.*): ageing
maturazione, la (*f.*): ripening, aging
ottenere, *inf.*: to obtain
cosce, le (*f.*) (*sing.* la coscia): thigh
ginocchio, il (*m.*): knee
maiale, il (*m.*): pork
genuino, (*m.*): genuine
gusto, il (*m.*): flavour
bufala, la (*f.*): buffalo
mucca, la (*f.*): cow
ritroviamo, *inf.* ritrovare: we find it
dieta mediterranea, la (*f.*): mediterranean diet
a. C. (avanti Cristo): B.C (before Christ)
Annibale: Hannibal
preferibile, (*m.* e *f.*): preferable
conservarla, *inf.* conservare: keep it
a temperatura ambiente: room temperature
è utilizzato, *inf.* utilizzare: is used
scrittore, lo (*m.*): author
aceto balsamico (*m.*): balsamic vinegar
pecorino, il (*m.*): pecorino cheese (made from sheep's milk)
pistacchio, il (*m.*): pistachio nuts
è colpa mia: it's my fault
colpa, la (*f.*): fault
macellaio, il (*m.*): butcher

Quaderno degli esercizi Unità 8

ha postato, *inf.* postare: she posted
avevano riconosciuto, *inf.* riconoscere: they had recognised
Pagine Gialle, le (*f.*): Yellow Pages (directory of businesses)
basta così: that's all
***scade**, *inf.* scadere: expires
***olive**, le (*f.*) (*sing.* la oliva): olives
***foglietto**, il (*m.*): grocery list
***biologico**, (*m.*): organic
***per carità**: Good god!
***reparto**, il (*m.*): section
***detersivi**, i (*m.*) (*sing.* il detersivo): detergents
***lavatrice**, la (*f.*): washing machine
***matta**, (*f.*) (*m.* matto): crazy
***ti rendi conto che...**: do you realise that...
***ammorbidente**, l' (*m.*): fabric softener
***spalle**, le (*f.*): shoulders
***noia**, la (*f.*): boredom
***crema idratante**, la (*f.*): moisturising cream
***dio sia lodato**: Thank God!
convenienti, (*m.* e *f.*) (*sing.* conveniente): affordable
tirare sul prezzo: negotiate the price
sconto, lo (*m.*): discount
orario di chiusura, l' (*m.*): closing time
parcheggio, il (*m.*): car park
scelta, la (*f.*): choice
quartiere, il (*m.*): local neighbourhood
canile, il (*m.*): dog shelter
abbandonati, (*m.*) (*sing.* abbandonato): abandoned
disperati, (*m.*) (*sing.* disperato): desperate

Unità 9 *Andiamo a fare spese*

stilisti, gli (*m.*) (*sing.* lo stilista): fashion designers
capi di abbigliamento, i (*m.*) (*sing.* il capo di abbigliamento): items of clothing
scarpe da tennis, le (*f.*): tennis shoes
giacca, la (*f.*): jacket
camicia, la (*f.*): shirt
calzini, i (*m.*): socks
cappotto, il (*m.*): coat
***campo**, il (*m.*): court
***centro commerciale**, il (*m.*): shopping centre
***mi sveglio**, *inf.* svegliarsi: I wake up
***ci alziamo**, *inf.* alzarsi: we get up
***ha da fare**: she's busy
***evitare**, *inf.*: to avoid
***accessori**, gli (*m.*): accessories
affollato, (*m.*): crowded
mi divertirò, *inf.* divertirsi: I'll have fun
ti sentirai, *inf.* sentirsi: you'll feel
si annoia, *inf.* annoiarsi: he\she gets bored
ti rilassi, *inf.* rilassarsi: you relax
si conoscono, *inf.* conoscersi: they get to know each other
raffreddore, il (*m.*): cold
di sicuro: for sure
in giro per i negozi: round the shops
facilmente, *avv.*: easily
si veste, *inf.* vestirsi: he dresses
mi addormento, *inf.* addormentarsi: I fall asleep
ci prepariamo, *inf.* prepararsi: we get ready / we are getting ready
suocero, il (*m.*): father in-law
darsi del Lei: use the formal form with each other
***lino**, il (*m.*): linen
***tessuto**, il (*m.*): fabric
***seta**, la (*f.*): silk
***celeste**, (*m.* e *f.*): light blue
***grigio**, (*m.*): grey
***camerino**, il (*m.*): changing room
***là**, *avv.*: over there
***stretta**, (*f.*) (*m.* stretto): tight
***in contanti**: in cash
***bancomat**, il (*m.*): cash card
commessa, la (*f.*): sales assistant
indossano, *inf.* indossare: they are wearing
cappello, il (*m.*): hat
giubbotto, il (*m.*): jacket (windbreaker)
calze, le (*f.*) (*sing.* la calza): tights
scarpe con il tacco alto, le (*f.*): high-heeled shoes
tacco, il (*m.*): heel
maglione, il (*m.*): jumper
cintura, la (*f.*): belt
misura, la (*f.*): size
stoffa, la (*f.*): material
sportivo, (*m.*): casual
rosa, (*m.* e *f.*): pink
fidarsi, *inf.* fidarsi: trust
maggiori del: more than
iniziale, (*m.* e *f.*): initial
sintetici, (*m.*) (*sing.* sintetico): synthetic
etichetta, l' (*f.*): label
modalità di lavaggio, la (*f.*): washing instructions
cartello, il (*m.*): sign
merce, la (*f.*): goods
venduta, (*f.*) (*m.* venduto): sold
provenienza, la (*f.*): origin
cotone, il (*m.*): cotton
confronto, il (*m.*): comparison
carta di credito, la (*f.*): credit card
indicazioni, le (*f.*): instructions
specifichiamo, *inf.* specificare: we specify
contesto, il (*m.*): context
inutile, (*m.* e *f.*): pointless
guidare, *inf.*: to drive
a righe: striped
scarpe da ginnastica, le (*f.*): trainers
maglia, la (*f.*): sweater
a maniche lunghe: long-sleeved
a pallini: spotted
pelle, la (*f.*): leather
lana, la (*f.*): wool
a quadri: checked
a fiori: flowery
a tinta unita: plain colour
colloquio di lavoro, il (*m.*): job interview
raffinatezza, la (*f.*): sophistication
settori, i (*m.*) (*sing.* il settore): sectors
sviluppati, (*m.*) (*sing.* sviluppato): developed

esportazioni, le (*f.*) (*sing.* l'esportazione): exports
capi firmati, i (*m.*) (*sing.* il capo firmato): designer clothes
i più: most of them
maggior parte, la (*f.*): majority
produttore, il (*m.*): producer
gioielli, i (*m.*) (*sing.* il gioiello): jewels, jewellery
apprezza, *inf.* apprezzare: it appreciates
successo, il (*m.*): success
a soli quattordici anni: at only fourteen years of age
negozio di maglieria, il (*m.*): knitwear shop
ridare, *inf.*: to give back
alla fine degli anni Sessanta: at the end of the sixties
popolarità, la (*f.*): popularity
campagne pubblicitarie, le (*f.*) (*sing.* la campagna pubblicitaria): publicity campaigns
provocatorie, (*f.*) (*sing.* provocatoria): provocative
scopo, lo (*m.*): aim
causare, *inf.*: to cause
reazione, la (*f.*): reaction
basate, (*f.*) (*sing.* basata): based
temi sociali, i (*m.*) (*sing.* il tema sociale): social themes
razzismo, il (*m.*): racism
diversità, la (*f.*): diversity
vetrina, la (*f.*): shop window
realizzate a mano, (*f.*) (*sing.* realizzata a mano): hand-made
nobili, i (*m.*) (*sing.* il nobile): the nobility
ricchezza, la (*f.*): wealth
articoli, gli (*m.*) (*sing.* l'articolo): articles
casa reale dei Savoia, la (*f.*): the Savoy royal family
punto di riferimento, il (*m.*): point of reference
colosso, il (*m.*): behemoth
lusso, il (*m.*): luxury
lancia sul mercato: she launches on the market
ben presto: soon
esporta, *inf.* esportare: it exports
casa di moda, la (*f.*): fashion house

Quaderno degli esercizi Unità 9

mi lavo i denti: I brush my teeth
mi trovo bene: I get on with
mi pettino, *inf.* pettinarsi: I comb my hair
mi arrabbio, *inf.* arrabbiarsi: I get angry
riposarsi, *inf.*: to rest
ricordarsi, *inf.*: to remember
si sposano, *inf.* sposarsi: they get married
ci guardiamo, *inf.* guardarsi: we watch
si lasciano, *inf.* lasciarsi: they break up
ci stanchiamo, *inf.* stancarsi: we get tired
mi sono fatto la barba: I shaved/I have shaved
sbrigarsi, *inf.*: to hurry up
darsi del tu: to use the informal form
innamorarsi, *inf.*: to fall in love
coppola, la (*f.*): flat cap
popolare, (*m.* e *f.*): popular
lenti da miopia, le (*f.*): lenses for short sight
montatura, la (*f.*): glasses frame
comprese, (*f.*) (*sing.* compresa): included
***non ho le idee molto chiare**: I haven't got a clear idea
***intanto**, *avv.*: to start with
***occhiali da vista**, gli (*m.*): vision glasses
***entrambi**: both
***montarci su delle lenti da miopia**: fit short sight lenses in the frame
***come no?**: of course!
***ha in mente**: have you got in mind
***metallo**, il (*m.*): metal
***calcolare**, *inf.*: calculate
***dipenderà**, *inf.* dipendere: it will depend
operaio, l' (*m.*): workman
si spogliava, *inf.* spogliarsi: she would get undressed
entra o crea un account: log in or create an account
crea, *inf.* creare: he/she creates
carrello, il (*m.*): cart
a partire da...: starting from...
filtra, *inf.* filtrare: he/she filters

Unità 10
Che c'è stasera in TV?

documentario, il (*m.*): documentary
serie tv, la (*f.*): tv series
***smetto**, *inf.* smettere: I'll stop
***illegale**, (*m.* e *f.*): illegal
***trasmissioni**, le (*f.*) (*sing.* la trasmissione): programmes
***opportunità**, l' (*f.*): opportunity
***voce**, la (*f.*): The Voice
***animali**, gli (*m.*) (*sing.* l'animale): animals
provino, il (*m.*): audition
le potrà aprire delle porte: it could open a door (*in the sense of opportunity*)
vaso, il (*m.*): vase
hanno prestato, *inf.* prestare: they lent \ they have lent
si accorda, *inf.* accordarsi: it agrees with
curriculum vitae, il (*m.*): curriculum vitae
logico, (*m.*): logical
comportamento, il (*m.*): behaviour
si lamenta, *inf.* lamentarsi: he/she complains
continuamente, *avv.*: continuously
spostare, *inf.*: to move
radiotelevisione romana, la (*f.*): roman radio-television
cartoni animati, i (*m.*): cartoons
legionario, il (*m.*): legionnaire
documentario, il (*m.*): documentary
attualità, l' (*f.*): current affairs
intervista, *inf.* intervistare: he interviews
***pazienza**, la (*f.*): be patient
***in tarda serata**: late evening
***fantascienza**, la (*f.*): science fiction
***continente**, il (*m.*): continent
***Mar Mediterraneo**, il (*m.*): Mediterranean sea
***incredibile**, (*m.* e *f.*): incredible
digitale terrestre gratuito, il (*m.*): free digital terrestrial tv (*broadcast television*)
accedi, *inf.* accedere: access
in onda: on air
meraviglie: wonders
la penisola dei tesori: the peninsula of treasures
tesoro: treasure
segreto, il (*m.*): secret
intrattenimento, l' (*m.*): entertainment
telecomando, il (*m.*): remote control
interrompe, *inf.* interrompere: it interrupts
televisore da 50 pollici, il (*m.*): 50 inch TV
ascolti tv, gli (*m.*): TV ratings
prima serata: prime time tv
fiction: dramas
frecce, le (*f.*) (*sing.* la freccia): high speed Italian trains
ferma, *inf.* fermare: stop
bullismo, il (*m.*): bullying
realizzerai, *inf.* realizzare: you will make (your dreams come true)
concorso, il (*m.*): competition
luce, la (*f.*): light
accesa, (*f.*) (*m.* acceso): on (as in turned on)
ha rovinato, *inf.* rovinare: he ruined
fate presto: be quick
imperativo negativo, l' (*m.*): negative imperative
dimagrire, *inf.*: to lose weight
rumore, il (*m.*): noise
proibire, *inf.*: to forbid
vacanze studio, le (*f.*): study holidays
tenerlo, *inf.* tenere: keep it
strappala, *inf.* strappare: tear it out
redazione, la (*f.*): newsroom, editors office
statistica, la (*f.*): statistic

vendite, le (*f.*) (*sing.* la vendita): sales
quotidiani, i (*m.*) (*sing.* il quotidiano): daily
incrocio, l' (*m.*): crossroads
va' sempre dritto: go straight on
***traversa**, la (*f.*): turning
tv a pagamento, la (*f.*): pay tv
abbonati, (*m.*) (*sing.* abbonato): subscribed
per tenervi informati: to keep yourself informed
distribuita, (*f.*) (*m.* distribuito): distributed
supplemento, il (*m.*): supplement
fondato, (*m.*): founded
quotidiano economico-finanziario, (*m.*): financial-economic
livello, il (*m.*): level
caratteristico, (*m.*): characteristic
testata giornalistica, la (*f.*): newspaper
tratta di..., *inf.* trattare: it deals with
mensile, il (*m.*): monthly
scienza, la (*f.*): science
sociologia, la (*f.*): sociology
rete statale, la (*f.*): national public broadcasting network
diffusione, la (*f.*): spreading
ha reso, *inf.* rendere: it made
unito, (*m.*): united
privati, (*m.*) (*sing.* privato): private
satira, la (*f.*): satire
emittenti locali, le (*f.*) (*sing.* l'emittente locale): local broadcasters
in testa alla classifica: in first place
classifica, la (*f.*): rankings
commissario, il (*m.*): chief of police
immaginaria, (*f.*) (*m.* immaginario): imaginary
cittadina, la (*f.*): town
omonimo, (*m.*): of the same name
interamente, *avv.*: entirely
napoletano, (*m.*): Neapolitan
legame, il (*m.*): bond
crescono, *inf.* crescere they grow up
Giro d'Italia, il (*m.*): Tour of Italy (*an annual multiple stage bicycle race primarily around Italy, organised by the sports newspaper* La Gazzetta dello Sport)
dialetto, il (*m.*): dialect
incidente stradale, l' (*m.*): road traffic accident

Quaderno degli esercizi Unità 10

le farò gli auguri: I'll wish her happy birthday
amatriciana, l' (*f.*): amatriciana pasta (*it is made with a tomato and bacon sauce. It originates from the town of Amatrice in the Lazio region*)
geografia, la (*f.*): geography
conduttori, i (*m.*) (*sing.* il conduttore): tv presenters
una mela al giorno toglie il medico di torno: an apple a day keeps the doctor away
alcolici, gli (*m.*): alcoholic drinks
paura, la (*f.*): fear
energia, l' (*f.*): energy
iscriversi, *inf.*: to enrol
dimenticarsi, *inf.*: to forget
salute, la (*f.*): health
dedicarsi, *inf.*: to dedicate oneself to
mettersi, *inf.*: to put on
calmarsi, *inf.*: to calm down
piattaforme, le (*f.*) (*sing.* la piattaforma): platforms
cambiamento, il (*m.*): change
riguarda, *inf.* riguardare: it concerns
interessati, (*m.*) (*sing.* interessato): interested
mobilità, la (*f.*): on the go
***inserto**, l' (*m.*): insert
***personalmente**, *avv.*: personally
***ovviamente**, *avv.*: clearly
***esperto**, l' (*m.*): expert
***costume**, il (*m.*): customs
***a proposito**: speaking of which
***contiene**, *inf.* contenere: it contains
***settimanali**, i (*m.*) (*sing.* il settimanale): weekly

Unità 11
A ritmo di musica

sparita, (*f.*) (*m.* sparito): disappeared
***effettivamente**, *avv.*: as a matter of fact
***tendenze**, le (*f.*) (*sing.* la tendenza): trends
***spontanee**, (*f.*) (*sing.* spontanea): spontaneous
***vincitrice**, la (*f.*): the winner (female)
assistente, l' (*m.* e *f.*): assistant
applicazione, l' (*f.*): app
sinceri, (*m.*) (*sing.* sincero): honest
***appassionata di**, (*f.*) (*m.* appassionato): you're keen on
***suggerimento**, il (*m.*): suggestion
***manifestazione**, la (*f.*): show
***si esibiscono**, *inf.* esibirsi: they perform
realizzabile, (*m.* e *f.*): possible
gentilmente, *avv.*: politely
passante, il/la (*m.* e *f.*): passer-by
coinvolgerebbe, *inf.* coinvolgere: it would involve
scandalo, lo (*m.*): scandal
ministri, i (*m.*) (*sing.* il ministro): ministers
Presidente della Repubblica, il (*m.*): President of the Republic
puntuale, (*m.* e *f.*): on time
evidentemente, *avv.*: obviously
guasto, il (*m.*): fault
in diretta: live
connessione, la (*f.*): (Internet) connection
lentissima, (*f.*) (*m.* lentissimo): very slow
trasloco, il (*m.*): move
sottosopra, *avv.*: untidy, in disarray
sfortunata, (*f.*) (*m.* sfortunato): unlucky
lascia stare: let it be, don't talk about it
sale, le (*f.*) (*sing.* la sala): cinemas
esauriti, (*m.*) (*sing.* esaurito): sold out
avevi messo da parte: you had to put to one side
altrimenti, *avv.*: otherwise
spero, *inf.* sperare: I hope
microfono, il (*m.*): microphone
batteria, la (*f.*): drums
cuffie, le (*f.*): headphones
tastiera, la (*f.*): keyboard
indagine, l' (*f.*): survey
individuare, *inf.*: identify
annuale, (*m.* e *f.*): yearly
cantautrice, la (*f.*): female singer songwriter
emozionare, *inf.*: to move (emotions)
cantautore, il (*m.*): male singer songwriter
etnici, (*m.*) (*sing.* etnico): ethnic
competizioni, le (*f.*) (*sing.* la competizione): competitions
dischi, i (*m.*) (*sing.* il disco): records, albums
prestigiosi, (*m.*) (*sing.* prestigioso): prestigious
affermare, *inf.*: to confirm
carichi, (*m.*) (*sing.* carico): full of
profondi, (*m.*) (*sing.* profondo): deep
celebre, (*m.* e *f.*): famous

Quaderno degli esercizi Unità 11

maratona, la (*f.*): marathon
associazione, l' (*f.*): association
riposo, il (*m.*): rest
stressante, (*m.* e *f.*): stressful
villaggio turistico, il (*m.*): holiday village, tourist resort
sposa, la (*f.*): bride
sposo, lo (*m.*): groom
lavoratori, i (*m.*) (*sing.* il lavoratore): workers
indipendente, (*m.* e *f.*): independent
pace, la (*f.*): peace
terrorismo, il (*m.*): terrorism
diritti umani, i (*m.*): human rights
labirinto, il (*m.*): maze
entrata, l' (*f.*): entrance
grotta, la (*f.*): cave
orologiai, gli (*m.*) (*sing.* l'orologiaio): clockmakers
barbiere, il (*m.*): barber
melodia, la (*f.*): melody

versi, i (*m.*) (*sing.* il verso): verse
spericolata, (*f.*) (*m.* spericolato): reckless
guerriero, il (*m.*): warrior
*****isolata**, (*f.*) (*m.* isolato): isolated
*****sul serio**: seriously
*****leggendarie**, (*f.*) (*sing.* leggendaria): legendary
*****all'epoca**: at the time
*****preoccupante**, (*m.* e *f.*): worrying
supporto, il (*m.*): media
ovunque, *avv.*: anywhere

Test generale finale

migliaia di canali: thousands of channels
contenuti, i (*m.*) (*sing.* il contenuto): contents
non è necessario: it's not necessary
itinerario, l' (*m.*): itinerary
area verde, l' (*f.*): green area
situata, (*f.*) (*m.* situato): situated
accoglie, *inf.* accogliere: is visited by
enorme, (*m.* e *f.*): huge
presenza, la (*f.*): presence
attrazioni, le (*f.*) (*sing.* l'attrazione): attractions
diversificate, (*f.*) (*sing.* diversificata): different
soddisfano, *inf.* soddisfare: they satisfy
visita, la (*f.*): visit
godere, *inf.*: to enjoy
affittare, *inf.*: to hire
spostamenti, gli (*m.*) (*sing.* lo spostamento): movements
tappa, la (*f.*): stop
splendida, (*f.*) (*m.* splendido): wonderful
pinacoteche, le (*f.*) (*sing.* la pinacoteca): art gallery
collezione, la (*f.*): collection
sculture, le (*f.*) (*sing.* la scultura): sculptures
la mattinata all'insegna della cultura e della storia dell'arte: a morning spent in the pursuit of culture and history of art
all'insegna di: in the pursuit of
impegnativa, (*f.*) (*m.* impegnativo): intensive
bilanciare, *inf.*: to make up for
dedicato, (*m.*): dedicated
svago, lo (*m.*): leisure
divertimento, il (*m.*): entertainment
nei pressi di...: in the vicinity of
ludoteca, la (*f.*): children's play centre
personale specializzato, il (*m.*): specialised staff
intratterrà, *inf.* intrattenere: will entertain
caffetteria, la (*f.*): café
poco distante: not far
amanti degli animali: animal lovers
suggeriamo, *inf.* suggerire: we suggest
giardino zoologico, il (*m.*): zoological garden
meta, la (*f.*): destination
volge al brutto tempo: if the weather takes a turn for the worse
ripiegare sul "Cinema dei Piccoli": you can retreat to the "Cinema for children"
parco tematico, il (*m.*): theme park
vietato, (*m.*): forbidden
divieto, il (*m.*): ban
dispositivi elettronici, i (*m.*): electronic devices
cronometro, il (*m.*): timer
conterà, *inf.* contare: will count

Unit section	Vocabulary and communicative topics	Grammatical structures

Unità 8
Fare la spesa Pg.33

A Al supermercato	• Going grocery shopping • Choosing products	• Direct object pronouns • *Lo so, Lo sapevo, Lo saprò*
B Che bello!	• Expressing joy, regret or disappointment	
C Quanto ne vuole?	• Going grocery shopping and specifying quantities	• The partitive pronoun *ne*
D Dove li hai comprati?		• Direct object pronouns with compound tenses • *L'ho saputo - L'ho conosciuto/a*
E Ti posso aiutare?	• Offering, accepting or refusing help	• Direct object pronouns with modal verbs
F Vocabolario	• Stores and types of containers	
G No, non ce l'ho!		• *Ce l'ho - Ce n'è*
H Abilità	• Expansion activities based on unit topics focused on specific skills (listening, speaking, writing)	

Conosciamo l'Italia:
Mercati storici d'Italia. Italy's most important markets and what can be found in them
Prodotti tipici italiani. Three famous Italian food products

Video episode:
Arriva lo zio Tony!
Video activity Pg.99

Unità 9
Andiamo a fare spese Pg.49

A Ogni giorno i soliti vestiti!	• Describing an encounter	• Reflexive verbs • Reciprocal verbs • Reflexive verbs with compound tenses
B La posso provare?	• Talking about clothing (color, size, style) • Useful expressions for shopping (price, form of payment)	
C Come ti vesti?	• Articles of clothing • Colors	• Reflexive verbs with modal verbs
D Che ne pensi?	• Asking for and expressing an opinion	
E Si può pagare in contanti?	• Impersonal verbs and expressions	• The impersonal form
F Vocabolario e abilità	• Expansion activities based on unit topics focused on specific skills (listening, speaking, writing)	

Conosciamo l'Italia:
La moda italiana. Designers and big names in "Made in Italy"
Benetton: un'azienda di successo.
I Fratelli Prada: la boutique della Galleria Vittorio Emanuele.

Video episode:
Che taglia porti?
Video activity Pg.100

Page

[71']

Unità	Track	Content
Unità introduttiva	01	A3
	02	A5a
	03	A5b
	04	C1, 2
	05	C6a
	06	C6b
	07	D1, 2
	08	D6a
	09	D6b
	10	E1, 2
	11	E7a
	12	E7b
Unità 1	13	Per cominciare 3, A1
	14	C1, 2
	15	D2
	16	F1
Unità 2	17	Per cominciare 3, A1
	18	B1
	19	D1
	20	F1
	21	G1
Unità 3	22	Per cominciare 3, A1
	23	B1, 2
	24	E1
	25	Quaderno degli esercizi
Unità 4	26	Per cominciare 3, 4, A1
	27	D1, 2
	28	Quaderno degli esercizi
Unità 5	29	Per cominciare 3, 4, A1
	30	B2b
	31	D1
	32	D2
	33	Quaderno degli esercizi
Unità 6	34	Per cominciare 2, 3, A1
	35	C1, 2, 4
Unità 7	36	Per cominciare 3, 4, A1
	37	C1, 2
	38	D1
	39	Quaderno degli esercizi
Unità 8	40	Per cominciare 3, 4, A1
	41	B1
	42	E1, 2
	43	Quaderno degli esercizi
Unità 9	44	Per cominciare 2, 3
	45	B1, 2
	46	D1
	47	Quaderno degli esercizi
Unità 10	48	Per cominciare 2, 3
	49	B1
	50	C1, 2
	51	E1
	52	F1, 2
	53	Quaderno degli esercizi
Unità 11	54	Per cominciare 4, A1
	55	B1
	56	C1
	57	Quaderno degli esercizi

On i-d-e-e.it, you can stream the original and "slow" versions of the audio CD files.

Pag.5: lacucinaitaliana.it (*in alto*), albosco.it (*1*), agriturismoalthea.it (*2*), myelection.info (*3*), destination-venise.net (*4*), omnihotels.com (*5*), saigonmilano.com (*6*); **Pag.8**: ilcittadino.it (*a sinistra*), ©T. Marin (*a destra*); **Pag.13**: buonitaly.it (*biscotti*); **Pag.14**: cyclingnotes.it (*1*), tube.com (*2*), ilsaronno.it (*4*); **Pag.15**: innaturale.com (*1*), risposte360.it (*2*), lacucinadinonnasimo.it (*3*); **Pag.16**: commons.wikimedia.org (*regina Margherita*); **Pag.17**: ristorantecatullo.com (*in basso a destra*); **Pag.19**: multivision.biz (*in alto*); **Pag.23**: shanacarrara.com; **Pag.25**: 31ebdomades.files.wordpress.com (*in alto a sinistra*); **Pag.26**: 3.bp.blogspot.com (*in basso a destra*); **Pag.28**: wikipedia.org; **Pag.29**: cover.box3.net; **Pag.30**: images2.corriereobjects.it (*Ladri di biciclette*), v6j5d8j6.stackpathcdn.com (*Il buono, il brutto e il cattivo*), media.cineblog.it (*I soliti ignoti*), italicsmag.com (*La dolce vita*), en.wikipedia.org (*oscar*), image.tmdb.org (*G. Tornatore*), tgregione.it (*G. Muccino*); **Pag.31**: cinema.de (*R. Benigni*), tuttoperlei.it (*C. Verdone-P. Cortellesi*), pad.mymovies.it (*R. Scamarcio*), pad.mymovies.it (*R. Scamarcio*), internapoli.it (*P. Favino*), i.scdn.co (*S Accorsi*); **Pag.32**: ©T. Marin; **Pag.33**: antoniosocci.com (*in alto*), altroconsumo.it (*1*), harrisfarm.com.au (*2*), cledema.com (*4*), zonamarket.it (*6*), feinkost-aus-ungarn.de (*7*), elim.shop (*9*), venfri.com (*12*); **Pag.35**: clickcafe.it (*1*), cascine-emiliane.it (*2*); **Pag.36**: perledisole.com; **Pag.38**: ©Edilingua (*a sinistra*); **Pag.39**: villa-floreal.com (*prima a destra*), it.tripadvisor.ch (*seconda a destra*); **Pag.43**: fotocontest.it (*a*), farmacialapedrera.com (*b*), sdpnoticias.com (*c*), static.dezeen.com (*d*), img2.juzaphoto.com (*e*), flickr.com (*f*), traveltotaste.net (*g*), retailfood.it (*h*); **Pag.44**: bellaitaliafoodstore.com (*in basso a sinistra*), ilprimoingrediente.it (*farina*), dadapaky.it (*zucchero*), coricelli.com (*olio*); **Pag.46**: ©T. Marin (*Mercato orientale*), video-images.vice.com (*Mercato di Porta*), pinterest.it (*Mercato Centrale*); **Pag.47**: tamburini.com (*B*); **Pag.50**: pixelcomunicazione.it (*in basso a destra*); **Pag.55**: manichinistore.it; **Pag.57**: ecotechjax.com (*cappotto nero*); **Pag.61**: ©T. Marin (*in basso*); **Pag.62**: 3dexport.com (*in alto a sinistra*), d.repubblica.it (*in alto a destra*), amazon.co.uk (*borsa*), cornerluxe.com, mariomossa.it, harpersbazaararabia.com (*gioielli*), mywhere.it (*in basso a sinistra*); **Pag.63**: ©T. Marin (*in alto*), fashionette.de (*zaino*), amazon.ca (*occhiali*); **Pag.64**: ©T. Marin; **Pag.65**: upload.wikimedia.org (*in alto*); moviestruckers.com (*film*), cdn.dday.it (*documentario*), mymagazine.news (*soap opera*), spettacolinews.it (*quiz*), radiobruno.it (*sport*), brand-news.it (*talent show*), ilclubdellibro.it (*serie tv*); **Pag.66**: pubblicitabus.it (*in alto a destra*), m.media-amazon.com (*Smetto quando voglio*); **Pag.68**: mr.comingsoon.it; **Pag.71**: italianosveglia.com (*Meraviglie*), wwwcache.wral.com (*The Voice*), lospecialista.tv (*#cartabianca*), cdn.chili.com (*Che bella giornata*), staticr1.blastingcdn.com (*Il segreto*), francescalagatta.it (*Le iene*), tellychakkar.com (*MasterChef Italia*), mymagazine.news (*DiMartedì*), filam.eb2a.com (*The karate kid*); **Pag.72**: pellicanosupermercati.it (*a*), lafeltrinelli.it (*b*), ninjamarketing.it (*c*), azzurro.it (*e*); **Pag.78**: giornali.it (*Corriere della sera*), iodonna.it (*Io donna*), robertaebasta.com (*Il sole 24 ore*), repstatic.it (*la Repubblica*), svelo.eu (La *Gazzetta dello Sport*), espresso.repubblica.it (*l'Espresso*), cover.mondadori.it (*Donna Moderna*), image.isu.pub (*Focus*), pubblicitaitalia.it (*sorrisi e canzoni TV*); **Pag.79**: mediavideo.blastingnews.com (*Il commissario Montalbano*), raipubblicita.it (*L'amica geniale*), velvetmusic.it (*Festival Sanremo*); **Pag.81**: mindmilano.it (*in alto*); **Pag.84**: ©T. Marin (*in basso*); **Pag.88**: teleambiente.it (*in alto*); **Pag.91**: ©Edilingua (*biglietti*), amazon.com (*enciclopedia*), musicajazz.it (*Jazz rivista*); **Pag.92**: ilpopoloveneto.it (*G. Ferreri*), insidemusic.it (*M. Mengoni*), wikitesti.com (*Jovanotti*), webl0g.net (*E. Marrone*); **Pag.93**: cronacaqui.it (*L. Pausini*), panorama.it (*T. Ferro*), globestyles.com (*Fedez*); **Pag.94**: ©T. Marin; **Pg.99**: ilclubdellericette.it (*3*); **Pag.109**: steemit.com/life/@karlitos (*lasagne*); **Pag. 111**: www.r4mengineering.com (*Galleria Milano*); **Pag. 114**: www.casinadelbosco.it (*culatello*); two4italy.files.wordpress.com (*signora Miriam*), blaggando.wordpress.com (*Negramaro*); **Pag. 126**: www.arkosacademy.com (*Anna Magnani*); www.cinemacarmen.org (*Cinema Carmen*); **Pag. 131**: www.amica.it (*Santiago, Italia*); **Pag. 134**: ©Telis Marin (*Torino*); **Pag. 136**: www.amazon.it (*Lavazza, sugo Star, detersivo*), centralelattevicenza.com (*latte*); www.zero1web.it (*formaggio*); http://www.ipiaceridelgusto.it/ (*funghi*); www.tigota.it (*crema idratante*), www.harrisfarm.com (*sugo Barilla*), www.emporioitaliano.com (*shampoo*); www.cosicomodo.it (*kinder yogurt*), www.jeancoutu.com (*gel per capelli*), www.cartotecnicadeimille.it (*dentifricio*); www.frantoiovedovelli.com (*olio*), trovino.it (*vino*); www.rouses.com (*olive*), www.colosseumdeli.com (*mozzarella*); www.flickr.com (*mercato*), https://theretailchain.altervista.org (*supermercato*); **Pag. 160**: dai siti delle riviste, www.offerteshopping.it (*Gente*); **Pag. 171**: gr.pinterest.com (*Grotta di Villanova*)

By entertaining and motivating students, the objective of the game is to:

- use and solidify the linguistic content of the book
- transform the experience of the game into substantial learning and create a collaborative, inclusive and shared context
- make students more independent and allow them to be the protagonists

GIOCANDO S'IMPARA!

- ✓ 4 (+2) game formats to review and solidify what was learned in class
- ✓ 300 cards to use in class and motivate students while having fun

Interactive Book

✓ Student's Book
✓ Audio
✓ Video

nuovissimo PROGETTO italiano 1

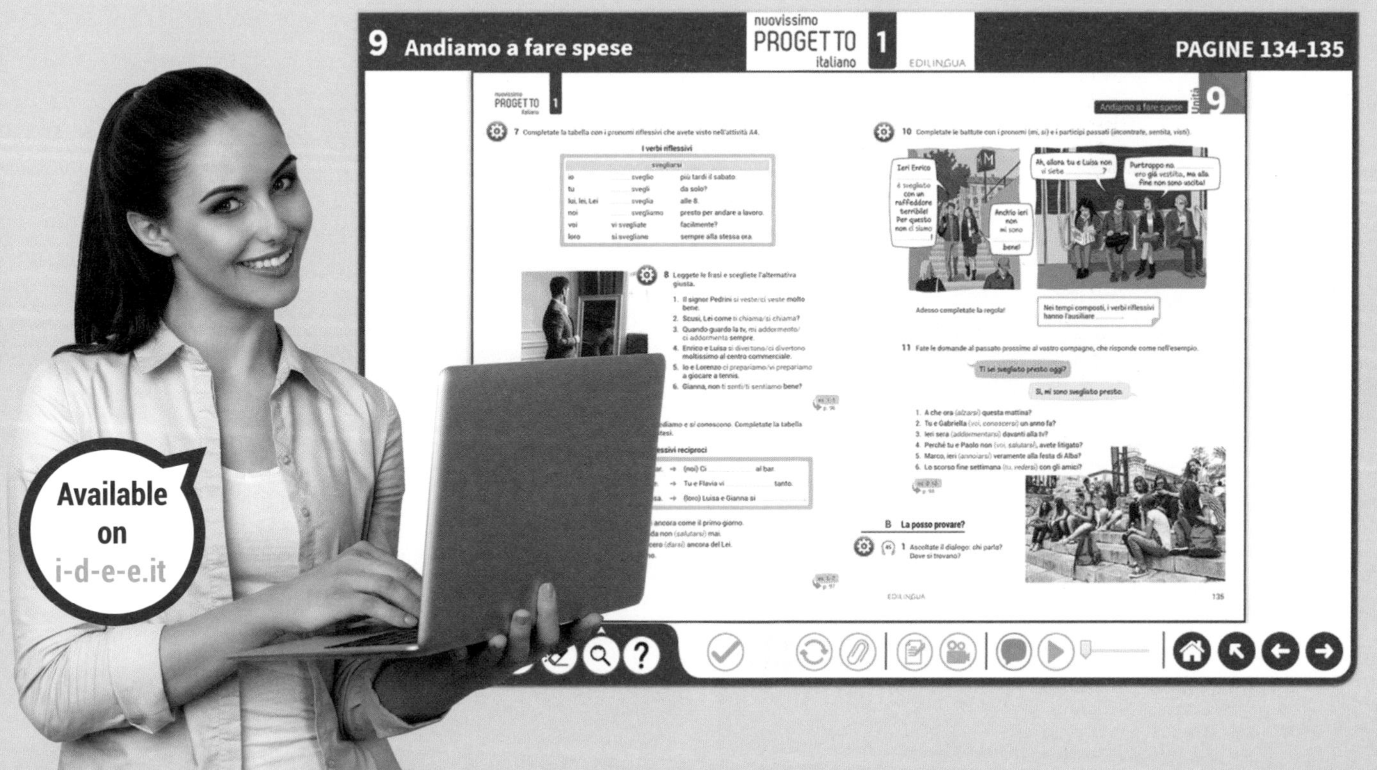

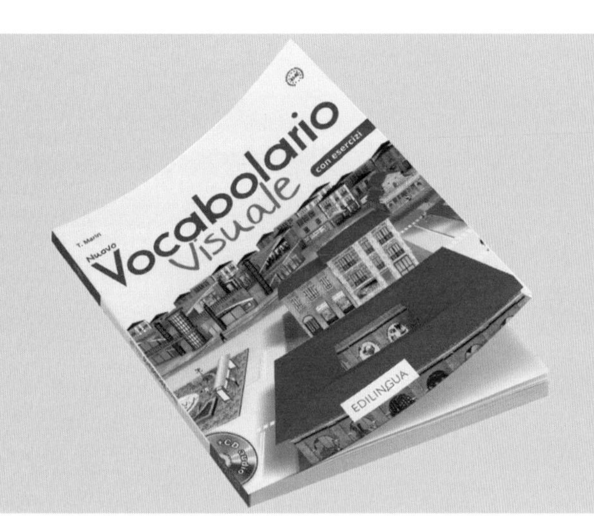

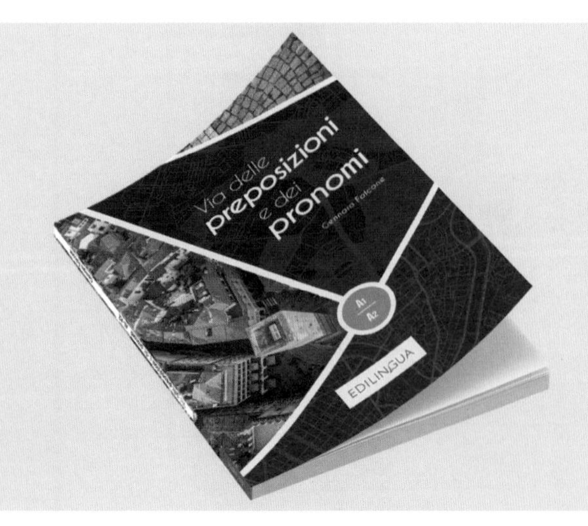